国学经典

唐宋名家文集

柳宗元集

卫绍生 注译

中州古籍出版社

唐宋名家文集·柳宗元集

前　言

柳宗元，字子厚，河东（今山西永济）人，唐代著名文学家、思想家。幼有奇才，名闻乡里。唐德宗贞元九年（793年），年仅21岁的柳宗元考中进士。贞元二十一年，"以文章称首入尚书"（刘禹锡《柳河东文集序》），为礼部员外郎，旋即以疏隽少检被黜，出为邵州刺史，后又因参与王叔文革新集团被贬为永州司马，谪居永州10年。元和十年（815年），出任柳州刺史。元和十四年，卒于柳州任所，时年47岁。柳宗元去世前，留书刘禹锡，请代为编纂其文集。时任夔州刺史的刘禹锡整理其遗稿，编纂为45卷的《柳河东集》。

柳宗元的散文创作，以谪居永州为界，明显分为前后两个时期。谪居永州之前，其文尚未完全摆脱六朝遗风，注重隶事用典，讲究对仗，未脱四六窠臼。柳宗元谪居永州和任柳州刺史的14年间，尤其是谪居永州的10年间，其文学创作步入高峰期，文风为之大变。韩愈说他"居间，益自刻苦务记，览为词章，泛滥停蓄，为深博无涯"（《柳子厚墓志铭》）。《新唐书》本传说他"既窜斥，地又荒疠，因自放山泽间。其堙厄感郁，一寓诸文，仿《离骚》数十篇，读者咸感悲恻"。诚如宋人陈长方所说："子厚在中朝时，尚有六朝规矩，读之令人鄙厌。至永州以后，始以三代为师。至淮西一事，退之作碑，子厚作雅，逞其余力，便觉退之不逮子厚，直一日千里也。"（《五百家注柳先生集·看柳文纲目》）仔细读一读柳宗元谪居永州和任柳州刺史期间所作的散文，确实是自具面目，别开生面，给人峻峭激切、雄深雅健之感。如其小品文《蝜蝂传》、《乞巧文》、《骂尸虫文》、《三戒》等，可谓是嬉笑怒骂皆成文章，而且寓意深刻，具有强烈的现实批判性。而"永州八记"等游记体散文，则观察细致，体味入微，形象鲜明，刻画逼真，是山水游记散文的典范之作。可以说，正是在永州和柳州时的文学创作，成就了在中国散文史上与韩愈齐名的散文大家柳宗元，以至于后人论唐代散文，往往是言必称"韩柳"。明人推崇的唐宋散文八大家，唐代亦唯有"韩柳"。柳宗元在中国散文史上的地位自是不言而喻。

　　柳宗元散文今存400余篇，涉及古代散文的大部分文体。但其成就最高、影响最大者，则在于论说、传状、小品、游记和题序。如论说体中的《封建论》、《四维论》、《天说》、《捕蛇者说》，传状体中的《宋清传》、《种树郭橐驼传》、《梓人传》、《蝜蝂传》、《河间传》、《段太尉逸事状》，小品中的《乞巧文》、《骂尸虫文》、《三戒》，游记体中的"永州八记"和《柳州山水近治可游者记》，题序体中的《读韩愈所著〈毛颖传〉后题》、《送薛存义序》、《愚溪诗序》，等等，都是脍炙人口的作品，从不同方面反映出柳宗元散文所取得的成就。譬如《封建论》，把社会发展从"家天下"走向"公天下"看做是必然之势，突出了"封建非圣人意也，势也"的思想，见地甚为深刻，触及了社会发展的规律性问题。传状体散文大多以处于社会底层的平民百姓为主人公，通过对他们的描写，反映社会矛盾，揭露不合理的社会现实，为被侮辱被损害的下层人物鸣不平，具有强烈的批判现实的意义。柳宗元的小品文诙谐幽默，妙趣横生，寓意丰富而深刻，具有极强的讽刺意味和尖锐的批判精神，在唐代散文中独树一帜，给中唐文坛带来了一阵清风。其小品文不仅赫然自为一体，而且影响深远，在小品文发展史上占有重要地位。至于山水游记，则是柳宗元散文的代表性文体。这类作品既注重山水景物的描写与刻画，注重表现祖国壮丽秀美的山川景物，又寓情于景、借景抒情，把其不幸遭遇和对现实的不满，巧妙地融入对自然景物的描写与刻画之中，在摹山绘水的同时，表达了对现实的抗议和对社会的批判，在乐山乐水的同时，找到了精神慰藉和心灵乐土。在艺术表现上，柳宗元显然十分谙熟中国传统散文的表现手法和技巧，并把它发挥到一个新的水平。他既注重以我观物，更注重以物观物，在物我为一中描绘山水景物，展示山水性格，寄托个人情感，抒发个人情怀。可以说，柳宗元的山水游记既以语言胜，以技巧胜，又以景物胜，以情感胜，更以其山水游记的象外之境出人意表胜。

有鉴于柳宗元在中国散文史上的重要地位，柳宗元的散文自唐代开始就受到了特别的重视。唐代以后，尤其是宋、明两代，柳宗元散文与韩愈散文并驾齐驱，荣登唐宋散文八大家之列。明代茅坤编纂的《唐宋八大家文钞》，选录柳宗元散文130篇。他认为，"昌黎之文得诸古六艺及孟轲、扬雄者为多，而柳州则间出乎《国语》及《左氏春秋》诸家矣。其深醇浑雄或不如昌黎，而其劲悍沉寥，抑亦千年以来旷音也"（《柳州文钞引》）。近年来，亦偶见唐宋八大家散文或柳宗元散文的选本。由于选家的标准不同，认知不同，以及目的和对象不同，所选文章多有差异。本书所选柳宗元散文，以文渊阁四库全书所收宋刊《柳河东集》为工作本，参考《柳河东集注》、《五百家注柳河东集》及茅坤《唐宋八大家文钞·柳州文钞》，反复比勘，认真选择，精选出柳宗元散文70篇，并根据"国学经典"的统一体例，作了题解、注释和翻译。由于时间仓促，学识所限，本书的注释、翻译难免有不当之处，敬请大方之家有以教之。

卫绍生
2009年11月18日于郑州

目 录

论
- 封建论 11
- 四维论 22
- 天爵论 24
- 守道论 26
- 辩侵伐论 29
- 六逆论 31

议辩
- 晋文公问守原议 35
- 驳复仇议 38
- 桐叶封弟辩 42
- 《论语》辩（上） 44
- 《论语》辩（下） 46
- 辩《晏子春秋》 47

碑志
- 箕子碑 50
- 终南山祠堂碑并序 52
- 湘源二妃庙碑 55

唐故特进赠开府仪同三司扬州大都督南府君睢阳庙碑 —— 57
故永州刺史流配驩州崔君权厝志 —— 64
吕侍御恭墓志 —— 66
故连州员外司马凌君权厝志 —— 69

对问
愚溪对 —— 74
对贺者 —— 80

说
天说 —— 83
捕蛇者说 —— 87
谪龙说 —— 90

传状
宋清传 —— 92
种树郭橐驼传 —— 96
童区寄传 —— 99
梓人传 —— 103
蝜蝂传 —— 109
河间传 —— 111
段太尉逸事状 —— 118

小品
乞巧文 —— 127
骂尸虫文并序 —— 135
宥蝮蛇文并序 —— 139
憎王孙文并序 —— 144

箴戒铭
师友箴并序 —— 149
三戒并序 —— 151

涂山铭并序 ……………………………………… 155

题序

　　读韩愈所著《毛颖传》后题 …………………… 161
　　送宁国范明府诗序 ……………………………… 164
　　送薛存义序 ……………………………………… 167
　　愚溪诗序 ………………………………………… 169
　　送元十八山人南游序 …………………………… 173
　　送僧浩初序 ……………………………………… 176

记

　　桂州裴中丞作訾家洲亭记 ……………………… 181
　　永州龙兴寺息壤记 ……………………………… 186
　　永州龙兴寺东丘记 ……………………………… 188
　　永州法华寺新作西亭记 ………………………… 191
　　游黄溪记 ………………………………………… 193
　　始得西山宴游记 ………………………………… 197
　　钴鉧潭记 ………………………………………… 199
　　钴鉧潭西小丘记 ………………………………… 201
　　至小丘西小石潭记 ……………………………… 204
　　袁家渴记 ………………………………………… 206
　　石渠记 …………………………………………… 208
　　石涧记 …………………………………………… 210
　　小石城山记 ……………………………………… 212
　　柳州东亭记 ……………………………………… 214
　　柳州山水近治可游者记 ………………………… 216

书

　　与李翰林建书 …………………………………… 221
　　贺进士王参元失火书 …………………………… 226

与友人论为文书 —————————————— 232
　　答韦中立论师道书 ————————————— 237
表
　　为裴中丞贺克东平赦表 ———————————— 245
　　为刘同州谢上表 —————————————— 248
非《国语》
　　三川震 ———————————————————— 251
　　问战 ————————————————————— 254

封建论[1]

天地果无初乎[2]?吾不得而知之也。生人果有初乎?吾不得而知之也。然则孰为近?曰:有初为近。孰明之?由封建而明之也。彼封建者,更古圣王尧、舜、禹、汤、文、武而莫能去之[3]。盖非不欲去之也,势不可也[4]。势之来,其生人之初乎?不初,无以有封建。封建非圣人意也。

[题解]

本文主要论述封建制的产生乃是形势使然,而非圣人之意。封建制存在着朝廷无法控制诸侯国和诸侯盘剥百姓等诸多问题,而郡县制则可以很好地解决这些问题。最初实行郡县制的秦朝虽然很快就灭亡了,但过错不在实行郡县制,而在于统治者残酷暴虐,徭役繁重。

[注释]

①封建:分封国土,建立诸侯。这是秦朝实行郡县制之前中国社会的一种基本组织形态。②初:开端,初始形态。③尧、舜、禹、汤、文、武:这六位皆是儒家推崇的古代圣王。禹是夏朝的建立者,汤是商朝的建立者,文、武指周文王和周武王,周朝的建立者。④势:形势、趋势。

[译文]

　　自然界果真没有初始形态吗?我无法知道。人类果真有初始形态吗?我也无法知道。那么有还是没有初始形态,哪种情况更接近事实呢?我认为,有初始形态这种情况比较接近事实。怎么知道这一点呢?从分封国土、建立诸侯的封建制就可以看出。封建制经历了古代圣明的帝王唐尧、虞舜、夏禹、商汤、周文王和周武王,而没有人废除它。这大概不是不想废除它,而是形势不允许。这种形势的产生,大概是在人类的初始阶段吧?不是初始阶段的特殊形势,就不可能产生封建制。封建制的产生并不是出于圣人的本意。

　　彼其初与万物皆生,草木榛榛①,鹿豕狉狉②,人不能搏噬,而且无毛羽,莫克自奉自卫,荀卿有言③,必将假物以为用者也。夫假物者必争,争而不已,必就其能断曲直者而听命焉。其智而明者,所伏必众。告之以直而不改,必痛之而后畏,由是君长刑政生焉。故近者聚而为群,群之分,其争必大,大而后有兵有德。又有大者,众群之长又就而听命焉,以安其属,于是有诸侯之列。则其争又有大者焉。德又大者,诸侯之列又就而听命焉,以安其封,于是有方伯、连帅之类④。则其争又有大者焉。德又大者,方伯、连帅之类又就而听命焉,以安其人,然后天下会于一。是故有里胥而后有县大夫,有县大夫而后有诸侯,有诸侯而后有方伯、连帅,有方伯、连帅而后有天子。自天子至于里胥,其德在人者,死必求其嗣而奉之。故封建非圣人意也,势也。

[注释]

　　①榛榛:草木丛生。②狉狉:野兽奔走的样子。③荀卿:即荀子,战国时期著名思想家,有《荀子》一书。④方伯:指一方诸侯之长。《礼记·王制》:"千里之外设方伯。"后来泛称地方长官为方伯。连帅:古代十国为连,

连设帅,称为连帅。

[译文]

人类在初始阶段与万物一起生存,那时野草、树木丛生,野兽四处奔走,人不能像禽兽那样搏击厮咬,而且身上没有毛羽抵御严寒,不能够供养和保卫自己。荀子说过:"人类一定会借助外物为自己所用。"借用外物就必然会产生争斗,争斗不停,就一定要有能判断是非的人从而听命于他。有智慧又明白事理的人,服从他的人一定很多。把正确的道理告诉争斗的人而他们还不悔改,就一定要惩罚他,让他经受痛苦之后感到畏惧,于是君主、尊长、刑律、政令就产生了。所以相近的人就聚结成群。分成许多群以后,相互间争斗的规模一定会增大,争斗的规模大了而后会出现战争和有德行的人;争斗的规模再增大,各个族群的首领就会到有德行的人那里,听从他的命令,以此来安定自己的部属,于是产生了许多诸侯;争斗的规模继续增大,又有比诸侯德行更大的人,许多诸侯又去听从他的命令,来安定其属地,于是又产生了方伯、连帅一类的人物;争斗的规模更大了,于是就又出现了比方伯、连帅德行更大的人,方伯、连帅们又去听从他的命令,来安定自己的老百姓,这样一来天下便统一于天子一人了。所以,先有乡里的长官而后有县的长官,有了县的长官而后有诸侯,有了诸侯而后有方伯、连帅,有了方伯、连帅而后才有天子。从最高的天子到乡里的长官,对人民有恩德的人,他们死后人们一定会尊奉其子孙继承他的位子。所以说封建制的产生不是圣人的本意,而是形势发展的必然结果。

夫尧、舜、禹、汤之事远矣,及有周而甚详。周有天下,裂土田而瓜分之,设五等①,邦群后,布履星罗,四周于天下,轮运而辐集。合为朝觐会同,离为守臣扞城。然而降于夷王,害礼伤尊,下堂而迎觐者。历于宣王,挟中兴复古之德,雄南征北伐之威，卒不能定鲁侯之嗣。陵夷迄于幽、厉，王室东徙，而自列为诸侯矣。厥后问鼎之轻重者有之②，射王中肩者有之③，伐凡伯、诛苌弘者有之④，天下乖戾，无君君之心。余以为周之丧久矣，徒建空名于公侯之上耳。得非诸侯之盛强，末大不掉之咎欤？遂判为十二⑤，合为七国⑥，威分于陪臣之邦⑦，国殄于后封之秦⑧。则周之败端，其在乎此矣。

[注释]

①五等：指古代公、侯、伯、子、男五等爵位。②问鼎：公元前606年，楚庄王在周朝的边境检阅军队。周定王派王孙满前去慰劳，楚庄王向他询问周朝鼎的大小轻重。周代以鼎为传国之宝，楚庄王问周鼎，流露出取周天子而代之的意思。③射王中肩：公元前707年，周桓王率领诸侯讨伐郑国，郑庄公率军抵御，其部将祝聃射中了周桓王的肩膀。④伐凡伯：指公元前716年戎人讨伐周朝大臣凡伯于楚丘之事。诛苌弘：指公元前492年周人杀死大夫苌弘之事。其后三年，苌弘的血化为碧色。⑤十二：指春秋十二国，即鲁、齐、晋、秦、楚、宋、卫、陈、蔡、曹、郑、燕。⑥七国：指战国七雄，即秦、楚、燕、齐、韩、赵、魏。⑦威分于陪臣之邦：指春秋末年田氏篡齐与韩、赵、魏三家分晋之事。⑧殄：灭。秦是周朝分封比较晚的诸侯国。周恭王时，秦仅为附庸。西周末年，秦襄公救周有功。平王东迁洛邑，秦国始为诸侯。秦国成为诸侯国的时间虽然最迟，但后来周朝却是灭于秦始皇之手。

[译文]

尧、舜、禹、汤的事离我们很远了，到了周代记载甚为详细。周朝占有天下，把土地像切瓜一样分割开，设立公、侯、伯、子、男五等爵位，分封了许多诸侯。诸侯国像繁星似的罗列，遍布于大地四面上，像车的辐条集中于车轴那样，围绕着周天子集结起来。诸侯聚合起来一同朝见周天子，分散开来就是守卫疆土的臣子和朝廷的捍卫者。然而下传到周夷王的时候，礼法被破坏，尊严遭损害，天子只好亲自下堂去迎接前来朝见的诸侯。传到周宣王的时候，他虽然倚仗着复兴周朝的功德，显示出南征北伐的威风，终究还是不能确定鲁国国君的继承人。像这样日渐衰败到了周幽王、周厉王，之后周平王把国都东迁到洛邑，把自己排在与诸侯同等地位上。自此以后，问周朝传国九鼎大小轻重的事情出现了，用箭射伤周天子肩膀的事情出现了，讨伐天子大臣凡伯、周人杀死大夫苌弘的事情也出现了，天下大乱，再没有人把周天子当做天子看了。我认为，周王朝的灭亡其实已经很久了，只不过还在诸侯之上保存着一个空名罢了！这难道不是诸侯势力太强大，就像尾巴太大以至摇摆不动一样吗？于是周王朝的统治权分散到十二个诸侯国，后来又合并为七个强国，王朝的权力分散到陪臣掌政的国家，最后被很晚才封为诸侯的秦国灭掉。周朝败亡的原因，大概就在这里了。

秦有天下，裂都会而为之郡邑①，废侯卫而为之守宰②，据天下之雄图，都六合之上游③，摄制四海，运于掌握之内，此其所以为得也。不数载而天下大坏，其有由矣。亟役万人，暴其威刑，竭其货贿。负锄梃谪戍之徒④，圜视而合从，大呼而成群。时则有叛人而无叛吏，人怨于下而吏畏于上，天下相合，杀守劫令而并起。咎在人怨，非郡邑之制失也。

[注释]

①郡邑：即郡县。秦朝废除分封制，实行郡县制。②守宰：郡县长官，泛指地方官。③六合：天地四方。泛指天下。上游：江河发源处和邻近地区。《史记·高祖纪》说："古之帝者，地方千里，必居上游。"④锄梃：锄头和棍棒。

[译文]

秦朝统一全国后，分割诸侯国而设置郡县，废除诸侯而委派郡县长官。秦占据了天下的险要地势，建都于天下的上游，控制着全国，运天下于掌握之中，这是做得正确的地方。但没过几年就天下大乱，这是有其原因的。秦朝多次征发数以万计的百姓服役，威势刑法越来越残暴，耗尽了国家财力。那些扛着锄头、棍棒被责罚防守边境的人们，愤怒地联合起来，怒吼着汇合成群（揭竿而起反抗秦朝）。那时有造反的百姓而没有反叛的官吏，百姓在下怨恨秦朝，官吏则惧怕朝廷。天下互相配合，杀郡守劫县令的事情同时在各地发生。（秦朝灭亡）错在激起了人民的怨恨，而不是郡县制的过失。

汉有天下，矫秦之枉，徇周之制，剖海内而立宗子，封功臣。数年之间，奔命扶伤之不暇。困平城①，病流矢，陵迟不救者三代②。后乃谋臣献画，而离削自守矣。然而封建之始，郡邑居半，时则有叛国而无叛郡③。秦制之得，亦以明矣。继汉而帝者，虽百代可知也。

[注释]

①困平城：公元前200年，汉高祖刘邦征讨匈奴，被匈奴兵困于平城。后用陈平之计得以逃脱，史称平城之围或白登之围。平城，在今山西大同东北。②三代：指汉初三帝，即汉高祖、文帝和景帝。③叛国：指汉景帝时发生的吴、楚七国之乱。

[译文]

汉朝统一全国之后，纠正秦朝的错误，沿袭周朝的制度，分割天下，立同族子弟为王，分封功臣为诸侯。短短几年间，（诸侯国相继叛乱，）汉高祖疲于奔命，以至连救死扶伤都来不及，先被围困在平城，后又被流矢射伤，如此衰落不振迄于文、景二帝。后来有谋臣献策，分散削弱诸侯王的势力令其自守其土。但是汉朝开始恢复封建制的时候，郡县仅占一半疆域，当时只有反叛的诸侯国而没有反叛的郡县。秦朝实行郡县制的正确性，也就因此而清楚了。继汉朝而称帝的人，即使再过一百代，也会明白郡县制胜于封建制的道理。

唐兴，制州邑，立守宰，此其所以为宜也。然犹桀猾时起①，虐害方域者②，失不在于州而在于兵，时则有叛将而无叛州。州县之设，固不可革也。

[注释]

①桀猾：凶暴奸诈。桀，凶暴。②方域：四方疆域，全国。

[译文]

唐朝建立以后，实行州县制，任命州县长官，这是做得正确的地方。但还是有凶暴奸诈之徒时时作乱、危害国家的情况，其过失不在于设置州县，而在于藩镇拥有重兵，当时有反叛的藩镇将领而没有反叛的州县长官。州县制的设置，当然是不能改变的。

或者曰："封建者，必私其土，子其人①，适其俗，修其理，施化易也。守宰者，苟其心，思迁其秩而已，何能理乎？"余又非之。周之事迹，断可见矣：列侯骄盈，黩货事戎。大凡乱国多，理国寡。侯伯不得变其政，天子不得变其君。私土子人者，百不有一。失在于制，不在于政。周事然也。秦之事迹，亦断可见矣：有理人之制，而不委郡邑，是矣。有理人之臣，而不使守宰，是矣。郡邑不得正其制，守宰不得行其理，酷刑苦役，而万人侧目②。失在于政，不在于制。秦事然也。

[注释]

①子其人：把百姓当做自己的子女。②侧目：怒视。形容愤怒。

[译文]

有人说："封建制的君主，一定会把管辖的地方当做自己的土地，把下属的百姓当做自己的儿女，淳正那里的风俗，匡正那里的法纪，这样施行教化就比较容易了。郡县制的州县长官，得过且过，一心只想升官罢了，怎能把下属之地治理好呢？"我认为这种说法也是不对的。周朝的情况，断然可以看清楚了：诸侯骄横奢侈，贪财好战，总的来说是混乱的国家多，治理得好的国家少。诸侯国君主不能改变本国的政策，天子不能撤换诸侯国君主。真正爱惜土地、爱护人民的诸侯，一百个中间也没有一个。造成这种弊病的原因在于封建制，不在于政治方面。周朝的情况就是这样。秦朝的情况，也断然可以看清楚了：朝廷有治理百姓的制度，而不让郡县专权，这是正确的。中央有治理百姓的大臣，不让地方长官自行其是，这也是正确的。但是郡县不能正确发挥郡县制的作用，地方长官不能很好地行使治理百姓的权力，残酷的刑罚和繁重的劳役使万民怨恨。造成这种弊病的原因在于政治方面，不在于郡县制。秦朝的情况便是这样。

汉兴，天子之政行于郡，不行于国；制其守宰，不制其侯王。侯王虽乱，不可变也；国人虽病①，不可除也。及夫大逆不道，然后掩捕而迁之，勒兵而夷之耳②。大逆未彰，奸利浚财，怙势作威，大刻于民者③，无如之何。及夫郡邑，可谓理且安矣。何以言之？且汉知孟舒于田叔④，得魏尚于冯唐⑤，闻黄霸之明审⑥，睹汲黯之简靖⑦，拜之可也，复其位可也，卧而委之以辑一方可也。有罪得以黜，有能得以赏。朝拜而不道，夕斥之矣；夕受而不法，朝斥之矣。设使汉室尽城邑而侯王之，纵令其乱人，戚之而已。孟舒、魏尚之术，莫得而施；黄霸、汲黯之化，莫得而行。明谴而导之，拜受而退已违矣。下令而削之，缔交合从之谋，周于同列，则相顾裂眦，勃然而起。幸而不起，则削其半。削其半，民犹瘁矣⑧。曷若举而移之，以全其人乎？汉事然也。

[注释]

①病：苦，痛苦。《左传·襄公二十四年》："范宣子为政，诸侯之币重，郑人病之。"②夷：削平。③刻：刻害，刻薄。④田叔：西汉时人，以善于知

人而闻名。他曾向汉文帝举荐因事被免的云中太守孟舒,汉文帝采纳了他的建议,复召孟舒为云中太守。⑤冯唐:西汉时人,曾向汉文帝举荐魏尚为云中太守,为文帝所采纳。⑥黄霸:西汉时人,曾为颍川太守,外宽内明,甚得民心,治下为天下第一。后征为京兆尹。⑦汲黯:西汉时人,学黄、老之言,治民好清静,不拘细小。任东海太守时,无为而治,睡在屋子里不出去。过了一年多,竟把东海郡治理得很好。简靖:简约清静。⑧瘁:疲惫。

[译文]

　　汉朝刚刚建立的时候,天子的政令只能在郡县推行,不能在诸侯国推行;天子只能控制郡县长官,不能控制诸侯王。诸侯王即使胡作非为,也不能撤换;诸侯国的百姓即使深受祸害,也无法免除。等到诸侯王叛乱造反,之后才把他们逮捕并流放,率兵讨伐消灭他们。诸侯王的罪恶没有彰显时,他们非法牟利搜刮钱财,依仗权势作威作福,给百姓造成严重的伤害,朝廷也拿他们没办法。至于郡县,可以说是政治清明、社会安定。凭什么这样讲?汉文帝从田叔那里知道了孟舒,从冯唐那里了解到魏尚,汉宣帝听说黄霸执法明察审慎,汉武帝看到汲黯为政简约清静,那么就可以任命黄霸做京兆尹,可以恢复孟舒、魏尚的云中太守之职,可以让汲黯躺在屋子里而委任他去安抚一个地区。官吏犯罪可以罢免,有才干可以奖赏。早上任命的官吏,如果发现他不行正道,晚上就可以撤了他;晚上接受任命的官吏,如果发现他违法乱纪,第二天早上就可以罢免他。假使汉王朝把城邑全部都分封给诸侯王,即使他们危害人民,朝廷只能为百姓悲戚而已。(这样,)孟舒、魏尚的治理方法不能施行,黄霸、汲黯的教化无法推行。(即使)公开谴责并劝导这些诸侯王,他们当面表示接受,一回到封地就背离约定;下令削减他们的封地,诸侯们就相互串通结成联盟,并告知所有的诸侯国,如此则诸侯都怒目圆睁,气势汹汹地反叛朝廷。侥幸诸侯不起来闹事,只能削减他们的一半封地,即使削减一半,百姓还是疲惫不堪。何不把诸侯王全部废除掉来保全那里的人民呢？汉朝的情况就是这样。

今国家尽制郡邑①，连置守宰，其不可变也固矣。善制兵，谨择守，则理平矣。或者又曰："夏、商、周、汉封建而延，秦郡邑而促②。"尤非所谓知理者也。魏之承汉也，封爵犹建。晋之承魏也，因循不革。而二姓陵替，不闻延祚③。今矫而变之，垂二百祀，大业弥固，何系于诸侯哉？

[注释]

①制郡邑：实行郡县制。制，作动词用，指实行某种制度。②促：短促。指时间很短。③祚：福。

[译文]

今天国家全部实行郡县制，接连任命郡县长官，这种情况不能改变是肯定的了。好好地控制军队，慎重地选择地方长官，那么就会政治清明、社会安定了。有人又说："夏、商、周、汉实行封建制而得以延续很长时间，秦朝实行郡县制却很短命。"这尤其不是懂得治理国家的人说的话。曹魏继承汉朝，分封爵位且仍然实行封建制；西晋继承曹魏，因袭旧制不加改变。但魏和晋相继衰亡，没听说其有福分得以延续。如今唐朝纠正封建制之弊实行郡县制，享国已近二百年，国家基业更加巩固，这与分封诸侯有什么关系呢？

或者又以为："殷周，圣王也，而不革其制，固不当复议也。"是大不然。夫殷、周之不革者，是不得已也。盖以诸侯归殷者三千焉，资以黜夏，汤不得而废；归周者八百焉，资以胜殷，武王不得而易。徇之以为安，仍之以为俗①，汤、武之所不得已也。夫不得已，非公之大者也，私其力于己也，私其卫于子孙也。秦之所以革之者，其为制，公之大者也；其情，私也，私其一己之威也，私其尽臣畜于我也。然而公天下之端自秦始。

[注释]

①仍：因袭、因循。这里作动词用。

[译文]

有人又认为："商、周二代都是圣明君王，他们没有改变封建制，所以这件事本来就不应再议论了。"这种说法非常错误。商、周二代没有废除封建制，这是不得已。因为当时归附商朝的诸侯有三千个，商朝依靠他们的力量废黜了夏桀，所以商汤不能废除封建制；归附周朝的诸侯有八百个，周朝凭借他们的力量战胜了商朝，所以周武王也不能废除封建制。因循封建制以求得安定，因袭封建制把它作为习俗，这就是商汤、周武王不得不这样做的原因。他们这样做是不得已的，不是大公无私，而是存有让诸侯为自己出力的私心，存有让诸侯保卫自己子孙的私心。秦朝废除封建制，实行郡县制，这是最大的公；究其初衷，也是为私，为巩固皇帝个人权威之私，为天下人都臣服于自己之私。但是，以天下为公却是从秦朝开始的。

夫天下之道，理安斯得人者也①。使贤者居上，不肖者居下，而后可以理安。今夫封建者，继世而理。继世而理者，上果贤乎？下果不肖乎？则生人之理乱未可知也。将欲利其社稷，以一其人之视听，则又有世大夫世食禄邑②，以尽其封略③。圣贤生于其时，亦无以立于天下，封建者为之也。岂圣人之制使至于是乎？吾固曰："非圣人之意也，势也。"

[注释]

①理安：治安，国家治理、社会安定。唐人避唐高宗李治讳，常常以"理"代替"治"。下文"继世而理"、"理乱"，皆是为了避唐高宗讳。②禄邑：诸侯食禄的封地。③封略：即封疆，指疆界。

[译文]

（治理）天下的规律是国家太平、社会安定才能得到人民的拥护。使贤明的人居上位，无能的人居下位，然后才会国家治理、社会安定。实行封建制，一代接一代进行治理。世袭管理国家这种情况，居上位的果真贤明吗？居下位的果真无能吗？这样的话，百姓是得到治理还是扰乱，就不得而知了。如果想要有利于国家，统一人民的思想，而同时又有士大夫世袭其食禄的封地，占尽了诸侯国的疆界，即使圣贤生在那个时代，也会没有立足之地，这就是封建制造成的。难道是圣人的制度使事情糟糕到如此地步吗？所以我说："这不是圣人的本意，而是形势发展的结果。"

四维论

《管子》以礼义廉耻为四维[①]，吾疑非管子之言也。彼所谓廉者，曰不蔽恶也；世人之命廉者，曰不苟得也。所谓耻者，曰不从枉也；世人之命耻者，曰羞为非也。然则二者果义欤，非欤？吾见其有二维，未见其所以为四也。

夫不蔽恶者，岂不以蔽恶为不义而去之乎？夫不苟得者，岂不以苟得为不义而不为乎？虽不从枉与羞为非皆然。然则廉与耻，义之小节也，不得与义抗而为维[②]。圣人之所以立天下，曰仁义。仁主恩，义主断。恩者亲之，断者宜之，而理道毕矣。蹈之斯为道，得之斯为德，履之斯为礼，诚之斯为信，皆由其所之而异名。今管氏所以为维者，殆非圣人之所立乎？

又曰："一维绝则倾，二维绝则危，三维绝则覆，四维绝则灭。"若义之绝，则廉与耻其果存乎？廉与耻存，则义果绝乎？人既蔽恶矣，苟得而从枉矣，为非而无羞矣，则义果存乎？使管子庸人也，则为此言。管子而少知理道，则四维者非管子之言也。

[题解]

四维指礼、义、廉、耻。维，联结物体的大绳。这里象征能使事物固定下来的意识和力量。四维之说是管子提出来的，他认为，四维张则国令行，四维不张，国乃灭亡。本文认为《管子》中的四维说不是一个层面的问题，廉与耻是义之小节，不能与礼、义放在对等的位置上。管子是明白道理的人，不会把四者放在一起去说，所以，四维之说不是管子的话。

[注释]

①《管子》：托名战国管仲撰，实际上是由西汉刘向编定，原有86篇，现存76篇。收录了战国时期包括法家、儒家、道家、阴阳家等学派的思想观点。②抗：对等。

[译文]

《管子》一书把礼、义、廉、耻作为四维，我怀疑这不是管仲的话。书中所说的廉，说的是不隐藏恶行；世人所说的廉，说的是不苟且获取。书中所说的耻，说的是不顺从枉曲；世人所说的耻，说的是羞于做坏事。这样的话，这两者究竟是义，还是不是义？我从《管子》中看到了二维，没有看到称为四维的理由。

不隐藏恶行，岂不是把隐藏恶行作为不义之行而摈弃吗？不苟且获取，岂不是把苟且获取作为不义之事而摈弃吗？即使是不顺从枉曲与羞于做坏事也是这样。如此说来，廉与耻是义的小节，不能与义对等而成为维。圣人之所以立于天下，靠的是仁、义。仁的主要内容是恩德，义的主要内容是决断。恩德就是亲近他人，决断就是做该做的事。所有治理天下的道理都包含在仁、义里面了。实践仁、义，这就是道；获得仁、义，这就是德；践行仁、义，这就是礼；诚实对待仁、义，这就是信。道、德、礼、信都是自仁、义而来，只是名称不同而已。如今管子所说的四维，大概不是圣人所确立的吧?

《管子》又说:"一维断就会倾斜,二维断就会危险,三维断就会倾覆,四维断就会灭亡。"如果义没有了,廉与耻真的还能存在吗?廉与耻存在,那么义真的能够断绝吗?人们既然隐藏恶行、苟且获取、顺从枉曲、做坏事都没有羞耻感,那么,义真的还能存在吗?假如管子是一个平庸的人,那么他会说这样的话。可是,管子是一个少年时期就很明白道理的人。那么,四维这种说法就不是管子的话了。

天爵论①

柳子曰:仁义忠信,先儒名以为天爵,未之尽也。夫天之贵斯人也,则付刚健纯粹于其躬,倬为至灵②,大者圣神,其次贤能,所谓贵也。

刚健之气,钟于人也为志,得之者,运行而可大,悠久而不息,拳拳于得善,孜孜于嗜学,则志者其一端耳。纯粹之气,注于人也为明,得之者,爽达而先觉,鉴照而无隐,盹盹于独见③,渊渊于默识,则明者又其一端耳。明离为天之用,恒久为天之道,举斯二者,人伦之要尽是焉。故善言天爵者,不必在道德忠信,明与志而已矣。道德之于人,犹阴阳之于天也;仁义忠信,犹春秋冬夏也。举明离之用,运恒久之道,所以成四时而行阴阳也。宣无隐之明,著不息之志,所以备四美而富道德也。

故人有好学不倦而迷其道、挠其志者④,明之不至耳;有照物无遗而荡其性、脱其守者,志之不至耳。明以鉴之,志以取之,役用其道德之本,舒布其五常之质⑤,充之而弥六合,播之而奋百代,圣贤之事也。然则圣贤之异愚也,职此而已。使仲尼之志之明可得而夺，则庸夫矣。授之于庸夫，则仲尼矣。若乃明之远迩，志之恒久，庸非天爵之有级哉？故圣人曰"敏以求之"⑥，明之谓也；"为之不厌"⑦，志之谓也。道德与五常，存乎人者也。克明而有恒，受于天者也。

呜呼！后之学者，尽力于所及焉。或曰："子所谓天付之者，若开府库焉，量而与之耶？"曰：否。其各合乎气者也。庄周言"天曰自然"，吾取之。

[题解]

本文主要论述天爵与人爵的关系，认为天爵不必在道德、忠信，而在于聪明与志向，在于把自己的聪明智慧都发挥出来，坚持自己的志向而不动摇。

[注释]

①天爵：天赐的爵位，指仁、义、忠、信等最高层次的道德修养。《孟子·告子》章说："仁义忠信，乐善不倦，此天爵也。"②倬：显著，大。③眈眈：很诚恳的样子。④挠：扰乱。⑤五常：即仁、义、礼、智、信，是儒家用以调整规范君臣、父子、兄弟、夫妇、朋友等人伦关系的行为准则。⑥敏以求之：勤奋地求学。语出《论语·述而》："子曰：我非生而知之者，好古敏以求之者。"⑦为之不厌：努力为之而不感厌烦。语出《论语·述而》："子曰：若圣与仁，则吾岂敢？抑为之不厌，诲人不倦，则可谓云尔已矣。"

[译文]

柳子说，仁、义、忠、信，先儒称为天爵，其中的道理没有完全说出来。上天珍爱人类，就把刚健纯粹之气付与人体，卓然而为人们的灵魂，其最大者为圣神，其次为贤能，这就是所谓的贵。

刚健之气汇聚于人体而为志向，得到它的话，运行中可以变大，历久而不息，勤勉于为善，执著于治学，则是志向的一种表现而已；纯粹之气凝聚于人体而为智慧，得到它的话，爽利通达而能先知先觉，像照镜子那样没有一点隐藏，诚恳地坚持独到见解，深邃地默默记诵，则是智慧的又一种表现而已。光明照耀是天的作用,恒远久长是天之道。把这两点列举出来,人伦的精要都在其中了。所以,要说天爵的话,不一定全在道德忠信,有智慧和志向就够了。人之有道德,就像天之有阴阳,仁、义、忠、信就像春、夏、秋、冬四季。发挥阳光照耀的作用,运行恒久长远之道,以此就能够形成四季而运转阴阳;彰显没有隐蔽的智慧,树立坚定不移的志向,以此就能够具备仁、义、忠、信而富有道德。

所以,人如果出现了好学不倦却迷失其道、扰乱其志向的情况的话,那就是智慧没有达到;出现了把一切事物看得很清楚却摇荡性情、失其操守的情况的话,那就是志向没能坚守。智慧是用来观察事物的,志向是决定采取行动的。役使道德之根本,展开五常之本质,使之丰盈充沛布满天地之间,流传下去令百代振奋,这是圣贤所做的事情。圣贤和愚蠢人的区别,仅此而已。如果仲尼的志向、智慧能够被人夺取的话,仲尼就成了普通人了;如果这些能够授予普通人,普通人就成为仲尼了。像这样智慧之远近,志向之恒久,岂不是天爵有等级之别?所以孔子说"敏以求之",说的就是人的智慧;说"为之不厌",说的就是人的志向。道德与五常,存在于人类自身。能察是非而又有恒久之志,这样的人是天生的。

啊!后来的人尽自己的能力达到所能达到的程度就是了。有人说:"你所说的上天赋予,就像是打开仓库,根据每个人的情况付与他吧?"我说:不是这样。上天的赋予要合乎每个人的人格禀赋。庄子说"天曰自然",我采用的就是庄子所说的自然。

守道论[①]

或问曰:"守道不如守官,何如?"对曰:是非圣人之言,传之者误也。官也者,道之器也,离之非也。未有守官而失道,守道而失官之事者也。是固非圣人之言，乃传之者误也。

夫皮冠者，是虞人之物也②。物者，道之准也。守其物，由其准，而后其道存焉。苟舍之，是失道也。凡圣人之所以为经纪、为名物，无非道者。命之曰官，官是以行吾道云尔。是故立之君臣、官府、衣裳、舆马、章绶之数③，会朝、表著、周旋、行列之等④，是道之所存也。则又示之典命、书制、符玺、奏复之文，参伍、殷辅、陪台之役⑤，是道之所由也。则又劝之以爵禄、庆赏之美，惩之以黜远、鞭扑、桎拲、斩杀之惨⑥，是道之所行也。故自天子至于庶民，咸守其经分，而无有失道者，和之至也。

失其物，去其准，道从而丧矣。易其小者，而大者亦从而丧矣。古者居其位思死其官，可易而失之哉？《礼记》曰："道合则服从，不可则去。"孟子曰："有官守者，不得其职则去。"然则失其道而居其官者，古之人不与也。是故在上不为抗，在下不为损，矢人者不为不仁⑦，函人者不为仁⑧。率其职，司其局，交相致以全其工也。易位而处，各安其分，而道达于天下矣。且夫官，所以行道也。而曰守道不如守官，盖亦丧其本矣。未有守官而失道，守道而失官者也。是非圣人之言，传之者误也，果矣。

[题解]

"守道不如守官"原出《左传·昭公二十年》引孔子语。春秋时期，齐侯在沛地打猎，招虞人把弓拿过来，虞人没有听从命令，说："过去先君打猎时，用旗子招大夫，用弓招士，用皮冠招虞人。臣没有看见皮冠，所以不敢进奉。"孔子评价这件事说："守道不如守官。"本文就是针对这一观点发表看法，认为这不是孔子的话，而是传说者的误传。

[注释]

①守道：坚守道义。②虞人：古代掌管山泽、苑囿、田猎的官员。③章

绶：徽章和绶带。古代官服皆有徽章和绶带，用以区分官职高低。④会朝：指诸侯或群臣朝会盟主或天子，又指古代帝王祭祀名山大川。⑤参伍：即三和五。古代天子设其参，傅其伍，卿三人，大夫五人，皆天子之臣。陪台：亦是天子之臣。⑥梏拲（gǒng）：古代刑具。梏是拷在罪犯手上的刑具；拲是拷在罪犯双手上的刑具。《周礼》有"上罪梏拲而桎"的说法。⑦矢人：造箭的工匠。⑧函人：造铠甲的工匠。

[译文]

有人问："坚守道义不如坚守职责，该怎么理解呢？"回答说，这不是圣人说的话，是传说者的失误。职责是道义的形式，离开了道义就不是职责了。没有坚守职责而失去道义，或坚守道义而失去官职的事情。这本来就不是圣人的话，而是传说者的误传。

皮帽是虞人使用的物品。物品就是道义的准则。守卫其物品，遵循这一准则，而后道义存于其中。假如舍弃这一准则，这就是失去了道义。圣人之所以经国济世、确定事物的名称，无非是根据道义。称之为官，官就因此要履行我这个道。所以，确立君臣、官府、衣裳、舆马、章绶的数目，会朝、表著、周旋、行列的等级，这就是道所存在之处；又示以典命、书制、符玺、奏复之类的文章，参伍、殿辅、陪台之类的使役，这就是道所遵循的；又用爵禄、庆赏之类的好事情奖励他们，用流放、鞭打、桎梏、斩杀之类的残酷刑罚惩戒他们，这就是道的施行。所以，上自天子，下至黎民，没有失道的人。这就是和谐的最高境界。

失去其物品，抛弃其准则，道因此就丧失了。替换小道，大道也就因此而丧失了。古人处在位子上，就想着如何为坚守自己的职责而死，能够替换其道而令其失去职守吗？《礼记·内则》说："道相合就顺从，不相合就可离去。"《孟子·公孙丑》说："有官守者，不得其职则去。"如此说来，失去道义而还居其官位之上，古人不做这样的事情。所以，位尊的人不做对抗的事情，位卑的人不做损害的事情,造箭的工匠不做不仁的事情,造铠甲的工匠不做符合仁的要求的事情。根据其职责要求,而担负其责任,相互尽职尽责,就能做得尽善尽美。即使换个位子安置,也能够各安其职分,这样的话道义就可以通达于天下了。再说官职,就是用来实行道义的。说坚守道义不如坚守职责,(这样的人)大概也是失去其根本了。没有坚守职责而失去道义,或是坚守道义而失去职责的情况。(守官不如守道,)这不是圣人的话,是传说者的误传,事实就是如此。

辩侵伐论[①]

《春秋》之说曰:"凡师有钟鼓曰伐,无曰侵。"《周礼·大司马》九伐之法曰:"贼贤害人则伐之,负固不服则侵之[②]。"然则所谓伐之者,声其恶于天下也。声其恶于天下,必有以厌于天下之心,夫然后得行焉。

古之守臣有朘人之财[③],危人之生而又害贤人者,内必弃于其人,外必弃于诸侯,从而后加伐焉,动必克矣。然犹校德而后举[④],量力而后会,备三有余而以用其人:一曰义有余,二曰人力有余,三曰货食有余。是三者大备,则又立其礼,正其名,修其辞。其害物也小,则诰誓征令不过其邻;虽大,不出所暴。非有逆天地横四海者,不以动天下之师。故师不逾时而功成焉。

斯为人之举也,故公之;公之,而钟鼓作焉。夫所谓侵之者,独以其负固不服而壅王命也[⑤]。内以保其人,外不犯于诸侯,其过恶不足暴于天下。致文告,修文德,而又不变,然后以师问焉。是为制命之举,非为人之举也,故私之;私之,故钟鼓不作。斯圣人之所志也。

周道既坏，兵车之轨交于天下，而罕知侵伐之端焉。是故以无道而正无道者有之，以无道而正有道者有之，不增德而以遂威者又有之⑥，故世日乱。一变而至于战国，而生人耗矣⑦。是以有其力无其财，君子不以动众；有其力有其财无其义，君子不以帅师。

合是三者而明其公私之说，而后可焉。呜呼！后之用师者，有能观乎侵伐之端，则善矣。

[题解]

本文辨别侵与伐，认为伐是公开的战争，侵是为了对付那些凭借险固而不服从王命的人，侵与伐皆有其规定的程序和形式。至于周朝以后的战争，则很少有人明白侵伐的理由和原则了。

[注释]

①侵伐：不宣而战为侵，公开宣战为伐。②负固：凭借险要。③守臣：地方长官。古代通常用以指诸侯或大夫。④校德：衡量德行。校，考校、衡量。⑤雍：堵塞、遮蔽。⑥遂威：展示威力。⑦生人：即生民，百姓之意。

[译文]

《春秋》中说："凡是出师征战，鸣钟击鼓进攻的称为伐，没有钟鼓的称为侵。"《周礼·大司马》九伐之法说："戕害贤者危害百姓就征伐他，凭借险固不服王命就侵略他。"如此说来，所谓的征伐，就是将他的恶行昭示天下。恶行昭示天下了，就一定会令天下人感到厌恶，然后才可以征伐他。

古时候的诸侯或大夫，私吞百姓钱财，危害人们的生命，而且又陷害贤者。这样的人在内必定为百姓所抛弃，在外必定为诸侯所抛弃。顺从民意而后征伐他，只要一行动必定能够战胜他。即使如此，还要先衡量自己的德行之后再行动，估计自己的力量之后再聚集，具备了三个有余才可以命令那些人：一是道义有余，二是人力有余，三是财物有余。这三样都具备了，还要确立礼节，端正名义，修饰文辞。（这样的话，发动征伐）对事物的伤害就会小一些。诰命、誓词、命令等不经过其邻国，即使是大的军事行动也不展示其暴行。没有悖逆天地横行四海的罪行，不会因此动员天下的军队。所以，大军一旦出征，不出一个时辰就可获得成功。

  这是为了百姓而出兵，所以要公开宣战。公开宣战，就要鸣钟击鼓。而所谓的侵略他，只是因为诸侯或士大夫凭借险固而遮蔽王命，对内保护其百姓，对外没有冒犯诸侯，其过失不足以暴露于天下。朝廷行文告知，修养文德，而其又不知悔改，然后才向他兴师问罪。这是捍卫朝廷敕命的行动，并不是为了百姓而出兵，所以就悄悄地进行。既是悄悄地进行，所以就不鸣钟击鼓。这是圣人记载下来的。

  周朝的纲纪败坏之后，战车的轨迹交错遍布于天下，但很少有人知道侵略与征伐的理由是什么。所以，有以无道之师征伐无道之君的战争，有以无道之师征伐有道之君的战争，有不增加德行而借以展示威力的战争。所以，世道一天比一天混乱。周朝一变而成战国，百姓减少了。因此，有兵力而没有财力的，君子不再兴师动众；有兵力有财力却没有道义的，君子也不再兴兵。

  综合上述三个方面，明白公与私之说的意思，而后才可以明白侵与伐的区别。啊！后代用兵的人，有人从中能够明白侵伐的理由，就很好了。

六逆论[①]

  《春秋左氏》言卫州吁之事，因载六逆之说曰："贱妨贵、少陵长、远间亲、新间旧、小加大、淫破义，六者，乱之本也。"余谓少陵长、小加大、淫破义，是三者，固诚为乱矣。然其所谓贱妨贵、远间亲、新间旧，虽为理之本可也，何必曰乱？

夫所谓"贱妨贵"者，盖斥言择嗣之道，子以母贵者也。若贵而愚，贱而圣且贤，以是而妨之，其为理本大矣，而可舍之以从斯言乎？此其不可固也。夫所谓"远间亲，新间旧"，盖言任用之道也。使亲而旧者愚，远而新者圣且贤，以是而间之，其为理本亦大矣，又可舍之以从斯言乎？必从斯言而乱天下，谓之师古训可乎？此又不可者也。

呜呼！是三者，择君置臣之道，天下理乱之大本也。为书者，执斯言，著一定之论，以遗后代，上智之人固不惑于是矣。自中人而降，守是为大，据而以致败乱者，固不乏焉。晋厉死而悼公入②，乃理；宋襄嗣而子鱼退③，乃乱；贵不足尚也。秦用张禄而黜穰侯④，乃安；魏相成璜而疏吴起⑤，乃危；亲不足与也。苻氏进王猛而杀樊世⑥，乃兴；胡亥任赵高而族李斯⑦，乃灭。旧不足恃也。顾所信何如耳！然则斯言殆可以废矣。

噫，古之言理者，罕能尽其说。建一言，立一辞，则觙脆而不安⑧，谓之是可也，谓之非亦可也，混然而已。教于后世，莫知其所去就。明者慨然将定其是非，则拘儒瞽生相与群而咻之⑨，以为狂为怪，而欲世之多有知者可乎？夫中人可以及化者，天下为不少矣，然而罕有知圣人之道，则固为书者之罪也。

[题解]

春秋时期，卫国公子州吁得国君宠爱，又喜欢打仗，卫桓公不加禁止。石碏向其进谏，提出了六逆和六顺说。本文针对这种六逆说发表评论，以为少陵长、小加大、淫破义是乱之本，而贱妨贵、远间亲和新间旧则是治乱之本，并举例加以说明，颇能服人。

[注释]

①六逆：六逆指贱妨贵、少陵长、远间亲、新间旧、小加大、淫破义，六顺指君义、臣行、父慈、子孝、兄爱、弟敬。②悼公：即晋悼公，晋国国

君,公元前572~前558年在位。当初,晋厉公欲立身边的宠臣为国君,大夫栾书、中行偃借晋厉公游于匠丽氏之机,把他抓起来,令程滑弑之,迎周子而立之,是为悼公。晋悼公既立,驱逐乱臣,修复旧功,广施德惠,晋国因此得以恢复霸业。③子鱼:即司马子鱼,名目夷,春秋时期宋国公子。宋襄公立,以子鱼为左师。宋襄公伐郑,楚伐宋以救郑。宋与楚战于泓水,子鱼劝宋襄公趁楚军渡水之机截杀之,宋襄公大讲仁义,不听子鱼苦谏,待楚军渡河布好阵势之后才开战,结果负伤而死。④张禄:即范雎,战国时期人。秦昭王时,宣太后垂帘听政,封其弟魏冉为穰侯,把持朝政。范雎得罪于魏,更名张禄,西入秦,对秦王说:"臣在山东时,闻太后擅行不顾,穰侯出使不报,皆谓秦之有太后、穰侯,不闻其有王也。"秦昭王闻之大惧,于是废太后,收穰侯之印,废黜穰侯,拜范雎为相,与谋国事,封为应侯。⑤成璜:即魏成和翟璜。魏成,魏文侯之弟。公元前421年,魏文侯以魏成为相。翟璜,魏文侯时大臣,有知人之明,先后举荐乐羊、吴起等。魏武侯立,以田文为相,不肯重用有大功的吴起。吴起不悦,离开魏国到了楚国,楚以吴起为相。⑥王猛:前秦苻坚大臣。苻坚初立,以王猛为中书侍郎,日见亲幸。特进姑臧樊世与王猛在苻坚面前发生争论,樊世欲击王猛,苻坚一怒之下,斩杀了樊世。于是群臣见王猛皆不敢大声说话,而苻坚在王猛的辅助下,势力日益强大。⑦胡亥:即秦二世。秦始皇死,胡亥即位,听信赵高之言,将丞相李斯腰斩于咸阳市,灭其三族,以赵高为丞相,导致秦朝灭亡。⑧臲卼(niè wù):动摇、不安的样子。⑨咻:吵闹,喧嚣。

[译文]

《春秋左氏传》记载卫国公子州吁的事,有六逆之说,其说是:"贱妨贵、少陵长、远间亲、新间旧、小加大、淫破义,六者,乱之本也。"我认为,年轻的欺凌长者、官小的凌驾于官大的、淫荡败坏道义,这三种情况固然是导致混乱的根源。然而,所谓的贱妨贵、远间亲和新间旧,即使作为治理混乱的根本,也是可以的,何必说是导致混乱的根源呢?

所谓的"贱妨贵",大概是直言选择后嗣的原则是,儿子因为母亲尊贵的身份而高贵。如果继承者身份高贵却愚蠢，卑贱者却是圣明贤达，因为这样的情况而使贱妨碍贵，是治理天下最大的根本了，这能够舍弃最大的根本而按照"贱妨贵"之类的话去做吗？这是不可以的。所谓"远间亲，新间旧"，大概说的是用人之道。假如亲近的人或故旧愚昧，关系远的人或新朋友圣明贤达，因为这样的情况而使远间亲、新间旧，也是治理天下最大的根本了，可以舍弃它而听从这样的话吗？一定要按照这样的话去做，导致天下大乱，能够说这是师从古人的教导吗？这同样也是不可以的。

啊！这三种情况是选择君主、设置大臣的原则，是治理天下之乱的最大的根本。著书的人执著于这样的话，立下固定的观点留给后人。特别聪明的人固然不会被这种观点所蛊惑，中等以下的人把这种观点作为最大的原则，拘泥于此而导致动乱的情况，本来就不少了。晋厉公死后，国人把晋厉公在国外的侄子周子迎回来立为国君，晋国于是得到了治理；宋襄公继承国君之位后，其兄弟子鱼罢退，宋国于是大乱。由此可见，身份高贵是不足以崇尚的。秦国任用张禄而废黜穰侯，国家乃安；魏国以魏成和翟璜为相而疏远吴起，国家就危险了。由此可见，关系亲近是不足以合作的。苻坚擢升王猛而杀樊世，前秦乃兴；胡亥任用赵高而把李斯灭族，秦国就灭亡了。由此可见，故旧关系是不足以依恃的。如此说来，这种言论差不多可以废弃了。

唉！古代说理的人，很少有人能够把理说透彻。他们树一种观点，立一种言论，就惶惶不安。说它对也可，说它不对也可，糊里糊涂而已。用这样的观点教导后世，让人没有办法知道如何去做。明白人慨然判断其是非，那些固执守旧、目光短浅的儒生就会相互群起而鼓噪，把明白人当做狂怪之人。想要世人多了解一些古人立论模棱两可，能够做到吗？中等的人是可以达到教化目的的，天下这样的情况不少了。然而很少有人明白圣人之道，这本来就是著书人的罪过。

议 辩

晋文公问守原议①

晋文公既受原于王，难其守。问寺人勃鞮②，以畀赵衰③。余谓守原，政之大者也，所以承天子，树霸功，致命诸侯，不宜谋及媟近④，以亵王命。而晋君择大任，不公议于朝，而私议于宫。不博谋于卿相，而独谋于寺人。虽或衰之贤足以守，国之政不为败，而贼贤失政之端，由是滋矣。况当其时不乏言议之臣乎？狐偃为谋臣⑤，先轸将中军⑥，晋君疏而不咨，外而不求，乃卒定于内竖，其可以为法乎？

[题解]

公元前634年，晋文公朝见周天子，周天子把温、原等地给予晋国。晋文公得到原之后，认为原难以守卫，问寺人何人能守原。本文就此事发表议论，认为晋文公作为春秋霸主，有谋臣、大将而不问，却向寺人询问如何守原，是很大的失误。柳宗元写此文是借题发挥，当是针对中唐宦官弄权的现象而发。

[注释]

①晋文公：名重耳，春秋五霸之一。②寺人：古代宫中的近侍小臣，多以

阉人出任,后世称为宦官。③畀:给予。赵衰:即赵成子,字子余,春秋时期晋国大夫,跟随重耳在外逃亡19年。重耳即位后,令赵衰做原(今河南济源北)大夫。④媟近:狎昵亲近的小人。⑤狐偃:字子犯,又作舅犯、狐子等,晋文公之舅,是晋文公重要的谋臣。城濮之战,狐偃兵不厌诈,先是退避楚军三舍,待楚军骄傲轻敌时,突然出击,打败楚军。所以,史家说晋侯之霸,皆狐偃之谋。⑥先轸:又称原轸,春秋时期晋国大夫,晋文公时任中军元帅,古代著名将领,多有战功。

[译文]

晋文公从周天子那里接受了原这个地方,以为难以守卫。他问亲近小臣勃鞮(何人可以守原),勃鞮说让赵衰守卫。我认为守卫原这个地方,是朝廷的大政。守卫原是秉承周天子之命、树立霸主之业、令诸侯听命的事情,不应该与狎昵亲近的小人商议,因而侮辱王命。而晋文公选择守原大臣,不在朝廷上公开商议,而是私下在宫中议论;不广泛征求卿相大臣的意见,而仅仅是与狎昵亲近的小人商量。即使赵衰之贤能足以守卫原,国家大政不会被败坏,但陷害贤臣丧失朝政的开端,就由此而滋生了。何况那个时候并不缺乏可以商议的大臣呢?狐偃是谋臣,先轸为中军元帅,晋文公疏远他们而不向他们咨询,外有大臣不去询问,就与内廷宦官最终确定了下来,这种做法可以效法吗?

且晋君将袭齐桓之业①,以翼天子,乃大志也。然而齐桓任管仲以兴②,进竖刁以败③。则获原启疆,适其始政,所以观视诸侯也,而乃背其所以兴,迹其所以败。然而能霸诸侯者,以土则大,以力则强,以义则天子之册也。诚畏之矣,乌能得其心服哉!其后景监得以相卫鞅④,弘、石得以杀望之⑤,误之者晋文公也。

呜呼!得贤臣以守大邑,则问非失举也,盖失问也。然犹羞当时、陷后代若此。况于问与举又两失者,其何以救之哉?余故著晋君之罪，以附《春秋》许世子止、赵盾之义⑥。

[注释]

①齐桓：即齐桓公，名小白。其兄齐襄公被杀后，避难莒地的小白在鲍叔牙的保护下回国即位，是为齐桓公。②管仲：名夷吾，又名敬仲，春秋时期齐国著名政治家、军事家。经鲍叔牙举荐，被齐桓公任为上卿，帮助齐桓公成就霸业。③竖刁：春秋时期齐桓公的宦官，以谄谀拍马而得齐桓公的宠爱。公元前644年，管仲病重，齐桓公问竖刁、易牙、开方三人谁可为相。管仲认为三人皆不可为相。管仲死后，齐桓公重用竖刁等人。自此以后，齐国大乱。④景监：战国时期秦孝公的宠臣。由于他的极力举荐，卫鞅才得以为秦孝公所用，使秦国迅速强大起来。卫鞅：公孙氏，故又称公孙鞅。后封于商，又称商鞅。卫鞅是战国时期著名政治家、思想家，法家代表人物。他得景监推荐，为秦孝公所用，在位执政10年，变法图强，秦国大治。秦惠王即位，卫鞅以谋反罪遭车裂。⑤弘、石：即弘恭和石显，西汉宦官。二人自宣帝时就掌管枢机。元帝即位后，二人把持朝政，陷害忠良，激起公愤。望之：字长倩，萧何六世孙，汉宣帝、元帝倚重的大臣。他见弘恭和石显等宦官弄权，上书汉元帝，以为中书政本，国家枢机，用宦者非古制也，故而应罢免弘恭和石显。结果遭到二人的诬陷，被迫饮鸩自杀。⑥许世子止：即姜止，春秋时期许悼公世子。公元前523年，许悼公得病，饮下世子给他的药就死了。后人认为许世子止"弑其君"。赵盾：即赵宣子，赵衰之子，春秋时期晋国正卿，长期执政。公元前607年，赵盾族弟赵穿在桃园杀死晋灵公，逃难的赵盾未出国境而归。史家以为这是赵盾杀其君。

[译文]

况且晋文公将要继承齐桓公的霸业，以维护周天子，这是大志向。然而，齐桓公任用管仲而兴齐，擢升竖刁而败亡。晋文公获得原这个地方，开拓疆土，刚好是其开始执政的时候，正可以借此来观察诸侯的态度，却竟然背弃齐桓公的兴盛之道，重复其败亡的老路。然而晋文公能够称霸诸侯，是因其国土广大，国力强盛，道义上又有周天子的册封，诸侯确实害怕他。但他并没有得到诸侯的真心诚服啊！

后来，秦国的宦官景监能够举荐卫鞅为秦国相，西汉弘恭和石显能够谗害萧望之，误导帝王的都是晋文公。

啊！得到贤臣来守卫大的城邑，询问何人能够担此大任不算是失误，失误在于问的对象是宦官。然而还是像这样蒙羞于当时，误导于后代。何况那些询问和举荐两者都失误的情况，该如何来挽救呢？所以，我记下晋文公的罪过，以此来与《春秋》所记载的许世子止和赵盾弑君的道理进行对比。

驳复仇议[①]

臣伏见天后时[②]，有同州下邽人徐元庆者[③]，父爽为县吏赵师韫所杀[④]，卒能手刃父仇，束身归罪。当时谏臣陈子昂建议诛之而旌其闾[⑤]，且请编之于令，永为国典。臣窃独过之。

[题解]

唐代社会，为报复而杀人的事情很多，有些还被称为"孝友"。武则天时，徐元庆为报父仇而杀赵师韫，即其一例。当时陈子昂就为徐元庆辩护。其后文人对待报复杀人各有不同看法。柳宗元此文就是针对徐元庆一案发表评论，认为对于服孝死义之人，不能按国家法令来处理，表明了其情理凌驾于法律之上的倾向。

[注释]

①驳复仇议：本文是针对唐代颇为盛行的复仇现象而发表的个人见解。②天后：即武则天，唐高宗的皇后。公元674年，高宗称天皇，武则天称天后，宫中并称为"二圣"。高宗去世后，武则天临朝称制，一度改国号为周，成为中国历史上唯一的女皇帝。③下邽：古县名，秦置，治所在今陕西渭南东北。④赵师韫：武则天时大臣，官至御史。他任下邽尉时，杀死了徐元庆的父亲。后来，徐元庆改换姓名，在驿馆官员家做佣工。赵师韫为御史，宿于驿馆，徐元庆亲手杀了他，报了杀父之仇，然后自缚诣官自首。⑤陈子昂：字伯玉，初唐

文学家,官至右拾遗。徐元庆一案,议者以其孝烈而欲免其罪,陈子昂认为应该把徐元庆正国法,然后对其孝义加以褒奖。

[译文]

据我所知,武则天皇后时,同州下邽县有个叫徐元庆的人,其父徐爽被县尉赵师韫杀死了,最后他亲手杀了杀死父亲的仇人,把自己捆绑起来到官府自首。当时的谏官陈子昂建议把徐元庆处死,同时在其家乡表彰他的孝烈,并请朝廷将这种处理方式编入法令,永远作为国家的法典。我私下认为这样做是错误的。

臣闻,礼之大本以防乱也,若曰无为贼虐①,凡为子者杀无赦;刑之大本亦以防乱也,若曰无为贼虐,凡为理者杀无赦。其本则合,其用则异,旌与诛莫得而并焉。诛其可旌,兹谓滥,黩刑甚矣②;旌其可诛,兹谓僭③,坏礼甚矣。果以是示于天下,传于后代,趋义者不知所向④,违害者不知所立,以是为典可乎?

[注释]

①贼虐:残害。②黩刑:滥用刑罚。黩,轻率。③僭:超越本分。④趋义:追求道义。

[译文]

我听说,礼的根本作用是为了防止人们作乱。如果说无缘无故地残害人,那么凡是做儿子的(为报父母之仇而杀人)就必须处死,不能赦免。刑法的根本作用也是为了防止人们作乱。如果说无缘无故地残害人,那么凡是审理此案件的人也必须处死,不能赦免。礼和法的根本是一致的,其作用则不同。表彰和处死不能一并使用。处死可以表彰的人,这就叫滥杀,就是滥用刑法太过分了;表彰应当处死的人,这就是超越本分,破坏礼制太严重了。如果以这种处理方式昭示于天下,传之于后代,那么追求道义的人就不知道该向何处去,想避开祸害的人就不知道怎样立身行事,以此作为法典可以吗?

盖圣人之制，穷理以定赏罚，本情以正褒贬，统于一而已矣。向使刺谳其诚伪①，考正其曲直，原始而求其端，则刑礼之用，判然离矣。何者？若元庆之父，不陷于公罪，师韫之诛，独以其私怨，奋其吏气②，虐于非辜，州牧不知罪，刑官不知问，上下蒙冒③，吁号不闻；而元庆能以戴天为大耻④，枕戈为得礼⑤，处心积虑⑥，以冲仇人之胸，介然自克⑦，即死无憾，是守礼而行义也。执事者宜有惭色⑧，将谢之不暇，而又何诛焉？其或元庆之父，不免于罪，师韫之诛，不愆于法⑨，是非死于吏也，是死于法也。法其可仇乎？仇天子之法，而戕奉法之吏，是悖骜而凌上也⑩。执而诛之，所以正邦典，而又何旌焉？且其议曰："人必有子，子必有亲，亲亲相仇，其乱谁救？"是惑于礼也甚矣。礼之所谓仇者，盖以冤抑沉痛而号无告也，非谓抵罪触法，陷于大戮。而曰"彼杀之，我乃杀之"，不议曲直，暴寡胁弱而已。其非经背圣，不亦甚哉！

[注释]

①刺谳：调查定案。②吏气：官吏的气势。③蒙冒：欺瞒庇护。④戴天：指杀父之仇。语出《礼记·曲礼》："父之仇，不与共戴天。"⑤枕戈：即枕干，指杀害父母之仇。语出《礼记·曲礼》：子夏问于孔子曰："居父母之仇，如之何？"夫子曰："寝苫，枕干不仕，弗与共天下也。"⑥处心积虑：蓄谋已久，千方百计。⑦介然：坚定执著的样子。⑧执事者：执掌某项事务的人。⑨愆：罪过，过失。⑩悖骜：狂悖傲慢。亦作悖傲、悖慠。

[译文]

圣人的礼法制度，透彻地研究了事物的道理来规定赏罚，根据实际情况来确定奖惩，不过是把礼和刑统一于一体罢了。假如当时调查定案确定其真伪，查清其是非，推究案子最初的起因，那么刑法和礼制的作用就能明显地区分开了。为什么呢？如果徐元庆的父亲没有犯法，赵师韫杀他只是出于他个人私怨，展现当官的威势，残暴地杀害无罪的人，州官不知道赵师韫犯的罪，执法官员也不知道过问这件事，上下互相欺瞒庇护，对鸣冤叫屈的呼声充耳不闻；而徐元庆能够把杀父之仇视为奇耻大辱，把报杀父母之仇视为是合乎礼制，千方百计把武器快速刺进仇人的胸膛，坚定地用礼约束自己，即使死了也没有遗憾。这正是遵守礼、奉行义的行为。执法的官员本应感到惭愧，去向他谢罪都来不及，为什么还要杀他呢？如果徐元庆的父亲的确犯了死罪，赵师韫杀他，那就并不违法，徐元庆的父亲就不是死于官吏，而是死于法律。法律难道是可以仇视的吗？仇视天子的法律，又杀害执法的官吏，这是悖逆狂傲而又以下犯上。把这种人抓起来处死，以此来严明国法，为什么还要表彰他呢？而且陈子昂的奏议还说："人必有儿子，儿子必有父母，因为爱自己的亲人而互相仇杀，这样的混乱局面靠谁来救呢？"这种说法对礼的认识太糊涂了。礼制所说的仇，指的是冤屈深重而又呼号无可申诉，并不是说为报仇而触犯法律，陷身于遭受杀戮的境地。所谓"他杀了我的父母，我就要杀掉他"，不过是不问是非曲直、欺寡凌弱罢了。这种违背经典和圣贤教导的行为，不是也太过分了吗？

《周礼》："调人掌司万人之仇①。凡杀人而义者，令勿仇，仇之则死。有反杀者，邦国交仇之。"又安得亲亲相仇也？《春秋公羊传》曰："父不受诛，子复仇可也。父受诛，子复仇，此推刃之道②，复仇不除害。"今若取此以断两下相杀，则合于礼矣。且夫不忘仇，孝也；不爱死，义也。元庆能不越于礼，服孝死义，是必达理而闻道也。夫达理闻道之人，岂其以王法为敌仇者哉？议者反以为戮，黩刑坏礼，其不可以为典，明矣。请下臣议，附于令，有断斯狱者，不宜以前议从事。谨议。

[注释]

①调人:古代官名,地官司徒所属,设下士二人,其下有史、徒等人员,负责调解民间纠纷和怨仇。本文所引《周礼》,皆出《周礼·地官》,引文与原文有出入,顺序也有变化。原文是:"调人掌司万人之难而谐和之……凡杀人,有反杀者,邦国交仇之。杀人而义者不同,国令勿仇,仇之则死。"②推刃之道:指冤冤相报。《公羊传·定公四年》何休注云:"一往一来曰推刃。"

[译文]

《周礼》说:"调人负责调解众人怨仇。凡是杀人而又合乎礼义的,就不准被杀者的亲属报仇,报仇就处死。有反过来再杀死对方的,全国的人都把他当做仇人。"这样,又怎么会发生因为爱自己的亲人而相互仇杀的情况呢?《春秋公羊传》说:"父亲无辜被杀,儿子报仇是可以的;父亲犯法被杀,儿子报仇,这就是冤冤相报,即使复仇却不能根除彼此仇杀不止的祸害。"现在如果用这个标准来判断赵师韫与徐元庆双方的互杀,就合乎礼制了。况且不忘父仇,这是孝的表现;不怕死,这是义的表现。徐元庆能不超越出规范,为尽孝道、为义而死,这一定是明晓事理懂得圣贤之道的人。明晓事理懂得圣贤之道的人,难道会把王法当做仇敌吗?上奏议的人反而认为应当处以死刑,这种滥用刑法、败坏礼制的建议,不能作为法律制度,是很清楚的了。请把我的意见附在法令之后颁发下去,今后凡是审理这类案件,不应再根据以前的意见来处理。谨发表上面的意见。

桐叶封弟辩①

古之传者②,有言成王以桐叶与小弱弟③,戏曰:"以封汝。"周公入贺④。王曰:"戏也。"周公曰:"天子不可戏。"乃封小弱弟于唐⑤。吾意不然。

王之弟当封耶？周公宜以时言于王，不待其戏而贺以成之也。不当封耶？周公乃成其不中之戏，以地以人与小弱者为之主，其得为圣乎？且周公以王之言，不可苟焉而已，必从而成之耶？设有不幸，王以桐叶戏妇寺⑥，亦将举而从之乎？凡王者之德，在行之何若。设未得其当，虽十易之不为病。要于其当，不可使易也，而况以其戏乎？若戏而必行之，是周公教王遂过也。

　　吾意周公辅成王，宜以道，从容优乐，要归之大中而已，必不逢其失而为之辞⑦。又不当束缚之，驰骤之，使若牛马然，急则败矣。且家人父子尚不能以此自克，况号为君臣者耶？是直小丈夫者缺缺之事⑧，非周公所宜用，故不可信。或曰：封唐叔，史佚成之⑨。

[题解]

　　本文以周公入贺桐叶封弟为辩题，认为不论周成王以桐叶封弟是不是玩笑话，周公作为辅政者，皆应遵循道义。周公没有按道义要求的去做，所以此事不可信。

[注释]

　　①桐叶封弟：事见《史记·晋世家》，说的是周成王与叔虞玩耍，把桐叶削成珪的样子给叔虞玩，说："把这个封给你。"太史史佚于是请求择日立叔虞。成王说："我与他闹着玩的。"史佚说："天子无戏言。"于是，周成王就把唐地封给叔虞。桐叶封弟而周公入贺，见载于《吕氏春秋·重言》和西汉刘向《说苑·君道》。②传（zhuàn）者：作史传的人。③成王：即周成王，姓姬名诵，周武王之子。周武王死，成王年仅13岁，由周公辅政。小弱弟：即姬虞，字子干，周成王最小的弟弟。封于唐，史称唐叔虞。④周公：即周公旦，周武王之弟，周成王的叔叔。周武王去世后，周公辅政。待成王成人后，还政于成王。⑤唐：古国名，在今山西翼城一带。⑥妇寺：宫中的妇人与宦官。⑦逢：逢迎，曲意奉承。⑧缺缺：耍小聪明的样子。⑨史佚：即尹佚，周武王时任太史。

[译文]

　　古代作史传的人，有这么一种说法：周成王拿一片桐树叶和小弟弟叔虞开玩笑说:"把这个封给你。"周公入宫庆贺。成王解释说:"我是开玩笑的。"周公说:"天子不可以开玩笑。"于是,成王就把唐地封给了年幼的弟弟。我认为这件事不是这样的。

成王的弟弟如果应当受封,周公就应及时地告诉成王,而不必等他开了玩笑再去庆贺,以促成此事;成王的弟弟如果不应当受封,周公就促成了一个不恰当的玩笑,让成王把土地和百姓给年幼的弟弟去做主。周公这样做能算是圣人吗?况且,周公只是认为天子的话不可以随便说罢了,哪里一定要听从并促成它呢?假如有这样不幸的事,周成王拿了桐树叶与妃嫔和太监开玩笑,周公难道也要全部按这种玩笑话去做吗?大凡君王的恩德,在于如何去实行。假如不恰当,即使改变十次也不算什么过错;关键是要恰当,不能去改变它,更何况是拿它来开玩笑呢!如果开玩笑的话也一定要照办,这就是周公在教唆成王做错事。

我认为周公辅佐成王,应当按照道义,从容优游地去做,关键是恰如其分而已,一定不要迎合成王的过错并替他辩护,更不应该束缚他、放纵他,让他像牛马那样,操之过急反而会失败。而且家人父子之间尚不能用这种方式来自我约束,何况名分上还有君臣之别的人呢!这只是那些自作聪明的小男人做的事,不是周公所应该做的,因此不可相信。有的古书记载说:封唐叔这件事,是太史尹佚促成的。

《论语》辩(上)

或问曰:"儒者称,《论语》孔子弟子所记,信乎?"曰:未然也。孔子弟子,曾参最少[①],少孔子四十六岁。曾子老而死,是书记曾子之死,则去孔子也远矣。曾子之死,孔子弟子略无存者矣。吾意曾子弟子之为之也。何哉?且是书载弟子必以字,独曾子、有子不然②。由是言之，弟子之号之也。然则有子何以称子？曰：孔子之殁也，诸弟子以有子为似夫子，立而师之。其后不能对诸子之问，乃叱避而退，则固尝有师之号矣。今所记独曾子最后死，余是以知之，盖乐正子春、子思之徒与为之尔③。或曰：孔子弟子尝杂记其言。然而卒成其书者，曾氏之徒也。

[题解]

一般以为《论语》是孔子的弟子记录其言行的书。柳宗元对这种说法表示怀疑，并结合曾参的年龄和有若貌似孔子的记载，认为《论语》并非出自孔子的弟子之手，而是乐正子春、子思等人为之，自成一家之言。

[注释]

①曾参：字子舆，孔子最小的弟子。生于周敬王十五年（公元前505年），小孔子46岁。孔子卒时72岁，当时曾子年仅26岁。②有子：即有若，字子有，孔子弟子，比孔子小43岁。孔子死后，诸弟子思慕先生，因为有若的相貌和孔子相似，弟子相与立为师，像尊奉孔子那样尊奉他。一天，弟子有问题请求解答，有若默然无以应。弟子们于是把他从原来孔子坐的位子上赶下来，不再尊奉他。③乐正子春：鲁国人，以有孝行著名。子思：名孔伋，孔子的嫡孙。二人皆是曾子的弟子。

[译文]

有人问道："有读书人说，《论语》是孔子的弟子为记录孔子言行而编成的书，这种说法可信吗？"回答说，不可信。孔子的弟子中，曾参年龄最小，比孔子小46岁。曾子年老而死，《论语》这部书记载有曾子之死，那么距孔子去世已经很久远了。曾子死后，孔子的弟子大概就没有活在世上的了。我认为，这是曾子的弟子所为。为什么呢？《论语》记载孔子的弟子，必定是称其字，唯独称曾子和有子不是这样。据此而言，这是曾子的弟子这样称呼的。那么有子为什么称为子呢？回答说，孔子死后，诸弟子因为有若的相貌和孔子相似，就把他立为师。后来因为他不能回答弟子们的问题，被叱回避并从老师的座位上退下来，则有若本来就有老师的称呼了。如今《论语》记载的只有曾子最后去世，我因此知道这是曾子的弟子所记，大概是乐正子春与子思记载下来的。有人说，孔子的弟子曾经记录过孔子的言行。然而最终使《论语》成书的人，却是曾子的弟子。

《论语》辩（下）

尧曰："咨，尔舜！天之历数在尔躬。四海困穷①，天禄永终②。"舜亦以命禹。曰："余小子履③，敢用玄牡④，敢昭告于皇天后土⑤，有罪不敢赦。万方有罪，罪在朕躬。朕躬有罪，无以尔万方。"

或问之曰："《论语》，书记问对之辞尔。今卒篇之首章然有是，何也？"柳先生曰：《论语》之大，莫大乎是也！是乃孔子常常讽道之辞云尔⑥。彼孔子者，覆生人之器者也。上之尧、舜之不遭，而禅不及己；下之无汤之势，而己不得为天吏。生人无以泽其德，日视闻其劳死怨呼，而己之德涸然无所依而施，故于常常讽道云尔而止也。此圣人之大志也，无容问对于其间。弟子或知之，或疑之不能明，相与传之。故于其为书也，卒篇之首，严而立之。

[注释]

①四海困穷：使天下百姓陷于困穷。此文所引尧对舜和舜对禹说的话均出自《论语·尧曰》，但与原文出入较大。原文如下：尧曰："咨！尔舜！天之历数在尔躬，允执其中。四海困穷，天禄永终。"舜亦以命禹，曰："予小子履，敢用玄牡，敢昭告于皇皇后帝：有罪不敢赦。帝臣不蔽，简在帝心。朕躬有罪，无以万方；万方有罪，罪在朕躬。"②天禄：天赐禄位。③履：成汤之名，姓子，名履，又名天乙，商朝的创始人。④玄牡：指古代祭天地用的黑色公牛。玄，黑。夏尚黑，商朝初年仍用夏色，故用黑牡。⑤皇天后土：指天地。⑥讽

道：吟诵。

[译文]

尧对舜说："舜啊！上天的大命落在了你身上。假如天下的百姓陷于困穷，上天赐给你的禄位就永远终止了。"舜对禹也说了这样一番话。（汤）说："我履谨用黑色公牛祭祀上天，明白地告诉皇天后土，有罪的人不敢擅自赦免。天下之人若有罪，罪过加在我一人身上；我若有罪，不要牵连到天下之人。"

有人问道："《论语》不过是记载孔子回答弟子问话的书而已。如今在最后一篇的首章却有这么一段话，为什么呢？"柳先生回答说：《论语》蕴含的最大道理，没有比这一段更大的了！这是孔子常常吟诵的话。孔子那个人，有拯救天下百姓的才能。往上数的尧舜时代，孔子没有赶上，禅让制不及于孔子；往下数没有商汤那样的形势，孔子不能成为奉天治民的人。百姓不能受其恩德的滋润，每天看到的和听到的都是百姓痛苦的样子和百姓怨恨的呼号，而自己的恩德像干涸了一样却没有办法施之于百姓，所以就常常吟诵这段话而已。这是圣人的远大志向，中间容不得问答。弟子有的人明白，有的人有疑虑不明白，相互传授。所以就把这段话置于《论语》最后一篇的开篇，严肃地放置在那里。

辩《晏子春秋》①

司马迁读《晏子春秋》，高之②，而莫知其所以为书。或曰晏子为之，而人接焉；或曰晏子之后为之。皆非也。吾疑其墨子之徒有齐人者为之③。墨好俭，晏子以俭名于世，故墨子之徒尊著其事，以增高为己术者。且其旨多尚同、兼爱、非乐、节用、非厚葬久丧者，是皆出《墨子》。又非孔子，好言鬼事，非儒、明鬼又出《墨子》。其言问枣及古冶子等④，尤怪诞。又往往言墨子闻其道而称之，此甚显白者。自刘向、歆、班彪、固父子，皆录之儒家中。甚矣，数子之不详也！盖非齐人不能具其事，非墨子之徒，则其言不若是。后之录诸子书者，宜列之墨家。非晏子为墨也，为是书者，墨之道也。

[题解]

本文认为《晏子春秋》一书的内容与墨家相合，指出该书当是出身齐国的墨子之徒为之，不应列为儒家。

[注释]

①《晏子春秋》：传为春秋时期齐国相晏子所著，共十二篇。晏子，即晏婴，字平仲，历仕齐灵公、庄公、景公三朝，辅政长达四十余年。②高之：以之为高，即推崇、崇尚的意思。③墨子：名翟，战国时期思想家，墨家创始人。其弟子及再传弟子记载墨子的言行而成《墨子》一书，今传五十三篇，尚同、兼爱、节用、非儒、明鬼等皆是《墨子》中的篇名。④古冶子：春秋时期齐国勇士。齐景公时，古冶子与公孙捷、田开疆同事景公，勇而无礼。晏子为齐景公设计，馈赠三人两个桃子，让三人说一说自己过去的功劳，最勇猛的人可以吃桃子。公孙捷说他曾经持盾而再搏乳虎，可以食桃，便拿走了一个桃子；田开疆说他凭借手中的兵器可以抵御三军，也拿走了一个桃子；古冶子说："我曾经在过河时，遇到一鼋，把它杀了。"公孙捷和田开疆以为自己不论勇猛还是功劳，都比不过古冶子，就把桃子放了回去后自杀了。古冶子说："二人皆死，唯我独生，不仁。"也自杀了。这就是著名的"二桃杀三士"的故事。

[译文]

司马迁读《晏子春秋》，很推崇这部书，却不知道这部书是怎么成书的。有人说它是由晏子而写，后人续成的；有人说它是晏子的后人写成的。这些说法都不对。我怀疑它是墨子的弟子中出身齐国的人写的。墨子喜好节俭，晏子又是以节俭闻名于世，所以墨子的弟子尊重晏子并把他的事情记录下来，以增强墨家学说的影响。而且，《晏子春秋》的主旨多尚同、兼爱、非乐、节用、非厚葬久丧之类，这些都是出自《墨子》。《晏子春秋》还指责孔子,好说鬼事,非儒、明鬼也出自《墨子》。其中说到问枣以及古冶子等人的事情,特别荒诞不经。书中还常常说墨子闻其道而称赞,这些例证非常明显。自刘向、刘歆和班彪、班固父子开始,都把《晏子春秋》归于儒家之中。这些人不详究《晏子春秋》的内容,真是太过分了!不是齐国人不可能详细了解这些事情,不是墨子的弟子就不会说这样的话。后世再著录诸子之书的人,应该把《晏子春秋》归入墨家。这不是说晏子是墨家,而是说写这部书的人具有墨家思想。

碑 志

箕子碑①

凡大人之道有三:一曰正蒙难,二曰法授圣,三曰化及民。殷有仁人曰箕子,实具兹道,以立于世。故孔子述六经之旨,尤殷勤焉。

当纣之时,大道悖乱,天威之动不能戒,圣人之言无所用。进死以并命,诚仁矣,无益吾祀故不为;委身以存祀,诚仁矣,与亡吾国故不忍。具是二道,有行之者矣。是用保其明哲,与之俯仰,晦是谟范②,辱於囚奴,昏而无邪,隤而不息③,故在《易》曰"箕子之明夷",正蒙难也。及天命既改,生人以正,乃出大法④,用为圣师。周人得以序彝伦而立大典⑤;故在《书》曰"以箕子归,作《洪范》",法授圣也。及封朝鲜⑥,推道训俗,惟德无陋,惟人无远,用广殷祀,俾夷为华,化及民也⑦。率是大道,藂于厥躬⑧,天地变化,我得其正,其大人欤?

於虖!当其周时未至,殷祀未殄,比干已死,微子已去,向使纣恶未稔而自毙,武庚念乱以图存⑨,国无其人,谁与兴理?是固人事之或然者也。然则先生隐忍而为此，其有志于斯乎？

　　唐某年作庙汲郡⑩，岁时致祀。嘉先生独列于《易》象，作是颂云。

[题解]

　　本文记述了写这篇碑颂的原因，指出箕子身遭磨难而能忍耐克制，德行高尚，为国设立法典，故而受到历代人们的赞赏与景仰。

[注释]

　　①箕子：商代贵族，殷纣王的诸父，官太师。封于箕（今山西太谷东北），故称。因劝谏纣王被囚禁，周武王伐纣，得以释放。②谟范：谋略的法式、典范。谟，谋略。③隤：即颓，倒塌，下坠。④大法：指《尚书·洪范》。传说《尚书·洪范》"九畴"乃箕子所作。⑤彝伦：天地与人伦之常理。⑥及封朝鲜：传说周武王把箕子释放之后，箕子并不感谢周武王的恩德，远走朝鲜。武王闻之，于是就把朝鲜封给了箕子。⑦化及民：箕子到了朝鲜之后，用礼义教化那里的百姓，制定了八条禁令，使得当地百姓得受其化，夜不闭户，路不拾遗，妇人贞信，民风简朴，没有偷盗斗殴之事。⑧厥躬：其身。厥，其，他的。⑨武庚：殷纣王之子。殷朝灭亡后，周武王封武庚管理殷朝的旧都殷地。后武庚与管叔、蔡叔串通，图谋叛乱，兵败被杀。⑩汲郡：古郡名，西晋泰始二年（266年）置。治所在今河南卫辉西南。

[译文]

　　道德高尚之人的道义大概有三点：一是正直遭受磨难，二是法典授予圣人，三是德泽感化百姓。殷朝有仁义之人名叫箕子，确实具备了这些而立于世间。所以，孔子阐述"六经"的要旨，对这些特别加以留意。

　　殷纣王的时候，大道悖逆混乱，上天显示的威力不能惩戒，圣人的言语没有作用。（像比干那样）拼死进谏以捐生，真正是仁，但对殷朝没有帮助，所以箕子不去做；（像微子那样）舍弃自身保护殷朝，真正是仁，但殷朝先已灭亡了，所以箕子不忍心。箕子是具备了这二人的道义，同时又有德行的人，因此明哲保身，与世沉浮，隐蔽谋略范式，成为囚徒而受辱，昏然而无邪行，颓然而不沉沦。因此《易》"明夷"卦说"箕子之明夷"，这是正直遭受磨难。周朝取代殷朝之后，百姓归于正途。（箕子）于是写出了《洪范》九畴，以此作为圣王之师。周朝人因此得以确立天地人伦的秩序，设立国家法典。所以《尚书》说箕子被释放后作《洪范》，这是法典授予圣人。等到箕子被封于朝鲜，普及道义，引导风俗，道德没有简陋之处，对人没有疏远之意，因此延续了殷朝的宗绪，帮助外族之人转变为华夏之人，这是用恩德感化百姓。因此，道德高尚之人的道义，都汇聚在箕子身上。天地发生的变化，箕子得其正途，大概算是道德高尚的人了吧！

啊！在周朝还没有建立、殷朝还没有灭亡的时候，比干已经死了，微子已经离开了。假如殷纣王作恶未尽而自己死了，纣王的儿子武庚感念国家之乱而图谋存续殷朝，国家没有人可用，靠谁来中兴殷朝治理国家？这本来是可能发生的人事变化，但是，先生因此而克制忍耐，大概是有志于这些吧？

唐朝某年，在汲郡建立庙宇，每年按时祭祀。赞赏先生独列于《易》的卦象，写了这篇碑颂。

终南山祠堂碑并序①

贞元十二年，夏洎秋不雨。稼人焦劳②，嘉谷用虞。皇帝使中谒者③，祷于终南山，申命京兆尹韩府君祗饰祀事④，考视祠制。以为栋宇不称，宜有加饰。遂命盩厔令裴均⑤，虔承圣谟，创制祠宇。乃征土工、木工、石工，备器执用，来会祠下。斩板干⑥，砻柱础⑦，陶瓴甓⑧，筑垣墉⑨，恢度旧制，立三筵六寻⑩。

[题解]

本文记载了重修终南山祠堂的原因和经过，对修建祠堂祈雨、神明显灵普降甘霖发表了自己的看法，言辞间流露出敬天畏神的心理。

[注释]

①终南山：又名太一山、中南山、周南山等，是秦岭山脉的一段，为道教名山。山上多道教建筑。②穑人：庄稼人，农夫。③中谒者：汉代官名，为皇帝掌管传达之事。后世多以宦官为中谒者。④韩府君：即韩皋。唐德宗贞元十一年（795年），以兵部侍郎韩皋为京兆尹。贞元十四年，韩皋因奏事不实，被贬抚州。祗饰：恭敬修缮。饰，修饰。此指修缮庙宇。⑤盩厔：古县名，汉武帝时置。今作周至，属西安。⑥板干：古代用土筑墙时，两边使用木板遮挡，所用木板称板干。⑦砻柱础：即磨刻支柱和负柱的基石。砻，磨，刻。⑧陶瓴甓：指烧制砖瓦。陶，烧制陶器。⑨墉：墙，城墙。⑩筵：经筵，摆放经书的席位。寻：古代长度单位，八尺为一寻。

[译文]

贞元十二年，从夏天到秋天一直没有下雨，农民焦急劳累，谷物的收成令人担心。皇帝派遣中谒者到终南山祈雨，命令京兆尹韩皋恭敬操办祭祀之事，考察祠堂原来的祭祀规制。（韩皋考察后，）认为祠堂建筑与规制不相称，应该加以修缮。于是命盩厔县令裴均虔诚地秉承圣命，修建终南山祠堂。于是征调土工、木工、石工，各自准备好工具，到祠堂下聚会。工匠们砍伐筑墙用的木板，烧制祠堂用的砖瓦，修筑祠堂四周的围墙，恢复祠堂旧有的形制，修建了三个长六寻的经筵。

既兴功，玄云触石，霈泽周被①，植物擢茂，期于丰登。神道感而宣灵②，人心欢而致和。嘉气充溢，抃蹈布野③。于是邑令僚吏，至于胥徒、黄发、耆艾、野夫、阪尹④，佥曰：盖闻名山之列天下也，其有能奠方域⑤，产财用，兴云雨。考于祭法，宜在祀典。

[注释]

①周被：全部覆盖。②宣灵：显示灵验。③抃蹈：手舞足蹈，形容欢欣感激之状。④耆艾：泛指老年人。古代60岁为耆，50岁为艾。阪尹：阪地的长官。阪，通"坂"，山坡。⑤奠：稳固地安置。方域：地方。

[译文]

祠堂建成之后，黑云覆压山顶，大雨下遍了所有的地方，植物生长茂盛，一派丰收在望的景象。神道受到感动而显示灵验，人心欢喜而至于祥和。到处喜气洋洋，人们手舞足蹈。于是，县令和属吏，以至于衙役、儿童、老人、山野之人和阪地的长官都说：听说终南山作为名山列之于天下，它有能力稳定一方，出产财物用品，兴云行雨。考察祭祀的法典，祭祀终南山的神灵应该在祭祀的法典之列。

惟终南据天之中，在都之南，西至于褒斜①，又西至陇首②，以临于戎。东至于商颜③，又东至于太华④，以距于关⑤。实能作固，以屏王室。其物产之厚，器用之出，则璆琳、琅玕，《夏书》载焉。纪堂条枚⑥，《秦风》咏焉。今其神又能对于祷祝，化荒为穰，易沴为和⑦。厥功章明，宜受大礼。俾有凭托，而宣其烈也。非我后敬神重谷，则曷能发大号、尊明灵？非我公勤人奉上，则曷能对休命作新庙？人事既备，神明时若，丰我公田，遂及我私。粢盛无虞⑧，储峙用充⑨，厥猷茂哉！遂相与东向蹈舞，拜手稽首，愿颂帝力，且宣神德，永著终古。

[注释]

①褒斜：即褒谷和斜谷。褒斜谷道是古代由秦地入川的要道。②陇首：山名，属于秦岭山脉，位于秦岭的最西端。③商颜：商山之颜。商山，属于秦岭山脉，在今陕西商县东，山势险峻。④太华：即华山，古称太华山，五岳之西岳，属于秦岭山脉，在今陕西华阴南。⑤关：指函谷关，由中原入秦地之要隘。⑥纪堂条枚：语出《诗经·秦风·终南》："终南何有？有条有枚"，"终南何

有?有纪有堂"。纪堂,石基平坦。条枚,楸树和楠木。⑦沴(lì):妖气。⑧粢(zī):谷子,泛指谷物。⑨储峙:储备。

[译文]

终南山位于天下之中,在都城的南边。西面到褒谷和斜谷,再往西到陇首山,和西部的少数民族相邻;东面到商山,再往东到华山,距东边的函谷关已经不远。终南山确实能够作为险固的屏障来保护王室。终南山物产丰富,出产的珍宝器物有璆琳、琅玕,《尚书·夏书》已经有记载;石基平坦,楸树和楠木耸立,《诗经·秦风·终南》已经有描写。如今,终南山的神灵又能听到人们的祈祷,化灾荒为丰收,变妖气为和气。这一功劳非常明显,应该享受大礼。希望有所凭据,宣传终南神灵的功绩。不是我等后人敬奉神灵、重视谷物,怎么能够大声呼号、尊奉神明呢?不是我等官员勤劳为民、敬奉圣上,怎么能够回应天子之命修建新的庙宇呢?人们应该做的既然已经做了,神明就及时降下甘霖,让公田得以丰收,延及百姓的私田。谷物丰收没有可担心的了,仓储因此得到充实,这种功劳确实很大啊!于是众人向着东方舞蹈,作揖叩首,颂扬上天的力量,宣示神明的功德,永远留存,传之千古。

湘源二妃庙碑①

元和九年八月二十日,湘源二妃庙灾②。司功掾守令彭城刘知刚③,主簿安邑卫之武,告于州刺史御史中丞清河崔公能。祗栗厥戒④,会群吏洎众工,发开元诏书,惧废守祀。搜考赢羡⑤,均节委积⑥。咸执牍聿⑦,至于祠下。稽度既备⑧,佣役惟时。斩木于上游,陶埴于水涯⑨,乃桴乃载,工逸事遂。作貌显严,粲然而威。十有一月庚辰,陈奠荐辞,立石于庙门之宇下。

[题解]

本文介绍了重修湘源二妃庙的原因和过程,赞美了二妃的功德。

[注释]

①湘源:古县名,属永州。二妃:即传说中的娥皇和女英,尧之女,舜之二妃。②灾:天火曰灾。此指二妃庙失火被烧。③司功:即司功参军,唐代官职。守:摄,代理。④祗栗:敬慎恐惧。⑤赢羡:盈余、剩余。⑥委积:财物、财货。⑦牍聿:簿籍、账册。⑧稽度:考核衡量。⑨陶埴:烧制砖瓦。

[译文]

元和九年(814年)八月二十日,湘源二妃庙遭受火灾。司功掾代理县令彭城人刘知刚,主簿安邑人卫之武,把此事上告于永州刺史御史中丞清河人崔能。他敬慎恐惧,把这件事作为鉴戒,聚会属下吏役和各种工匠,打开唐玄宗开元年间颁布的诏书,(查看二妃庙旧制,)担心废弃了二妃庙的祭祀之事。搜求县里的盈余,拿出多余的财物。吏役都拿着簿籍,来到二妃庙前。考察衡量过之后,工匠们就按时开工了。他们在上游砍伐树木,在水边烧制砖瓦,用木筏运送,用车辆运载,重修的湘源二妃庙很快就竣工了。庙宇形貌高显而庄重,精洁而有威严。十一月庚辰日,摆设祭祀物品,撰写祭祀文辞,在庙门的堂宇下树立石碑。

唯父子夫妇,人道之大。大哉二神,咸极其会。为子而父尧,为妇而夫舜。齐圣并明,弼成授受①。内若嚚瞽②,上承辉光。克艰以乂③,德罔不至。帝既野死④,神亦不返⑤。食于兹川,古有常典。殴被厉孽⑥,恢宣淑灵。敢或失职,以奸天刑⑦。有翼其恭,有苾其馨⑧。沉牲爰告⑨,即石是铭。

[注释]

①弼:辅助、帮助。授受:给予和接受。指尧禅位于舜。②若:顺,顺从。嚚:舜的母亲。瞽:瞎子,此指舜的父亲。③乂:治理、安定。④野死:

传说舜到南方巡狩,至于苍梧之野而死,故称野死。⑤神:指二妃。舜南巡,二妃从之不及,死于沅、湘之间。⑥殴袚:驱除。庆孽:即祲孽,妖孽鬼魅。⑦奸(gān):干求,干犯。⑧苾:芳香,香气。⑨沉牲:祭祀川泽的一种方式。把山狸等祭品沉入水中,用以祭祀山林川泽。

[译文]

只有父子和夫妇的关系,是人伦之中最重要的。伟大的娥皇、女英二神,把这两种关系汇聚一身并发挥到了极致。作为子女,她们的父亲是尧;作为妻子,她们的夫君是舜。她们和圣人一样英明,帮助他们成就了禅让。在家庭内她们顺从公婆,对上她们承续着尧和舜的光辉。克服艰难来治理天下,恩德惠及普天下的百姓。舜南巡死于苍梧之野,二妃追寻而去也没有再回来。她们在湘水享受百姓的祭祀,自古以来都有固定的祭祀方式。驱除妖魔鬼魅,宣传二妃贤淑的魂灵。如果有人胆敢失职,就会招致上天的惩罚。希望二妃护佑这里的百姓享受祭祀,德泽芳香源远流长。把祭品沉入川泽,以此祷告,就这块石碑刻上这篇碑文。

唐故特进赠开府仪同三司扬州大都督南府君睢阳庙碑①

急病让夷义之先②,图国忘死贞之大③。利合而动,乃市贾之相求;恩加而感,则报施之常道。睢阳所以不阶王命④,横绝凶威,超千祀而挺生,奋百代而特立者也。时惟南公,天与拳勇,神资机智,艺穷百中⑤,豪出千人。不遇兴词⑥,郁龙眉之都尉⑦;数奇见惜,挫猿臂之将军⑧。

[题解]

安禄山叛军围困睢阳(今河南商丘县南),睢阳守将张巡、许远派遣南霁云赴临淮（今江苏盱眙北），向御史大夫贺兰进明求救。贺兰进明妒忌张、许之功，不肯发兵相救。南霁云还入睢阳城。城陷，南霁云与张巡等同时遇害。后来，朝廷追赠南霁云开府仪同三司、扬州大都督。睢阳百姓为纪念张巡等爱国将领，立庙祭祀。这篇碑文记述了南霁云与张巡、许远坚守睢阳及赴临淮搬救兵之事，表现了南霁云忠贞报国、视死如归的英雄气概，表达了对这位爱国英雄的敬仰之情。

[注释]

①南府君：即南霁云，范阳（今河北涿州）人。②急病让夷：将困难留给自己，将方便让给别人。出自《国语·鲁语上》："贤者急病让夷。"③图国：报效国家。④睢阳：指南霁云。阶：凭借。⑤艺：技艺。此指南霁云的射箭技艺。⑥兴词：举荐之言。⑦厖（méng）眉：眉毛杂乱。事见《汉武故事》：汉武帝一日至郎署，见一郎官眉毛都白了，问他何时为郎。那人回答说，他叫颜驷，汉文帝时为郎官。但是很不走运，汉文帝好文而他喜欢武，景帝喜欢老成而他还年轻，武帝喜欢年轻而他已经老了。汉武帝为之所感动，擢升他会稽都尉。⑧猿臂之将军：指李广。李广臂长如猿，运转自如，善于射箭。

[译文]

把困难留给自己把方便让给别人是最大的义气，为报效国家而舍生忘死是最大的忠贞。合乎自己的利益就去做，那是商人所追求的；受到恩惠而感动，则是报恩应遵循的道理。南府君不凭借王命，纵横无敌，威风凛凛，千年流芳，特立百代，其原因就在这里。当时，唯有南公是上天赐其勇力，神灵赋其智慧，射箭百发百中，豪气千人难敌。假如没有举荐之言，会像汉武帝时的厖眉都尉那样抑郁不得志；因运气不好而被怜惜，纵使猿臂将军李广也自叹不如。

天宝末，寇剧凭陵①，隳突河华②。天旋亏斗极之位③，地圮积狐狸之穴④。亲贤在庭，子骏陈谟以佐命⑤；元老用老，夷甫委师而劝进⑥。惟公与南阳张公巡、高阳许公远，义气悬合，讦谋大同⑦。誓鸠武旅，以遏横溃。裂裳而千里来应，左袒而一呼皆至。

柱厉不知而死难⑧，狼瞫见黜而奔师⑨。忠谋朗然，万夫齐力。公以推让，且专奋击，为马军兵马使。出战则群校同强，入守而百雉齐固⑩。

[注释]

①凭陵：侵扰。②駷突：冲撞，横行。③斗极：北斗星和北极星。比喻天皇或帝王。④圮：坍塌、倒塌。⑤子骏：即刘歆，字子骏，西汉经学家、目录学家。王莽新朝时，官至国师。⑥夷甫：即王衍，字夷甫，西晋大臣。善于清谈，名重当世。后被石勒俘获而遇害。⑦订谋：远大宏伟的谋划。⑧柱厉：即柱厉叔，春秋时期人。他在莒国做官，因为莒敖公不知其才能，辞官隐居。莒敖公被乱臣杀死，他到其墓前自杀，说："我要让后世那些不了解其大臣的君主感到羞愧。"⑨狼瞫：春秋时期晋国名将。晋襄公时，秦晋战于崤，他率部直冲秦军，战死沙场。⑩百雉：泛指城。雉，古代计算城墙的面积，长三丈高一丈为一雉。

[译文]

天宝末年，贼寇侵扰甚急迫，在黄河、华山间横冲直撞。天子之位岌岌可危，到处是断壁残垣，满目荒凉。（当时的情形是）父母双亲健在，刘子骏献计而为佐命大臣；元老因为年老，像王夷甫那样放弃帅印而劝进。唯有南府君与南阳张巡、高阳许远，义气相合，大计相同，发誓聚合兵马，遏制唐军溃败。他们撕开衣服当做旗帜，千里之内的人齐来响应；袒露左臂作为标志，振臂一呼应者而至。柱厉因不为人知而死难，狼瞫因被贬黜而奋勇。忠心谋略昭然若揭，千万之人齐心协力。南霁云以此推让，专心上阵杀敌，任马军兵马使。出战之时将校一同逞强，入城坚守则百城同等坚固。

初据雍丘①，谓非要害。将保江淮之臣庶，通南北之奏复，拔我义类，扼于睢阳。前后捕斩要遮，凶气连沮。汉兵已绝，守疏勒而弥坚②；虏骑虽强，顿盱眙而不进③。贼徒乃弃疾于我，悉众合围。技虽穷于九攻④，志益专于三板⑤。偪阳悬布之劲⑥，汧城凿穴之奇⑦。息意牵羊⑧，羞郑师之大临；甘心易子⑨，鄙宋臣之病告。诸侯环顾而莫救，国命阻绝而无归。以有尽之疲人，敌无已之强寇。公乃跃马溃围，驰出万众，抵贺兰进明乞师⑩。

[注释]

①雍丘：古杞国都城，即今河南杞县。②疏勒：古西域国名。东汉明帝永平十七年（74年），班超平定疏勒。次年，龟兹、姑墨数攻疏勒，班超虽孤立无援，却拒守岁余。③顿盱眙：南朝宋文帝元嘉二十八年（451年），北魏拓跋焘围攻盱眙，辅国将军臧质坚守城池。北魏军队围困盱眙，一个月没有攻下来，遂退走。④九攻：春秋时期，公输般制高云梯，欲助楚国攻宋。墨子往见。公输般设攻宋之械，墨子设守宋之备。公输般九次进攻，都被墨子击退。⑤三板：古代使用木板筑墙，每块木板通常是高二尺。三板即六尺。春秋时期，智伯率韩、魏攻赵，赵襄子奔保晋阳，智伯等引汾水灌晋阳城，城不没者三板。⑥偪阳：古偪阳国之都，在今山东枣庄市南。悬布：瀑布。⑦汧：汧阳，古县名，即今陕西千阳。凿穴：晋元康中，氐羌反，四面攻城，箭如雨般射入城中。汧督马敦固守孤城，凿穴而处，以躲避敌箭。⑧息意：绝意，不再有意。牵羊：春秋时期，楚人伐郑。国人因恐惧而大哭。楚战胜郑之后，郑国国君光着膀子、牵着羊去迎接楚军。⑨易子：即易子而食。事见《左传·宣公十五年》：楚军围宋。宋人使华元夜入楚师，见楚军统帅子反，说："宋国被困困已久，易子而食，析骸以爨。即使如此，订立城下之盟，等于是亡国，宁死不从。"⑩贺兰进明：唐安史之乱中，贺兰进明以御史大夫出任临淮节度使。睢阳被围，南霁云赴临淮求救。贺兰进明嫉妒张巡的声威，不肯发兵相救，致使睢阳沦陷。

[译文]

刚刚据守雍丘，张巡认为此地不是要害之地。为了保护江淮之地的臣民，恢复南北的交通，他率领义军，据守睢阳。前后捕杀截击叛军，令叛军士气接连受挫。此时，汉军虽然濒临绝境，却像班超坚守疏勒那样越发坚定；敌人的骑兵虽然强大，却像北魏围困盱眙那样不能前进。贼寇于是变本加厉，把兵马都调集过来围困睢阳。虽然多次进攻都被击退，但还是更加想要攻下睢阳。贼寇攻城像晋军进攻偪阳那样来势凶猛，唐军守城像马敦坚守汧阳那样屡出奇招。他们誓死不投降敌人，以郑国军队面对强敌大哭为羞耻；甘心与城共存亡，鄙视宋国大臣把困难告诉敌人。诸侯眼看睢阳被围而没有人肯相救，断绝了与朝廷的联系而无依无靠。用数得过来的疲惫士卒，抗击无数的强寇，南府君跃马突出重围，从敌人的千军万马中冲出，到贺兰进明驻守的临淮搬取救兵。

　　进明乃张乐侑食，以好聘待之。公曰："弊邑父子相食，而君辱以燕礼①，独何心欤？"乃自噬其指曰："唉此足矣！"遂恸哭而返，即死孤城。首碎秦庭②，终憎《无衣》之赋；身离楚野，徒伤带剑之辞③。至德二年十月，城陷遇害。无傅燮之叹息④，有周苛之慷慨⑤。闻义能徙，果其初心。烈士抗词，痛臧洪之同日⑥。直臣致愤⑦，惜蔡恭于累旬。朝廷加赠特进扬州大都督，定功为第一等，与张氏、许氏并立庙睢阳，岁时致祭。男在襁褓，皆受显秩，赐之土田。粪刻鲍信之形⑧，陵图庞德之状⑨。纳官其子，见勾践之心⑩；羽林字孤⑪，知孝武之志。举门关于周典⑫，征印绶于汉仪。王猷以光，宠锡斯备。於戏⑬！睢阳之事，不唯以能死为勇，善守为功。所以出奇以耻敌，立懂以怒寇，俾其专力于东南，而去备于西北，力专则坚城必陷，备去则天讨可行。是故即城陷之辰，为克敌之日。世徒知力保于江淮，而不知功靖乎丑虏。论者或未之思欤！

[注释]

　　①燕礼：古代天子与群臣宴会的礼仪。②首碎秦庭：指申包胥哭秦庭事。公元前506年，吴国大军攻入郢都。申包胥到秦国求救兵，秦哀公不肯出兵相救。申包胥七天水米不进，痛哭不止。秦哀公见此情形，赋《无衣》诗。申包胥见秦哀公，叩头不止，头都磕烂了。秦哀公终于被感动，答应出兵相救。

③带剑之辞：屈原《楚辞·九歌》云："带长剑兮挟秦弓，首虽离兮心不惩。"④傅燮：字南容，东汉汉阳太守。贼围汉阳，欲送燮归乡里。燮慨然而叹，说："吾行何之？吾必死于此。"遂麾左右进兵，临阵战没。⑤周苛：楚汉战争中，高祖刘邦使周苛守荥阳。项羽攻下荥阳，活捉周苛。周苛骂项羽，被烹之。⑥臧洪：字子原，东汉末年人。被袁绍杀害。其同乡陈容对袁绍说："将军欲为天下除暴，而先专诛忠义，岂合天意？"又曰："今日宁与臧洪同日死，不与将军同日生。"遂也被杀。⑦直臣：指南朝梁任昉。梁武帝天监三年（504年），魏兵围义阳，司州刺史蔡道恭拒之，相持百余日。道恭病死，朝廷令郢州刺史曹景宗救援，景宗屯兵不进，义阳遂陷。御史中丞任昉弹劾景宗，称"道恭云逝，城守累旬；景宗之存，一朝弃甲"。⑧鲍信：东汉末年人。汉献帝初平二年（191年），鲍信进击黄巾军，力战而死。部将购求鲍信尸首不得，乃刻木为信状，祭而哭焉。⑨庞德：字令明，三国时曹操部下猛将。被关羽俘虏，宁死不降而被杀。于禁同时被俘，因投降而苟且偷生。于禁后得还魏，见曹操陵屋画关羽战胜、庞德愤怒、自己降伏的样子，惭愧至极，发病而死。⑩勾践：春秋时期越国君主，吴国夫差打败越国，越王勾践卧薪尝胆，终于复国。他被囚于吴国时，曾下令越国孤子、寡妇、贫病的人，把儿子交给官府，由官府教他们如何做官，给他们提供吃的。⑪字孤：武帝时，士卒死后，其子养于羽林，朝廷教以五兵，号羽林孤儿。待长大后，令其从军。⑫门关：出入必经的国门或关门。出入门关的财物皆须纳税，用之养鳏寡孤独。⑬於戏（wū hū）：同"呜呼"。

[译文]

到了临淮，贺兰进明于是设置音乐、置办宴会，好好地款待南霁云。南府君说："睢阳城内父子相易而食，而您却用这样盛大的宴会礼仪来侮辱我，是何居心？"就自食其一根手指，说："吃掉这根手指就够了！"于是放声恸哭，返身折回，慷慨赴死，回到了孤立无援的睢阳城。南府君虽然像申包胥那样首碎秦庭，却没能感动贺兰进明发兵救援；虽像屈原那样离开了楚地，却是空怀壮志白白地感伤。至德二年（757年）十月，睢阳城陷落，南府君遇害。遇害之时，没有傅燮城破之叹息,却有周苛赴死之慷慨。闻义而能相从,实现了他最初的志愿。烈士直言陈说,为南府君与张巡同日赴死而悲痛;直臣表示愤慨,为贺兰进明不救睢阳孤城而痛惜。朝廷追赠南府君扬州大都督,确定其功劳为第一,与张巡、许远一并在睢阳设立庙宇,每年按时祭祀。南府君的儿子还在襁褓之中,也被封赠高官厚禄,赐予田地。人们用木头刻南府君形貌而安葬,并把其慷慨赴死之形象绘画到廊庙中。其子皆入官籍,可见朝廷之用心;将他们养在羽林之中,可见朝廷之志向。按照周朝的规定给予财物,仿照汉朝的礼仪授予官职。帝王的功业得以光大,隆崇的赐予于此皆备。啊!南府君的事情,不仅仅是把他能够慷慨赴死作为勇敢,把他善于守卫作为功劳。他出奇兵而让敌人感到羞耻、立勇武而让敌人感到愤怒的原因,是希望通过这些使叛军把主要兵力放在东南,借以减轻朝廷在西北方面的压力。力量集中于一方,坚固的城池也一定会攻陷;防备撤去之后,朝廷征讨叛军的谋划就可施行。因此,睢阳城陷落之时,就是唐军克敌之日。世人仅仅知道南府君等坚守睢阳是力保江淮之安,却不知其功劳在于平定了安史之乱。这一点,论者或许没有想到吧!

公讳霁云,字某,范阳人。有子曰承嗣,七岁为婺州别驾,赐绯鱼袋①,历刺施、涪二州。服忠思孝,无替负荷。惧祠宇久远,德音不形,愿斫坚石,假辞纪美。惟公信以许其友,刚以固其志,仁以残其肌,勇以振其气,忠以摧其敌,烈以死其事。出乎内者合于贞,行乎外者贯于义,是其所以奋百代而超千祀者矣。其志不亦宜乎?庙貌斯存,碑表攸托。洛阳城下,思乡之梦傥来②;麒麟阁中③,即图之词可继。

[注释]

①绯鱼袋:指绯衣与鱼符袋。旧时朝官的服饰。唐朝官制,五品以上佩鱼符袋。②思乡之梦:东汉初年,温序为护羌校尉,被隗嚣部将所执,伏剑而死,

葬洛阳城旁。其子温寿为邹平侯相，梦父告之曰："久客思乡里。"寿即弃官，上书乞骸骨归葬。光武帝许之，遂归葬故里。③麒麟阁：汉武帝时所建，位于未央宫中。汉宣帝时，将霍光等功臣画像绘于麒麟阁中，以示纪念和表彰。

[译文]

南府君讳霁云，字某，范阳（今河北涿州）人。其子名承嗣，七岁即被任命为婺州别驾，赐予绯鱼袋，历任施州、涪州二州刺史。承嗣为国尽忠，仍思尽孝，孝心绵绵无尽，担心庙宇经历时间久了，先君的德业功勋不再彰显，希望立此石碑，借助文辞记录下南府君的丰功伟绩。南府君诚信对待其友，刚强固守其志，仁爱充于其体，勇猛振奋其气，忠贞摧垮其敌，刚烈死于其事。出于内心的皆合乎忠贞，表现于外的皆贯之于义。这就是南府君垂名百代、流芳千古的原因所在。把这些记录下来，不也是应该的吗？睢阳庙宇存在于此，碑文展示于后人。洛阳城下如果能够再做思乡之梦，麒麟阁上将会续画南府君的画像。

故永州刺史流配驩州崔君权厝志①

博陵崔君②，由进士入山南西道节度府，始掌书记。至府留后③，凡五徙职。六增官，至刑部员外郎。出刺连永两州④。未至永，而连之人愬君。御史按章具狱，坐流驩州⑤。幼弟讼诸朝，天子黜连帅⑥，罢御史，小吏咸死，投之荒外。而君不克复，元和七年正月二十六日卒。孤处道洎守讷⑦，奉君之丧，逾海水，不幸遇暴风，二孤溺死。七月某日，柩至于永州。八月甲子，藳葬于社壝之北四百步⑧。

[题解]

此文是柳宗元在被贬为永州司马时所作。文章简要叙述了崔简的仕宦经历和为政业绩，对其不幸遭遇表示了同情，流露出惺惺相惜之意。

[注释]

①崔君：即崔简，字子敬，柳宗元的姐夫。曾任连州、永州刺史。因罪流放驩州。权厝：暂时安葬。厝，停放棺材待葬或浅葬以待日后改葬。②博陵：齐丁公吕伋，食邑于崔，因以为氏。其后崔氏以清河、博陵为二郡望。③留后：唐朝安史之乱后，节度使因遇事或年老，以弟子或亲信代行节度使之权，称节度留后或观察留后。④连永：即连州和永州。连州今属广东，永州今属湖南。⑤驩州：在今广西和越南间。⑥连帅：唐代所称连帅，通常指观察使或按察使。此指湖南观察使。⑦孤：遗孤。此指崔简的儿子。洎：及。⑧藁葬：草草埋葬。社壝（wěi）：社坛周围的矮墙。

[译文]

博陵崔君以进士身份进入山南西道节度府，最初负责文书一类的工作。后来升任节度府留后，共计升迁了五次。第六次升迁至刑部员外郎，先后出任连州和永州刺史。还没有到永州刺史任时，连州有人向朝廷告他的状。御史根据诉状审理此案，把崔君流放到驩州。崔君年幼的弟弟向朝廷申诉，天子废黜了湖南观察使，罢免了御史，官职小一些的全部处死，弃掷到荒郊野外。而崔君却没有能够复职，于元和七年（812年）正月二十六日去世。其子处道和守讷奉崔君灵柩归葬，从海上过，不幸遭遇暴风，二子皆被淹死。七月某日，崔君的灵柩到了永州。八月甲子日，草草埋葬在社坛矮墙之北四百步远的地方。

崔氏世嗣文章，君又益工。博知古今事，给数敏辩①，善谋画，南败蜀虏，西遏戎师，其虑皆君之自出。后饵五石②，病疡且乱③，故不承于初。今尚有五丈夫子。夫人河东柳氏④，德硕行淑，先崔君十年卒。其葬，在长安东南少陵北。君以窜没，家又有海祸，力不克袝。三年，将复故葬也。徒志其一二大者云。鲵为祖，晔为父。世文儒，积弥厚。简其名，子敬字。年五十，增以二。华湘滢⑤，非其地。后三年，辞当备。

[注释]

①给数：捷速，敏捷。②五石：即五石散，一种中药散剂。因其主要成分是石钟乳、紫石英、白石英、石硫黄和赤石脂，故称。以何晏为代表的魏晋名士常服五石散，后世服之者甚多。③疡：痈疮，溃烂。④柳氏：柳宗元的姐姐。⑤滢：水边之地。

[译文]

崔氏世代皆擅长文章，崔君的文章尤其作得好。他博通古今，聪明敏捷，擅长谋划。南方打败蜀地虏寇，西方遏制西戎之师，计谋皆出自崔君。后来，崔君服食五石散，患有痈疮且至不可收拾，故而不能再像当初那样。今尚有五个儿子。其夫人河东柳氏，十分贤淑，先于崔君十年就去世了。她的葬地在长安东南的少陵之北。崔君病逝于流放之地，家庭又遭遇海祸，没有财力把崔君归葬故乡。三年之后，再迁回故乡安葬。这里仅记述其一生中的一两件大事。崔君祖父是崔鲵，父亲是崔晔。他家世代都是儒生，积淀深厚。崔君名简，字子敬。去世之时，年仅五十二岁。华夏湘地为水边之地，不是安葬崔君的地方。三年之后，墓志碑文应该更为详备。

吕侍御恭墓志①

吕氏世居河东，至延之始大②，以御史大夫为浙东道节度大使。延之生渭③，为中书舍人、尚书礼部侍郎，刺湖南七州。生四子，温、恭、俭、让。以温为尚书郎，再赠至右仆射④。恭字敬叔，他名曰宗礼，或以为字，实惟吕氏宗子。尚气节，有勇略，不事小谨。读从横书，理《阴符》、《握机》、《孙子》之术⑤，曰：

"我师尚父胄也⑥。大父洎先人，咸统方岳。今天下将理平，蔡、兖、冀、幽洎戎犹负命⑦。"蚤夜呼愤，以为宜得任爪牙，毕力通天子命，作文章咸道其志云。又曰："由吾兄而上三世，世为进士。吾之文不坠教戒，独武事未克缵厥绪⑧。"因弃去。

[题解]

此文记述了吕恭的性格、爱好及为官之事，颇有赞誉，并对其英年早逝表示惋惜。

[注释]

①吕侍御：即吕恭，字敬叔。曾任殿中侍御史、岭南府判官。为人不拘小节，喜纵横之术和兵家，当时有美誉。②延之：即吕延之，吕恭的祖父，曾任浙东道节度大使。③渭：字君载，吕恭之父。曾任礼部尚书，知贡举，因事罢为湖南观察使。④再赠：吕渭死后，朝廷初赠陕州大都督。元和初年，吕温为户部员外郎，朝廷又追赠吕渭尚书右仆射。⑤《阴符》、《握机》、《孙子》：皆为古代军事著作。《阴符》即《太公阴符》，传为姜太公吕尚所作；《握机》即《握机经》，传说出自黄帝之手；《孙子》又称《孙子兵法》，是我国古代最著名的军事理论著作，春秋末期孙武所著。⑥尚父：即吕尚，又作姜尚，西周初年大臣，古代著名军事家、政治家。⑦蔡、兖、冀、幽：唐宪宗时四个叛乱的藩镇。淮西镇治蔡州（今河南汝南），吴元济驻守。吴元济叛乱，兖州李师道、冀州成德军和幽州卢龙军遥相呼应。⑧缵：继承。

[译文]

吕氏家族世代居住在河东，至吕延之以御史大夫任浙东道节度大使，其家族始可谓世家大族。吕延之生子吕渭，曾任中书舍人、尚书礼部侍郎，为湖南七州刺史。吕渭有四子，姓名依次为吕温、吕恭、吕俭、吕让。因其长子吕温曾任尚书郎，朝廷追赠吕渭为尚书右仆射。吕恭字敬叔，又名宗礼，实际上是吕渭的嫡长子。吕恭崇尚气节，有勇有谋，不拘小节。好读纵横家之书，精通《阴符》、《握机》、《孙子》等兵法著作，自称："我是周初贤相吕尚的后裔，上自祖父延之，下至亡父吕渭，均为统治一方的地方长官。如今天下大治，日趋平静，但蔡、兖、冀、幽四个叛乱之州和戎敌仍在负隅顽抗。"早岁即以报效国家为己任，愿尽全力以上达天庭，并经常在文章中表明其政治抱负。又说："从我的兄长向上推三代，世代皆为进士。我的文章虽未落入程文的窠臼，唯独对武功王事未能加以很好的继承和发扬。"因而弃文从武。

从山南西道节度府掌书记，预谋画，不甚合。以试守军卫佐加协律郎，入荐为长安主簿。复出，以监察御史参江南西道都团练军事①。府表进殿中侍御史②，为桂管都防御副使。元和八年，去桂州，相国尚书郑公遮留③，假岭南道节度判官。至广州，病痎疟加瘑④，六月二十八日卒。

[注释]

①团练：即团练使，唐代负责一方或一州军事的官职。分都团练使、州团练使两种。都团练使负责方镇的军事，多由观察使兼任；州团练使负责一州的军事，常由刺史兼任。②府：指江南西道。③郑公：指郑絪。元和五年（810年），郑絪以礼部尚书为岭南节度使。一说郑公指郑余庆。④痎疟：疟疾。瘑：赤白痢。

[译文]

吕恭曾任山南西道节度使府的掌书记一职，参与军事谋划，与节度使之间的关系不甚融洽。后来以试守军卫佐的身份加协律郎（音律技术官，多属太常寺），被荐为长安主簿。后又以监察御史之职参江南西道都团练使军事（闲职）。江南西道上表请进，吕恭得为殿中侍御史，任桂管都防御副使。元和八年（813年），吕恭离开桂州，受到相国郑尚书的拦阻挽留，暂时代理岭南道节度判官。到了广州，因患痢疾，病卒于六月二十八日。

妻裴氏，户部尚书延龄女①。有丈夫子三人：曰爽，曰瑰，曰特；女子三人：曰环，曰鸾，曰倩，皆幼。行于道，而倩又死，遂以柩如洛阳，祔葬于大墓，款志。吕氏世仕至大官，皆有道，宜兴于世。温泊恭名为豪杰，知者以为是必立王功，活生人。不幸温刺衡州②，年四十卒。恭未及理人，年三十七又卒。世固有有其具而不及其用若温、恭者耶？恭貌奇壮，有大志，信善容物，宜寿考硕大，而又不克。吕氏之道恶乎兴！铭曰：飒飒之风乎不可追③，有志之大乎今安归？吕君去我死乎吾谁依！

[注释]

①延龄：即裴延龄，唐德宗时大臣，曾任户部侍郎判度支，掌握朝廷经济命脉。以苟下迎上而为时人诟病。②刺衡州：出任衡州刺史。③飒飒：当为"泱泱"，气势宏大。

[译文]

吕恭之妻裴氏，是户部尚书裴延龄的女儿。生有三个儿子，分别是吕爽、吕瑰、吕特；三个女儿，分别是吕环、吕鸾、吕倩，都年纪幼小。行走在归途中，吕倩又夭折了，于是用棺材带到洛阳，祔葬在大墓旁边，落款有记述。吕氏家族世代官宦，且为政有方，理当兴旺发达。自吕温至吕恭均是真豪杰，有眼光的人认为他们必能有功于王事，在战场上使士兵生还。可惜英才多不幸，吕温任衡州刺史时不幸早逝，时年四十岁。吕恭尚未来得及治理政事，伸展抱负，三十七岁即已去世。世界上本来就有那些像吕温、吕恭一样虽有才华而无法施展的人吗？吕恭相貌奇伟，胸有大志，为人真诚善良，宽容大度，理应长寿延年，谁知却不能实现。吕氏家族的生存之道哪能兴盛呢？铭文说：飒飒远去之风不可追寻，胸有大志之人（指吕恭）如今何在？吕君早逝离我而去，以后我还能依靠谁呢？

故连州员外司马凌君权厝志①

年月日，尚书都官员外郎、和州刺史、连州司马富春凌君讳准,卒于桂阳佛寺②。先是六月,告于州刺史博陵崔君曰:"余尝学《黄帝书》③,切脉视病。今余肝伏以涩,肾浮以代,将不腊而死④,审矣。凡余之学孔氏,为忠孝礼信,而事固大谬,卒不能有立乎世者,命也。臣道无以明乎国,子道无以成乎家。下之得罪于人,以谪徙丑地。上之得罚于天,以降被罪疾。余无以御也,敢以鬼事为累。"又告为老氏者某曰⑤:"余生于辰,今而寓乎戌,辰戌冲也⑥。吾命与脉叶,其死矣乎!吾罪大,惧不克归柩于吾乡,是州之南有大冈不食⑦,吾甚乐焉,子其以是葬吾。"及是,咸如其言云。

[题解]

此文记述了凌准的生平事迹,对其谋划之功和临死前的事情记载尤详,对其尚气节、有治功表示赞赏。

[注释]

①凌君:即凌准,字宗一,唐宪宗元和元年(806年),与柳宗元同时遭贬,为连州员外司马。元和三年死于任所。②桂阳佛寺:寺院名,在连州。③黄帝书:即《黄帝内经》,中国古代中医理论著作经典。传说出自黄帝之手,实则成书于战国时期。④腊:冬至后第三个戌日,祭祀众神,称腊祭或腊日。⑤老氏者:道教尊奉老子,故称道教人物为老氏者。⑥冲:天干地支分属五行,五行有生克。星相术数家把干支五行相忌相克称为冲。⑦不食:不能开垦耕种之地。

[译文]

某年某月某日,尚书都官员外郎、和州刺史、连州司马富春人凌准,死于桂阳佛寺中。在此之前的六月,凌准告诉连州刺史博陵人崔君说:"我曾经学习《黄帝内经》,懂得把脉看病。如今我肝的脉象低伏而涩滞,肾的脉象漂浮而被别的脉象所代替,活不到腊日已经确定了。我所学的儒家文化,主要是忠孝礼信,做事情却与此大谬,终于不能依靠忠孝礼信而立身于世,这是命啊!作为臣子对国家没有什么贡献，作为儿子没有能够成家立业。对下有罪于百姓，因此被贬到这个破地方；对上受老天的惩罚，因此让我得了这样一个病。我没有办法防备，不敢用死后为鬼这样的事连累别人。"他又对一个尊奉道教的人说："我生于辰地，如今寓居在戌地，辰戌相克。我的命与脉象协调，大概就要死了吧！我的罪过很大，害怕灵柩不能返回故乡。这个州的南部有一个大岗，是不能开垦耕种的地方。我很喜欢那个地方，你就把我安葬在那里吧。"到了他所说的那个时候，一切都像他说的那样。

孤夷仲、求仲，以其先人之善余也，勤以志为请。呜呼！君字宗一，以孝悌闻于其乡。杭州刺史常召君以训于下，读书为文章，著《汉后春秋》二十余万言。又著《六经解围人文集》未就。有谋略，尚气节，周人之急，出货力犹弃粃粺。年二十，以书干丞相①。丞相以闻，试其文，日万言，擢为崇文馆校书郎。又以金吾兵曹为邠宁节度掌书记。泚泾之乱②，以谋画佐元戎，常有大功，累加大理评事、御史，赐绯鱼袋。换节度判官，转殿中侍御史，府丧罢职。后迁侍御史，为浙东廉使判官，抚循罢人③，按验污吏，吏人敬爱，厥绩以懋，粹然而光。声闻于上，召以为翰林学士。德宗崩，迩臣议秘三日乃下遗诏。君独抗危词④，以语同列王伾⑤，画其不可者十六七。乃以旦日发丧，六师万姓安其分。遂入为尚书郎，仍以文章侍从。由本官参度支⑥，调发出纳，奸吏衰止。以连累出和州，降连州。

[注释]

①干：干谒，求取。②泚泾之乱：建中四年（783 年）十月，泾原节度使姚令言反，推朱泚为主。凌准时为邠宁掌书记，以谋佐其节度使韩游环破贼有功。③罢人：疲惫的百姓。④危词：骇人之言。⑤王伾：唐代大臣。德宗末年，以待诏翰林的身份，与王叔文侍读东宫，颇得太子李诵信任。李诵即位，是为

顺宗。王伾升任左散骑常侍。王叔文入主翰林，改革朝政。王伾居中联络。改革失败后，被贬为开州司马。⑥度支：官名，原为户部的一个机构，分掌国家收入和支出。唐代安史之乱后，多以户部尚书、侍郎或他官领度支事务，称度支使或判度支。

[译文]

凌准的遗孤夷仲和求仲，因为其先父与我友善，殷勤地请求我为其先父作墓志铭。啊！凌君字宗一，因孝顺友爱闻名于乡里。凌君曾经应杭州刺史之请教导其属下，读书作文章，著《汉后春秋》二十多万字。又著《六经解围人文集》，没有完成。凌君有谋略，崇尚气节，救济别人的急难，出钱出力像弃掷秕糠那样毫不吝惜。二十岁那年，投书给丞相。丞相因此知其名，考试其文章，一日能写万言，遂提拔他为崇文馆校书郎。又以金吾兵曹之职，为邠宁节度使书记官。泚泾之乱中，凌君用智谋辅佐元帅，曾经建立大功，累次升迁至大理评事、御史，赐绯鱼袋，出为节度判官，转任殿中侍御史，因御史之丧而罢职。后来升任侍御史，出任浙东廉使判官，安抚疲惫的百姓，按察贪官污吏，受到官吏和百姓的爱戴，功绩卓著，声名在外。政声传到唐德宗那里，德宗召凌君回京任翰林学士。唐德宗驾崩，亲近大臣秘密商议三天才颁布遗诏。凌君独自抗言危词，其言辞与王伾相同，谋划其不可为者十之六七。御史就在第二天为德宗发丧，六师和百姓皆安守各自的本分。因此，凌君升任尚书都官员外郎，仍旧以翰林学士的身份事从皇上。以翰林学士参赞度支府事务，负责调发出纳，奸吏因此逐渐绝迹。因受（王伾、王叔文）连累，出任和州刺史，降为连州司马。

居母丧，不得归，而二弟继死。不食，哭泣，遂丧其明以没。盖君之行事如此，其报应如此。夫人高氏，在越。孤四人，南仲、殷仲在夫人所，未至。执友河东柳宗元哀君有道而不明白于天下①，离愍逢尤夭其生②，且又同过，故哭以为志，其辞哀焉。

[注释]

①执友：志同道合的朋友。②离愍：遭遇忧患和痛苦。又作离愁。离，遭遇，遭受。逢尤：遭逢怨恨。

[译文]

母亲去世，凌君不能回故乡守丧，而其两个弟弟又相继死去。凌君绝食，终日哭泣，遂致双目失明，以至于病逝。凌君为人做事大概就是这个样子，其所遭受的报应亦是这样。凌君的夫人高氏，在越地生活。遗孤四人，南仲、殷仲和夫人在越地生活，没有来到这里。执友河东柳宗元为凌君有道却不能大白于天下，遭逢痛苦怨恨早年病逝而感到悲哀，而且又与凌君因相同的过错而遭贬，所以流泪写下了这篇墓志铭，用这篇文辞来表示对凌君的哀悼。

对 问

愚溪对[①]

柳子名愚溪而居。

五日,溪之神夜见梦曰[②]:"子何辱予,使予为愚耶?有其实者,名固从之,今予固若是耶?予闻闽有水,生毒雾厉气[③],中之者,温屯沤泄[④];藏石走濑,连舻糜解[⑤]。有鱼焉,锯齿锋尾而兽蹄。是食人,必断而跃之,乃仰噬焉,故其名曰恶溪[⑥]。西海有水,散涣而无力,不能负芥。投之则委靡垫没,及底而后止,故其名曰弱水[⑦]。秦有水,掎汨泥淖[⑧],挠混沙砾。视之分寸,眙若睨壁[⑨]。浅深险易,昧昧不觌[⑩]。乃合泾渭[⑪],以自彰秽迹。故其名曰浊泾[⑫]。雍之西有水[⑬],幽险若漆,不知其所出,故其名曰黑水[⑭]。夫恶弱,六极也[⑮];浊黑,贱名也。彼得之而不辞,穷万世而不变者,有其实也。今予甚清与美,为子所喜,而又功可以及圃畦,力可以载方舟,朝夕者济焉,子幸择而居予,而辱以无实之名以为愚。卒不见德而肆其诬,岂终不可革耶?"

[题解]

本文作于柳宗元谪居永州时期，文章假托与溪神的对话，探讨了关于"智"和"愚"的问题，表达了作者"进不为盈，退不为抑"的精神境界。

[注释]

①愚溪：原名冉溪，柳宗元被贬永州后居住在冉溪边，改冉溪名为愚溪。柳宗元《愚溪诗序》云："灌水之阳有溪，东流入潇水，名冉溪。余谪潇水上，改之为'愚溪'。"②见：同"现"，出现。③厉气：恶气。④温屯：温热屯聚不散，使人迷惘不爽。呕泄：同"呕泻"，呕吐腹泻。⑤连舻：舟船相连。縻解：稀烂。⑥恶溪：古水名，在潮州界。⑦弱水：古水名。由于水道水浅或当地人民不习惯造船而不通舟楫，只用皮筏济渡，古人往往认为是水弱不能载舟，因称弱水。故古时所称弱水者甚多。此处弱水当出自甘州，苏东坡云："自州西北至肃州。"上源指今甘肃山丹河，下游即山丹河与甘州河合流后的黑河，入内蒙古境后，称额济纳河。⑧掎（jǐ）：偏引，夹带。汩：水流的样子。泥淖（nào）：泥巴。⑨眙（yí）：直视。睨（nì）：斜视。⑩昧昧：昏暗，不清楚。觌（dí）：看见。⑪泾渭：泾水和渭水，发源于今甘肃，流入陕西，汇合于黄河。古人谓泾水浊，渭水清，泾渭合流后，相形之下，对比更加分明。⑫浊泾：出原州高平笄头山，一名崆峒山，至同州界入渭水。《汉书·地理志》云："泾水出安定泾阳县西岍头山，东南至冯翊阳陵县入渭。"故上文称"秦有水"也。⑬雍：即雍州，古地名，在今陕西、甘肃一带。⑭黑水：古河流名，发源于今甘肃张掖。据郦道元《水经注》载："黑水出张掖鸡山，南流至敦煌，过三危山，南流入于南海。"⑮六极：谓六种极凶恶之事。《尚书·洪范》："六极：一曰凶短折，二曰疾，三曰忧，四曰贫，五曰恶，六曰弱。"

[译文]

我在冉溪岸边居住下来，并把它改名为"愚溪"。

第五天夜晚，梦见溪神对我说："你凭什么侮辱我，把我的名字改为愚溪呢？有什么样的事实，就有与之相对应的名称，难道我现在真的很愚蠢吗？我听说闽地有条河，河面上弥漫着毒雾和毒气。受到这种毒气侵袭的人，体内就会温热屯聚不散，使人浑身不舒服，上吐下泻。这条河水流湍急,暗礁时隐时现,很多相连的舟船都被撞得稀烂。河里有一种鱼,牙齿像锯齿,尾巴如尖刀,脚似兽蹄。这种鱼(即鲨鱼)吃人的时候,一定要先把人咬成几段,拖到深水里,然后才仰着头慢慢咬嚼。所以这条河叫做恶溪。西海有一条小溪,涣散无力,连一根小草都浮不起来。人们把小草丢进水里,小草就慢慢地沉下去,一直沉到水底。所以这条小溪的名字就叫弱水。秦地有条河,水中夹带着泥浆,混杂着沙石。两眼看着水面,简直像面对着墙壁,模糊不清,难以看透。无法辨别河床的深浅和危险,不知道哪里可以行船,朦朦胧胧不可捉摸。泾水、渭水合流之后,因为渭水很清,相形之下,泾水显得更加污浊。因此这条河的名字叫做浊泾。雍州西部有条江,险峻幽深,江水漆黑,不知道它的源头在哪里,因此起名叫黑水。恶和弱都属于六种凶恶之事中的两大类,浊和黑也都是不好听的名称。它们得到这样的坏名称,历经千秋万代都无法改变,那是因为名副其实啊。现在我的溪水清澈秀美,又深得你的喜爱,并且还可以灌溉田园和菜地,水深能承载两条并行的船只,早晚供人们从这里渡过。先生选择居住在这里是何等幸运啊,反而无中生有,用'愚溪'这个名字来羞辱我。你最终不对我感恩戴德,反而肆意诬蔑我的清白,难道'愚溪'这个名字最终不能改变吗?"

柳子对曰:"汝诚无其实,然以吾之愚而独好汝,汝恶得避是名耶?且汝不见贪泉乎[①]?有饮而南者,见交趾宝货之多[②],光溢于目,思以两手左右攫而怀之,岂泉之实耶?过而往贪焉,犹以为名,今汝独招愚者居焉,久留而不去,虽欲革其名,不可得矣。夫明王之时[③],智者用,愚者伏。用者宜迩,伏者宜远。今汝之托也,远王都三千余里,侧僻回隐,蒸郁之与曹[④],螺蜂之与居。唯触罪摈辱愚陋黜伏者[⑤],日侵侵以游汝[⑥],闯闯以守汝[⑦]。汝欲为智乎?胡不呼今之聪明皎厉、握天子有司之柄以生育天下者[⑧],使一经于汝,而唯我独处?汝既不能得彼而见获于我,是则汝之实也。当汝为愚而犹以为诬,宁有说耶?"

[注释]

①贪泉:泉名,在广东南海,离广州二十里,其地为石门,有水曰贪泉。相传饮此泉水者,即使是廉洁的人也会变得贪得无厌。②交趾:亦作交阯,原为古地区名,泛指五岭以南。汉武帝时为所置十三刺史部之一,辖境相当于今广东、广西大部和越南的北部、中部。③明王之时:指政治开明的时代。④蒸郁:郁勃上升的闷热空气。曹:伙伴。⑤触罪:犯罪。摈辱:遭到抛弃和侮辱。黜伏:斥退,降服。⑥侵侵:同"駸駸",马快跑的样子。⑦闾闾:马出门的样子。⑧皎厉:漂亮,威猛。生育天下:使天下百姓得以生存和哺育的人,指朝廷官员。

[译文]

我回答说:"你确实不愚笨,但是像我这样愚笨的人却偏偏喜欢你,你怎么能逃避得了这个名字呢?况且你没有看见贪泉的例子吗?有个人喝了贪泉的水之后往南方去,看见交趾这个地方有很多金银财宝,光彩夺目,便想用双手把宝物都抓起藏在自己怀里。这难道真的是泉水的过错吗?因为有人经过那里饮了泉水,后来贪图别人的东西,这泉水尚且因此得了贪泉之名。现在你只招引来我这样愚笨的人居住在这里,长时间停留在这里却不离开,即使你想改掉'愚溪'这个名字,恐怕难以实现了。政治清明的时代,聪明的人能够得到重用,愚蠢的人则会受到贬斥。得到重用的人,适宜在京都做官;遭到贬谪的官吏,则要到边远地区去。现在你所在的地方,远离京城三千多里,偏僻荒凉,人烟稀少,只有闷热的空气与你做伴,水中的贝类与你共同居住在一起。你只能见到那些犯罪的、遭到抛弃的、遭受侮辱的、愚蠢卑陋的和被贬斥的人,他们每天骑着马恣意地在围着你闲游,高兴地守候在你的周围。你想要得到聪明的名字吗?为什么不让当今社会上那些聪明能干又威风八面、掌管着朝政各部门的大权使百姓得以生存和哺育的官员，到你这里来游赏一趟，却只有我孤孤单单一个人住在这里呢？你既然不能得到那些有权有势之人的赏识，却只得到我的喜欢，这就是你面临的实际情况。我把你的名字取作'愚溪'，你还认为自己受了委屈，难道还有什么理由可以辩解吗？"

曰："是则然矣。敢问子之愚何如而可以及我？"

柳子曰："汝欲穷我之愚说耶？虽极汝之所往，不足以申吾喙；涸汝之所流，不足以濡吾翰。姑示子其略：吾茫洋乎无知，冰雪之交，众裘我绤①；溽暑之铄，众从之风，而我从之火。吾荡而趋，不知太行之异乎九衢②，以败吾车；吾放而游，不知吕梁之异乎安流③，以没吾舟。吾足蹈坎井，头抵木石，冲冒榛棘，僵仆虺蜴④，而不知怵惕⑤。何丧何得？进不为盈，退不为抑。荒凉昏默，卒不自克。此其大凡者也。愿以是污汝⑥，可乎？"

[注释]

①裘：皮袄。绤（chī）：葛布衣。②太行：太行山，此处指像太行山一样崎岖的山路。九衢（qú）：纵横交叉的大道、繁华的街市。③吕梁：水名，也称吕梁洪，在今江苏徐州东南五十里。有上下二洪，相去七里，波流汹涌，水位高达三十仞（一仞相当于八尺），水冲下来的泡沫能直泻四十里。安流：平稳的流水。④虺蜴（huǐ yì）：毒蛇和蜥蜴。⑤怵惕：害怕、警惕。⑥污：污辱，此处是反语。

[译文]

溪神说："那就算是我愚蠢吧。不过，我还要冒昧地问问你，你究竟愚笨到何等程度，以至于连累到我呢？"

我回答说："你想要穷究我愚笨的经历吗？这事说来话长，恐怕你这条溪水从头到尾连起来，也没有我要讲述的愚笨经历那么长；就算把你的水当成墨，蘸干了也写不完我做过的蠢事。现在，姑且让我告诉你大概吧。我这个人懵懵懂懂，在人情世故和个人生活方面都不知道该怎么做。冰天雪地,别人都穿皮袄了,我还穿着麻布衣;炎炎夏日,大家都去树荫下乘凉,我却向着火走去。我走起路来莽莽撞撞,不懂得太行山的崎岖山路和平坦大道有所不同,所以我的车经常被撞坏。我曾经放心大胆地乘船,竟然把吕梁河那一泻千里的急流,当做风平浪静的江面,并因此遭遇过沉船之事。我还曾经脚踏进陷阱内,头撞到木头和石块上,冒冒失失地冲进荆棘丛中,跌倒在毒蛇和蜥蜴窝里,却丝毫不知道害怕和警惕。我不知道什么叫得到,什么叫失去,官职升迁并不洋洋自得,遭到贬谪也不气馁。虽然遭遇坎坷,内心有过凄凉和沉闷,但最终不能克制自己的激愤之情。这就是我做过的愚蠢之事的大致情况。我愿意将自己这些愚蠢的经历来玷污你的名字,你看行吗?"

于是溪神深思而叹曰:"嘻!有余矣①,是及我也。"因俯而羞,仰而吁,涕泣交流,举手而辞。一晦一明②,觉而莫知所之。遂书其对。

[注释]

①有余:足够、超过。②一晦一明:指从夜晚到天明。

[译文]

(听了我的回答,)溪神于是认真考虑了很久,叹息说:"唉!这就足够了,这些愚笨的做法确实能够牵累到我了。"说罢,他一会儿满面羞愧地低下头,一会儿又抬头长吁短叹,最后竟然涕泪交加,拱手告辞。等我从睡梦中一觉醒来,天已经亮了,溪神也不知去哪里了。于是,我记录下这篇对话。

对贺者[1]

柳子以罪贬永州[2]，有自京师来者。既见，曰："余闻子坐事斥逐，余适将唁子[3]。今余视子之貌，浩浩然也，能是达矣，余无以唁矣，敢更以为贺。"

[题解]

此文借与贺者的问答，剖明了作者之所以遭贬而仍能泰然处之的深层原因。

[注释]

①对：古代的一种文体。明吴讷《文章辨体序说》："问对者：载昔人一时问答之辞，或设客难以著其意者也。《文选》所录宋玉之于楚王，相如之于蜀父老，是所谓问对之辞。至若《答客难》、《解嘲》、《宾戏》等作，则皆设辞以自慰者焉。"徐师曾《文体明辨序说》："问对者，文人假设之词也。其名既殊，其实复异。故名实皆问者，屈平《天问》、江淹《邃古篇》之类是也。名问而实对者，柳宗元《晋问》之类是也。其它曰难，曰谕，曰答，曰应，又有不同，皆问对之类也。"问对（答）一体实由汉赋之设为主客问答及反复铺陈两个特征发展而来。对贺者：回答祝贺人的话。②柳子以罪贬永州：永贞元年（805年）九月，柳宗元由礼部员外郎贬为邵州刺史。十一月，再贬为永州司马。③唁：对遭遇非常变故者的安慰。后来多指对遭遇丧事的人而言。许慎《说文解字》："唁，吊生也。"段玉裁注："此言吊生者，以吊生为唁，别于吊死者为吊也。"

[译文]

柳宗元因参加王叔文新政而获罪，被贬为永州司马，有客人从京师来看望我。见面后，客人说："我听说你因事遭到贬官，本来打算安慰你的。现在看见你的面容自得无忧，能达到这种达观的境界，那就没有什么安慰的话可说了，请允许我改变初衷，对你表示祝贺。"

柳子曰："子诚以貌乎①，则可也。然吾岂若是而无志者耶？姑以戚戚为无益乎道②，故若是而已耳。吾之罪大，会主上方以宽理人③，用和天下，故吾得在此。凡吾之贬斥，幸矣，而又戚戚焉何哉？夫为天子尚书郎，谋画无所陈，而群比以为名④。蒙耻遇僇⑤，以待不测之诛。苟人尔，有不汗栗危厉偲偲然者哉⑥！吾尝静处以思，独行以求，自以上不得自列于圣朝，下无以奉宗祀，近丘墓，徒欲苟生幸存，庶几似续之不废⑦。是以傥荡其心⑧，倡佯其形⑨。茫乎若升高以望，溃乎若乘海而无所往，故其容貌如是。子诚以浩浩而贺我，其孰承之乎？嘻笑之怒，甚乎裂眦。长歌之哀，过乎恸哭。庸讵知吾之浩浩⑩，非戚戚之尤者乎？子休矣⑪。"

[注释]

①诚：如果。②姑：姑且、暂且。戚戚：忧惧。③会：恰逢。主上：皇帝，指唐宪宗。宽：宽宏的政策。④群比：朋党，集团。⑤遇僇（lù）：遭到侮辱。⑥汗栗：流汗而股栗。危厉：恐惧。偲（sī）偲然：自责的样子。⑦庶几：希望之词。似续：继承，谓子孙。《诗·小雅·斯干》："似续妣祖，筑室百堵。"似，嗣也。⑧傥荡：放任自由。⑨倡佯：同"徜徉"，游散。⑩庸讵："庸"与"讵"同义，表示反诘，岂能。⑪休：终止，犹言算了吧。

[译文]

我回答说："如果您是就外表而言，是可以这样讲的。然而我哪能像这样没有志向呢？我姑且认为忧愁对于义理修养并无好处，所以才这样罢了。我所获的罪本来很大，恰逢皇上正以宽宏的政策治理臣民，以使天下和谐，因此我才能居于此地。总之，我能被贬至此地已经是幸运的了，还忧惧什么呢？我曾经做过天子的尚书郎，没有为皇帝提供过好的策略，却因结成朋党而博取名誉，并为此而蒙羞受辱，等待难以预料的处罚。假如是一个人的话，又怎能不汗颜战栗、心生恐惧进而自责呢？我曾经在独处时静思己过，反复思考这个问题，自认为于公不能为圣朝尽忠，于私不能祭祀祖宗、拜修祖坟，徒然苟且偷生，希望能使柳家的香火得以延续。因此我才放任自由，身心闲散，登高望远，泛舟海上，你才看到我现在的浩浩然之貌。如果您果真因无忧自得而祝贺我，谁能接受呢？看似嬉笑的发怒，远远胜过眼眶迸裂的愤怒；哀痛得放声高歌，比悲痛大哭更要伤心。谁又能说我自得无忧的外表，不是内心最为忧愁的反映呢？您不要再说了吧。"

说

天 说①

韩愈谓柳子曰：若知天之说乎？吾为子言天之说。今夫人有疾痛、倦辱、饥寒甚者，因仰而呼天曰："残民者昌，佑民者殃！"又仰而呼天曰："何为使至此极戾也②？"若是者举不能知天。夫果蓏饮食既坏③，虫生之；人之血气败逆壅底④，为痈疡、疣赘、瘘痔⑤，虫生之；木朽而蝎中，草腐而萤飞，是岂不以坏而后出耶？物坏，虫由之生；元气阴阳之坏⑥，人由之生。虫之生而物益坏，食啮之，攻穴之，虫之祸物也滋甚。其有能去之者，有功于物者也；繁而息之者，物之仇也，人之坏元气阴阳也亦滋甚。垦原田，伐山林，凿泉以井饮，窾墓以送死⑦，而又穴为偃溲⑧，筑为墙垣、城郭、台榭、观游，疏为川渎、沟洫、陂池；燧木以燔⑨，革金以镕，陶甄琢磨⑩，悴然使天地万物不得其情，倖倖冲冲⑪，攻残败挠而未尝息。其为祸元气阴阳也，不甚于虫之所为乎？吾意有能残斯人使日薄岁削，祸元气阴阳者滋少，是则有功于天地者也；繁而息之者，天地之仇也。今夫人举不能知天，故为是呼且怨也。吾意天闻其呼且怨，则有功者受赏必大矣，其祸焉者受罚亦大矣。子以吾言为何如？

[题解]

中唐时期，最先对天人关系加以论述的是韩愈。他认为人们"不能知天"，即不能认识自然和人类世界的客观规律。柳宗元觉得韩愈的议论似乎"信辩且美"，但属"有激而为"，称"天地元气阴阳不能赏功而罚恶，要其归，欲以仁义自信"。刘禹锡同意柳宗元的观点，但又觉得柳宗元尚未"尽天人之际"，"故作《天论》三篇以极其辩"，提出"天与人交相胜"的观点，以补柳文之不足。柳宗元看后，称刘禹锡的《天论》是自己所写《天说》的注疏。本文着重阐述天是自然存在，与国家兴衰、个人福祸没有必然的联系。

[注释]

①天说：关于天人关系的探讨。说是古代的一种文体，多为阐明事理而作，或叙或议或夹叙夹议。②极戾：指命运乖张。③果蓏（luǒ）：瓜果的总称。许慎《说文解字》云："在木曰果，在地曰蓏。"张晏云："有核曰果，无核曰蓏。"应劭云："木实曰果，草实曰蓏。"又一说云："有壳曰果，无壳曰蓏。"④壅底：犹阻塞。⑤痈疡：泛指恶性毒疮。疣赘：同"肬赘"，皮肤上的赘生物。瘘（lòu）：颈肿，中医指颈部生疮，久而不愈。痔：痔疮。⑥元气：指天地未分前的混沌之气，引申为精气。阴阳：古代哲学概念。古代朴素的唯物主义思想家把矛盾运动中的万事万物概括为"阴"和"阳"两个对立的范畴，并以双方变化的原理来说明物质世界的运动。⑦窾（kuǎn）墓：挖空坟墓。窾，挖空。⑧偃溲（yǎn sōu）：厕所。⑨燧（suì）木以燔（fán）：即钻木取火。燧木，钻木。燔，焚烧。⑩陶甄：烧制陶器，比喻陶冶、教化。⑪佯佯冲冲：情绪高涨。

[译文]

韩愈告诉柳宗元说："你了解天道和人道的关系吗？让我来给你解释天道和人道的关系吧。现在有人身患重病、疲倦屈辱、饥寒交迫，他因此就仰起头来向上天呼喊说：'残害人民的人很兴盛，保佑人民的人反而遭殃！'（过了一会儿，）那人又仰起头来向上天呼喊说：'您为什么使人的命运如此乖张呢？'像这样的情况，都是不了解天道和人道的关系（即自然界和人类世界的客观规律）啊。瓜果之类的食品腐烂了，虫子就会生长；人的气血逆转造成阻塞，就会生成痈疡、疣赘、痿痔等皮肤类疾病，虫子也会生长；木头腐朽了，蝎子就会钻进朽木中间，青草腐烂后萤火虫常从中飞出，这难道不是生物的身体先受到损伤，然后才能孕育新的生命吗？生物损伤了，虫子因此而产生；天地之精气和阴阳两极发生了变化，人类因此而产生。虫子生成得越多，生物体遭到的损坏就更严重，虫子咬啮生物体，在生物体上面钻孔打洞，虫子祸害生物更加厉害。那些能除掉虫子的，对健全生物体功劳很大；那些让虫子繁殖生长的，是生物体的仇敌，它们对天地之精气和阴阳平衡的破坏程度也更深。开垦原野上的田地，砍伐山林中的树木，挖掘泉水以便有可饮之水，挖掘坟墓是为了埋葬死人（，这都是人类生活的需要）。然而却又挖坑修成厕所，筑起矮墙、城邑、台榭、观赏台，疏通河流、水道、池塘（，破坏了人们的生活需求）；钻木是为了取火，截取皮革、熔炼金属是为了制成兵器，烧制陶器，琢磨玉石，突然间改变了天地万物的自然面貌，使之不能保持原有的性情，而人们的情绪却非常高涨，即使因进攻受到损伤、因失败受到阻挠，一刻也不会停止。人类对天地之精气和阴阳之平衡的损害，难道不比朽木中的虫子更严重吗？我认为，那些有能力残害人类、使大自然少受到损伤，对破坏天地精气和阴阳平衡较少的，对天地万物功德甚大；破坏自然界的平衡而使之迅速繁殖生长的，是天地万物的仇敌。如今，那些人抬头高呼，却不了解天人之间的关系，因而为此呼天抢地，怨恨上天。我认为，上天如果听到他们的呼喊看到他们的怨恨，那么对天地万物有功的一定能得到上天的恩赐，那些祸害天地万物的也会受到相应的惩罚。你认为我的话是否有道理呢？"

柳子曰：子诚有激而为是耶①？则信辩且美矣②。吾能终其说。彼上而玄者③，世谓之天；下而黄者，世谓之地；浑然而中处者，世谓之元气；寒而暑者，世谓之阴阳。是虽大，无异果蓏、痈痔、草木也。假而有能去其攻穴者，是物也，其能有报乎？蕃而息之者，其能有怒乎？天地，大果蓏也；元气，大痈痔也；阴阳，大草木也；其乌能赏功而罪祸乎？功者自功，祸者自祸，欲望其赏罚者大谬④；呼而怨，欲望其哀且仁者，愈大谬矣。子而信子之义以游其内，生而死尔，乌置存亡得丧于果蓏、痈痔、草木耶？

[注释]

①诚：果真。有激：感情一时冲动。②信：果真，确实。③玄：黑色，指天的颜色。古人以为，天玄地黄，故有天地玄黄的说法。④谬：错误。

[译文]

柳宗元说："你果真是感情一时激动才这样说的吗？那么你的话真是既具有思辨性而且听上去很不错。我愿意对你的观点加以完善。那高高在上而又黑苍苍的，人们称之为天；那处在下方且颜色发黄的，人们称之为地；那浑然一体且处于天地之间的，人们称之为元气；那寒来暑往随季节而变化的，人们称之为阴阳。这一切虽然大得超乎寻常，实际上与那些瓜果、恶疮、荒草、树木没有什么区别。假如能够除掉那些侵害生物机体的东西，那么上天对这些东西果真能有所回报吗？对那些破坏自然界的平衡而使之繁衍生息的东西，上天难道真会发怒吗？天地犹如大瓜果，元气犹如大痈痔，阴阳犹如大草木，又怎么能奖赏有功的事物而怪罪祸害别人的事物呢？有功于别人的事物自然有其功劳，祸害别人的事物自然有其罪过，希望天地、元气、阴阳能够对世间万物加以奖赏或惩罚的人大错特错；向上天呼告而且心中充满怨恨，希望它有哀悯之情而且很仁慈的人，就更是大错特错了。你如果信奉你所理解的天人关系，并且沉浸于其中，生生死死死，那么将把瓜果、痈痔、草木等生物的存亡得失置于何处呢？"

捕蛇者说

永州之野产异蛇，黑质而白章①，触草木尽死，以啮人②，无御之者③。然得而腊之以为饵④，可以已大风、挛踠、瘘、疠⑤，去死肌，杀三虫⑥。其始，太医以王命聚之⑦，岁赋其二，募有能捕之者，当其租入⑧。永之人争奔走焉。

[题解]

本篇借蒋氏自述捕蛇者一家三代的生活遭遇，深刻揭露了统治者的横征暴敛给人民带来的深重灾难，进而得出"赋敛之毒，有甚是蛇者乎"的结论，发人深省。

[注释]

①黑质而白章：黑色的质地上有白色的斑纹。章，斑纹。②啮：咬。③御：抵抗、抵挡。④腊（xī）：干肉，此处用作动词，风干。⑤已：止。此处意为治疗、治愈。大风：麻风病。挛踠（luán wǎn）：抽搐，痉挛。瘘：颈肿病。⑥三虫：亦称三彭。道教认为，居人体之内，使人疾病夭死的为三尸之虫。⑦太医：皇家医官。⑧当（dàng）：抵。租入：租税。

[译文]

永州郊外出产一种奇异的蛇，黑皮上有白色斑纹，蛇毒碰触到的小草和树木会全部枯死。如果咬着人，没有谁能活命。然而捉到并把蛇风干，制成药饵，能够用来治愈麻风病、抽搐、痉挛、颈肿病、恶疮等疾病，还可以除掉腐烂的肉，杀死三尸之虫。最初，太医奉皇帝的命令征集这种蛇，每年征收两次，招募能捕捉这种蛇的人，用蛇抵租税。永州的百姓争先恐后地奔走应募。

有蒋氏者，专其利三世矣①。问之，则曰："吾祖死于是，吾父死于是②，今吾嗣为之十二年③，几死者数矣。"言之，貌若甚戚者④。余悲之，且曰："若毒之乎？余将告于莅事者⑤，更若役，复若赋，则何如？"蒋氏大戚，汪然出涕曰："君将哀而生之乎⑥？则吾斯役之不幸⑦，未若复吾赋不幸之甚也。向吾不为斯役，则久已病矣。自吾氏三世居是乡，积于今六十岁矣，而乡邻之生日蹙。殚其地之出，竭其庐之入，号呼而转徙，饥渴而顿踣⑧，触风雨，犯寒暑，呼嘘毒疠，往往而死者相藉也。曩与吾祖居者⑨，今其室十无一焉；与吾父居者，今其室十无二三焉；与吾居十二年者，今其室十无四五焉，非死即徙尔，而吾以捕蛇独存。悍吏之来吾乡，叫嚣乎东西，隳突乎南北⑩，哗然而骇者，虽鸡狗不得宁焉。吾恂恂而起⑪，视其缶，而吾蛇尚存，则弛然而卧。谨食之⑫，时而献焉⑬。退而甘食其土之有，以尽吾齿。盖一岁之犯死者二焉，其余则熙熙而乐，岂若吾乡邻之旦旦有是哉！今虽死乎此，比吾乡邻之死则已后矣，又安敢毒耶？"

[注释]

①专：独占。三世：三代人。②是：指捕蛇这件事。③嗣：继承、接替。④甚戚者：非常悲痛的样子。⑤莅事者：管事的人，指地方官吏。⑥生之：使……活下来。⑦斯役：指捕蛇这差事。⑧顿踣（bó）：困顿跌倒。⑨曩（nǎng）：从前。⑩隳（huī）突：横行，冲撞。⑪恂（xún）恂：小心谨慎的样子。⑫食（sì）：喂养。⑬时：到规定的时间。献：进献，交纳。

[译文]

有一户姓蒋的人家，独占捕蛇的好处已经有三代了。我询问他原因，他说："我的祖父死在捕蛇的事情上，我的父亲也因捕蛇而被蛇咬死，现在我又接替他们继续捕蛇已经十二年了，很多次差点被蛇咬死。"说起这件事，他的脸色很悲痛。我为他的话感到悲伤，并且告诉他说："你认为捕蛇这件事很痛苦吗？我把你的情况告诉地方官，改换你的差事,恢复你的租税,怎么样?"姓蒋的人极其悲痛,满眼含泪跟我说:"您想要怜悯我并让我活下去吗?那么我捕蛇这差事的不幸,还比不上恢复我家的租税更不幸呢!假使我不做捕蛇这差事,家里早就困厄遭难了。自从我们蒋氏三代居住在这里,累积到现在已经六十年了,可是乡邻们的生活却日渐窘迫。地里的农产品和家中的副业收入全部上缴,大声呼喊着迁徙流亡,因饥饿难耐而困顿跌倒,顶风雨,冒寒暑,呼吸瘴气,常常是死人相互堆压。从前和我祖父同住本村的人,现在十家中不剩一家了;和我父亲同住本村的人,现在十家中不剩两三家了;和我同住本村十二年的人,现在十家中也不剩四五家了,不是人死了,就是迁移流亡了,唯有我凭着捕蛇这差事而活下来。凶暴蛮横的差吏来我们村催租的时候,到处乱喊乱吵,横冲直撞,骚扰村民,非常吓人,闹得鸡犬不宁。我小心谨慎地起来,看看瓦罐中的毒蛇还在,这才能放心地睡去。我小心地喂养毒蛇,到规定的时间进献上去。回家之后就能香甜地享用自己地里出产的东西,来过完我的一生。一年之内只要有两次冒着死亡的危险(去捕毒蛇),其余的时候就可以快乐无忧地生活,哪像我的乡邻们那样天天有死亡的威胁呢?我现在即使死于捕蛇,也已经比我的乡邻们死得晚多了,哪里还敢认为捕蛇痛苦呢?"

余闻而愈悲。孔子曰:"苛政猛于虎也①。"吾尝疑乎是,今以蒋氏观之,犹信。呜呼!孰知赋敛之毒,有甚是蛇者乎②!故为之说③,以俟夫观人风者得焉④。

[注释]

①苛政猛于虎:暴政比老虎还凶恶。苛政,苛酷的政令,暴政。《礼记·檀弓下》:"孔子过泰山侧,有妇人哭于墓者而哀。夫子式而听之。使子路问之,曰:'子之哭也,一似重有忧者。'而曰:'然。昔者,吾舅死于虎,吾夫又死焉,今吾子又死焉。'夫子曰:'何为不去也?'曰:'无苛政。'夫子曰:'小子

识之,苛政猛于虎也。'"②有甚是蛇:比这蛇还厉害。③为之说:为此事而写这篇"说"。④俟(sì):等待。观人风者:考察民情的官员。人,唐代避唐太宗李世民之讳,改"民"为"人"。

[译文]

我听了这番话后心中更加悲痛。孔子说过:"苛政猛于虎也。"我曾经怀疑这句话,现在用蒋氏的遭遇考察它,还是可信的。唉!谁知道横征暴敛的毒害比这毒蛇还要厉害呢?所以为此事写了这篇文章,等待那些考察民情的官员可以得到它。

谪龙说①

扶风马孺子言②:年十五六时,在泽州③,与群儿戏郊亭上。顷然,有奇女坠地,有光晔然,被缁裘白纹之裹,首步摇之冠④。贵游少年骇且悦之,稍狎焉⑤。奇女颒尔怒曰⑥:"不可。吾故居钧天帝宫⑦,下上星辰,呼嘘阴阳,薄蓬莱⑧,羞昆仑,而不即者。帝以吾心侈大,怒而谪来,七日当复。今吾虽辱尘土中⑨,非若俪也⑩。吾复,且害若。"众恐而退。遂入居佛寺讲室焉。及期,进取杯水饮之,嘘成云气,五色翛翛也⑪。因取裘反之,化为白龙,徊翔登天⑫,莫知其所终。亦怪甚矣。

呜呼,非其类而狎其谪,不可哉!孺子不妄人也,故记其说。

[题解]

本篇借谪龙之口,影射并告诫那些"非其类而狎其谪"的人,情景逼真,浅显易懂。

[注释]

①谪龙:被贬谪的龙。②扶风:县名,唐初为沛川县,贞观八年(634年)置扶风县,属关内道凤翔府岐州,治所在今陕西凤翔。孺子:儿童的统称,泛

指可造就的年轻人。③泽州：唐代泽州属河东道，治所在今山西晋城。④首：名词用作动词，头戴。步摇：古代妇女首饰的一种，上有垂珠，走路时珠随之摇动。⑤狎（xiá）：亲近而态度不庄重，调戏。⑥频（pǐng）：变脸色。⑦钧天：天的中央，古代神话传说中天帝住的地方。⑧蓬莱：古代传说中的海上仙山。后一句所说的"昆仑"，也是古代传说中的仙山。⑨尘土：尘世，即凡间。⑩俪（lì）：配偶。⑪五色：古代以青、黄、赤、白、黑五色为基本颜色，也泛指各种色彩。翛（xiāo）翛：整齐的样子。⑫徊翔：盘旋飞翔。

[译文]

扶风县姓马的年轻人说过：他十五六岁时，住在泽州，有一次跟一群少年人在郊野的亭子里嬉戏。过了一会儿，有一个奇异的女子从天空中坠落地上，身穿青赤色面儿、白花纹里儿的皮衣，头戴插有步摇的帽子，（看上去）光彩照人。那些贵族子弟吃惊之余又很喜欢，稍后就去调戏她。奇异女子脸色发青，怒斥道："不许这样。我本来居住在天帝的宫殿，往来于星辰之间，呼吸着自然之气，连蓬莱、昆仑这样的仙山都不肯就居。天帝认为我的心过于高傲，一怒之下贬谪我到这里，七天之后就要返回。现在我虽然屈辱地呆在凡间，并不是你们合适的配偶。我一旦回到天宫，就要害苦你们了。"众人心中害怕，就退缩了。那女子于是就走进寺院，住在讲经说法的讲堂内。到了七日之期，那女子进屋取了一杯水喝下去，吐口中之水而成五色云气。女子又将裘翻过来，白里儿朝外，便化成白龙，盘旋着向高空飞翔而去，没有人知道她飞往何处。这也太奇怪了。

唉！不是同一类人却要欺辱那些暂时陷入困境的人，不能这样做呀！这个年轻人不是乱说话的人，因此记录下他说的话。

传 状

宋清传

宋清,长安西部药市人也[①]。居善药[②]。有自山泽来者,必归宋清氏,清优主之[③]。长安医工得清药辅其方[④],辄易雠,咸誉清。疾病疕疡者[⑤],亦皆乐就清求药,冀速已。清皆乐然响应。虽不持钱者,皆与善药,积券如山[⑥],未尝诣取直。或不识遥与券,清不为辞。岁终,度不能报,辄焚券,终不复言。

[题解]

这是柳宗元为当时京城长安一位普通药商宋清所作的传记。传是古代的一种文体,汉代司马迁作《史记》,有列传七十篇,始创此体,意在记载人物事迹以传于后世。本篇赞扬了宋清"居善药"、"取利远,远故大"的经营理念和不分贵贱、一视同仁的处世态度,借以批评"炎而附,寒而弃"的势利之交,具有深刻的现实意义。

[注释]

①长安:地名,自秦至唐多次建都于长安,后因此以长安为帝都的通名,故城在今陕西西安西北。②居:积,储存。善药:良药。③优主之:以优厚的价格来收购药材。④医工:原指官医,后泛指一般医生。⑤疕(bǐ):头疮、痂

疮。⑥券：古代的契据常分为两半，双方各执其一，以为凭据。此处指那些无钱买药的人所打的欠条。

[译文]

宋清是长安西城一位开药铺的商人。他储存有大量良药。凡是从山野来卖药材的人，一定会把药材送到宋清那里去卖，宋清必以优厚的价格收购下来。长安的医生在宋清的药铺进药，配方而后制成药，因疗效高而容易销售，都称赞宋清。老百姓有时头疼脑热生长痈疮，也都喜欢到宋清那里买药，希望能尽快治愈，宋清也都乐呵呵地有求必应。即使有没带钱来求药的人，他也都给予良药。家里留下的欠条堆积如山，宋清却从未去索要过欠款。也有不认识的人，从很远的地方带着欠条来求药，宋清也不拒绝。到了年底，估计有些人无力偿还欠款，宋清就把欠条烧毁，并且在事后绝口不提此事。

市人以其异①，皆笑之，曰："清，蚩妄人也②。"或曰："清其有道者欤？"清闻之曰："清逐利以活妻子耳③，非有道也，然谓我蚩妄者亦谬。"清居药四十年，所焚券者百数十人，或至大官，或连数州，受俸博，其馈遗清者，相属于户④。虽不能立报，而以赊死者千百，不害清之为富也⑤。

[注释]

①市人：商人。一说市民，市井流俗之人。②蚩妄人：痴愚狂妄的人。蚩，无知，痴愚。③妻子：妻子和儿女。④相属：相接连，相继。⑤害：有损于，妨碍。

[译文]

有些市井商人觉得宋清的做法很奇怪，都笑话他，说："宋清真是个痴愚狂妄的人。"有的人说："宋清大概是个道德高尚的人吧？"宋清听到这些议论，说："我宋清只是靠开药铺赚钱养活妻子儿女罢了，不是什么道德高尚的人。但那些说我是痴愚狂妄的人也错了。"

宋清经营药铺四十年，烧毁的债券欠条达一百多张，这些人中有的做了大官，有的是管理好几个州的地方官吏，他们都享受着朝廷丰厚的俸禄，那些来馈赠宋清财物的人接踵而至，相继于门户。虽然有不能立即回报的，而且赊欠到死没能还债的人也有成百上千，但这并不妨碍宋清成为富裕的人。

清之取利远，远故大，岂若小市人哉？一不得直①，则怫然怒②，再则骂而仇耳。彼之为利，不亦蒉蒉乎③！吾见蚩之有在也。清诚以是得大利，又不为妄，执其道不废，卒以富。求者益众，其应益广。或斥弃沉废④，亲与交视之落然者⑤，清不以怠遇其人，必与善药如故。一旦复柄用⑥，益厚报清。其远取利皆类此。

[注释]

①直：即值，价值。②怫（fú）然：愤怒的样子。③蒉（jiǎn）蒉：狭隘，浅薄。④斥弃：黜免。沉废：沉沦、颓废。⑤亲与交：亲戚与旧交。落然：淡漠，不关心。⑥柄用：指权要职位。

[译文]

宋清赚钱取利的眼光看得长远，眼光长远就能获得更大的利益，哪像那些只看到眼前利益的小商人呢？一旦得不到想要的价钱，就勃然大怒，甚至相互詈骂，彼此成为仇人。他们赚钱取利的办法，不也很肤浅吗？我看世间痴愚的人在这里呀！宋清的确因此获得很大的利益，但他并不吹嘘张扬，始终坚持自己的经营思想和策略不动摇，终于获得成功，成为富有的人。来向他求药的人愈来愈多，他帮助的人也就更加广泛。有些因被黜免而沉沦颓废的人，亲戚和朋友对待他们都很冷漠，宋清却不会因对方遭难就怠慢他们，一定像平常那样送给他们良药。这些人一旦再度掌权用事，就会更加优厚地报答宋清。宋清获得的长远利益，大多与此很类似。

吾观今之交乎人者，炎而附，寒而弃①，鲜有能类清之为者。世之言，徒曰市道交②。呜呼！清，市人也，今之交有能望报如清之远者乎？幸而庶几③，则天下之穷困废辱得不死亡者众矣，市道交岂可少耶？或曰："清，非市道人也。"柳先生曰："清居市不为市之道，然而居朝廷、居官府、居庠塾乡党以士大夫自名者④，反争为之不已，悲夫。然则清非独异于市人也。"

[注释]

①炎而附，寒而弃：得势时就攀附，失意时就疏远。比喻人情势利，反复无常。②市道交：指势利之交，比喻人与人之间以利害关系为转移的交情。③庶几：或许可以，表示希望或推测。④庠塾：乡里的学校称为庠，私人的学校称为塾。此处泛指学校。

[译文]

我仔细观察过如今人们之间的交往，很多人在对方得势的时候就亲热攀附，而在对方失势的时候就冷漠疏远，很少有能像宋清这样做的人。俗话说，交朋友就像做买卖。唉！宋清本是个商人，如今人与人之间的交往，有能像宋清那样不计短期回报、眼光长远的人吗？如果能幸运地多出几个这样的人，那么天底下那些贫穷困顿、遭人废弃侮辱而能够不死的人就多了，市道交怎么可以少呢？有人说："宋清不是势利的人。"柳先生说："宋清生活在市井之中，做事情却不像世俗之人那样趋炎附势，反复无常；而那些位高权重、身在官府、供职于各级学校并以士大夫自我标榜的人，反而争先恐后地做着类似市侩买卖的事情，真令人悲哀啊！（这么看来，）宋清的做法并不是仅仅与市井百姓不一样啊！"

种树郭橐驼传①

郭橐驼,不知始何名。病偻,隆然伏行②,有类橐驼者,故乡人号之"驼"。驼闻之曰:"甚善,名我固当。"因舍其名,亦自谓橐驼云。其乡曰丰乐乡,在长安西。驼业种树,凡长安豪富人为观游及卖果者③,皆争迎取养。视驼所种树,或移徙④,无不活,且硕茂蚤实以蕃⑤。他植者虽窥伺效慕⑥,莫能如也。

[题解]

本篇以"顺木之天,以致其性"的植树之法,说明宽简为政的道理,发人深省。

[注释]

①橐(tuó)驼:一名驼驼,即骆驼,其背肉峰似橐,故以名之。种树的人姓郭,因驼背,号橐驼。②隆然:指背部高起的样子。伏行:俯身弯腰走路。③为观游及卖果者:种植花果以供观赏游玩和贩卖的人。④移徙:指移植的树。⑤硕茂:树高大茂盛。蚤:通"早"。实:结果实。蕃:多。⑥窥伺:暗中观察。效慕:模仿试验。

[译文]

郭橐驼这个人,不知道起初叫什么名字。他因病而背部高起,只能俯身弯腰走路,很像骆驼走路的样子,因此乡邻们给他起个外号叫"驼"。郭橐驼听到这个外号说:"很好,给我取这个名字的确很合适。"于是他舍弃了自己原来的名字,也自称橐驼。郭橐驼居住的地方叫丰乐乡,在长安城西边。他以种树为职业,只要是长安城内供富豪人家观赏游玩而种植花果、贩卖花果的人,都争相迎请郭橐驼到家供养。看看郭橐驼所种植的树木或者移植的树木,没有不能活的,并且树木生长得高大茂盛,果实结得又早又多。其他种树的人即使暗中观察、模仿郭橐驼的做法,也没有谁能像他那样。

有问之,对曰:"橐驼非能使木寿且孳也①,能顺木之天②,以致其性焉尔。凡植木之性,其本欲舒,其培欲平,其土欲故,其筑欲密③。既然已,勿动勿虑,去不复顾。其莳也若子④,其置也若弃,则其天者全而其性得矣。故吾不害其长而已,非有能硕茂之也;不抑耗其实而已,非有能蚤而蕃之也。他植者则不然,根拳而土易,其培之也,若不过焉则不及。苟有能反是者,则又爱之太恩⑤,忧之太勤,旦视而暮抚,已去而复顾。甚者爪其肤以验其生枯⑥,摇其本以观其疏密,而木之性日以离矣。虽曰爱之,其实害之;虽曰忧之,其实仇之,故不我若也。吾又何能为哉!"

[注释]

①寿:活得久。孳(zī):繁殖。②顺木之天:顺应树木生长的规律。天,天性、本性。③筑:捣封土。④莳(shì):移植植物。⑤恩:抚育笃厚。⑥爪:用指甲刮掐。生枯:活或是死。

[译文]

有人向他请教种树的秘诀,他回答说:"我郭橐驼并不能让树活得长久且繁殖茂盛,只是我能顺从树的生长规律,尽量让它按照自己的自然习性生长罢了。所有人工培植的树木,它们的树根总是想要舒展开来;封土要与地面水平,不高不低;封土要用原来的旧土,并且土要捣实。已经这样做过之后,就不要再动它、考虑它,离开后就不必再去看它。栽树时像抚育孩子那样细心周到,栽好后就不再管它,好像把它抛弃掉一样,这样树的自然本性得以保全,而树的习性也得以发展。所以,我只是不妨害树的生长罢了,并非是我能使树长得高大茂盛;我不过是不抑制损耗它的果实罢了,并非有本领让它的果实结得又早又多。其他种树的人却不这样做,他们挖的坑小,树根不能伸展,又不用旧土;封土不是超过了地平,就是达不到地平。即使有人能不出这类偏差,却又对所植之树过于关切,考虑得太多,早晚看护抚摸,离开之后又回来看视。更严重的是,有人用指甲划开树皮以检验它的死活,摇晃树的枝干以观察枝叶的疏密,可是树的本性却一天天逐渐丧失。(表面看来,这些人)口称爱惜树木,其实却害苦了树;嘴里说是惦念树,其本质是恨它,把它当成仇人,因此种出来的树跟我种出来的树不一样。我又有什么能耐呢?"

问者曰:"以子之道,移之官理可乎①?"驼曰:"我知种树而已,理非吾业也。然吾居乡,见长人者好烦其令②,若甚怜焉,而卒以祸③。旦暮吏来而呼曰:'官命促尔耕,勖尔植④,督尔获。蚤缫而绪,蚤织而缕,字而幼孩⑤,遂而鸡豚。'鸣鼓而聚之,击木而召之。⑥吾小人辍飧饔以劳吏者,且不得暇,又何以蕃吾生而安吾性耶?故病且怠⑦。若是,则与吾业者其亦有类乎?"

问者嘻曰:"不亦善夫!吾问养树,得养人术。"传其事以为官戒。

[注释]

①官理:官员治理百姓。②长(zhǎng)人者:统治人民的人。烦其令:使其令繁,意思是频繁施令。③卒:结果。祸:灾难。④勖:勉励。⑤字:抚育、抚养。⑥鸣鼓而聚之,击木而召之:这两句互文见义。古代宣布政令的官员,巡行时振鸣木铎以引人注意。之,指乡民。⑦病:困苦。怠:疲倦。

[译文]

问话的人说:"把你种树的道理,移用到为官治民方面,可以吗?"郭橐驼回答说:"我只是知道怎么种树罢了,治理百姓不是我的职业。然而,我平日在乡里居住,看见做官的人喜欢频繁地发号施令,好像是很爱怜百姓,其结果却造成很多灾难。县吏从早到晚下来大呼小叫,说:'长官让我督促你们耕种,勉励你们种植,监督你们收获。你们早点剥茧抽好丝,早点纺好线织成布,抚育好你们的孩子，繁殖好你们的家禽家畜。'他们敲锣打鼓把百姓召集在一起。我们老百姓自己不吃饭去招待县吏还应接不暇，又怎么能发展生产、安居乐业呢？因此百姓又困苦又疲倦，痛苦不堪。如此说来，为官治民与我种树也算有相似之处吧？"

问询郭橐驼的人感叹说："这不是也很好吗？我问种树的方法，却学到治民的秘诀。"于是把郭橐驼的言行记录下来，以此作为当官之人的鉴诫。

童区寄传①

柳先生曰：越人少恩②，生男女必货视之③。自毁齿已上④，父兄鬻卖，以觊其利。不足，则取他室，束缚钳梏之⑤。至有须鬣者，力不胜，皆屈为僮⑥。当道相贼杀以为俗。幸得壮大，则缚取么弱者⑦。汉官因以为己利，苟得僮，恣所为不问⑧。以是越中户口滋耗⑨。少得自脱，惟童区寄以十一岁胜，斯亦奇矣。桂部从事杜周士为余言之⑩。

[题解]

这篇传记是柳宗元任柳州刺史时所作，歌颂幼小的区寄不畏强暴、智勇双全。

[注释]

①童：小孩。区（ōu）：姓氏。②越：同"粤"，唐代称五岭以南及两广一带为越，此处指柳州一带。③货视之：当做商品来看待。④毁齿：儿童乳牙脱落，更换新牙。《说文》："男八月齿生，八岁而龀；女七月齿生，七岁而龀。"此指七八岁左右换牙的年龄。⑤钳：金属夹具，此处指用铁箍夹住。梏：古代刑具名，手械、手铐。⑥僮：封建时代受役使的未成年人，即奴仆。⑦么（yāo）：亦作"幺"，小，排行最末的。⑧恣：放纵。⑨户口：人口。古代计家

曰户，计人曰口。滋耗：更加减少。⑩桂部：唐高宗永徽年间，分岭南道为广州、桂州、容州、邕州、交州五都督府，总称岭南五管。桂部即桂州都督府，简称桂管。从事：官名，汉代州刺史之佐吏，如别驾、治中、主簿、功曹等，均称为从事。后因称幕僚之类的官吏为从事。杜周士：人名，贞元十七年（801年）进士，元和中，从事桂管。

[译文]

柳宗元说：柳州一带的人缺少恩爱感情，无论生男生女都把他们像商品一样看待。从七八岁换牙后，孩子的父亲和兄长为贪图好处就要把他们卖掉。如果卖孩子的钱财不够，就窃取别人家的孩子，用绳索、铁箍、手械等刑具捆绑住孩子（，防止孩子逃跑）。甚至有些长了胡须的成年人，也因为力气弱小敌不过绑架者，而被迫当了奴仆。那些人在路上互相劫杀，形成了风俗。有幸长得强壮高大的人，就去绑架年小体弱的人。那些汉族官吏借此机会为自己谋利益，只要能绑到僮仆，就任其所为而不追求责任。因此柳州中部的人口越来越少。很少有孩童能够逃脱被卖或被绑做僮仆的命运，只有儿童区寄能以十一岁的弱龄取胜，这也算是奇迹了。桂州都督府的从事杜周士向我讲了这件事。

童寄者，郴州荛牧儿也①。行牧且荛，二豪贼劫持反接②，布囊其口，去逾四十里之虚所卖之③。寄伪儿啼，恐栗为儿恒状④。贼易之⑤，对饮，酒醉。一人去为市，一人卧，植刃道上。童微伺其睡，以缚背刃，力下上，得绝，因取刃杀之。逃未及远，市者还，得童大骇。将杀童，遽曰："为两郎僮⑥，孰若为一郎僮耶？彼不我恩也。郎诚见完与恩，无所不可。"市者良久计曰："与其杀是僮，孰若卖之；与其卖而分，孰若吾得专焉。幸而杀彼，甚善。"即藏其尸，持童抵主人所，愈束缚牢甚。夜半，童自转，以缚即炉火烧绝之，虽疮手勿惮⑦，复取刃杀市者。因大号，一虚皆惊。童曰："我区氏儿也,不当为僮。贼二人得我,我幸皆杀之矣,愿以闻于官。"

[注释]

①郴(chēn)州:今属湖南。《文苑英华》作"柳州"。陈景云《柳集点勘》云:"区寄事既闻之桂州从事,而区寄乃郴州荛牧儿,郴系潭部属部,非桂所部。又《传》言'州白大府','刺史颜证奇之'。据《旧史》,颜证以贞元二十年除桂州刺史、桂管观察使,则州所白大府,盖桂管非潭部也。'郴'当从《文苑英华》作'柳'。"陈景云所考甚是。荛(ráo)牧儿:打柴放牧的儿童。②反接:把双手捆绑在背后。③虚:同"墟",南越中谓野市曰虚,即乡村集市。④恐栗:恐惧发抖。儿恒状:孩子的常态。⑤易之:认为……容易,即轻视他。⑥郎:唐时奴仆称主人为郎。⑦疮手:烧伤手。

[译文]

儿童区寄,是郴州打柴放牛的孩子。在他边放牧边打柴时,两个强盗绑架了他,把他的双手反背着捆绑,用布堵塞他的嘴,(把他带到)离家超过四十多里的乡村集市上去卖。区寄假装像小孩一样啼哭,假装恐惧发抖,表现出小孩子的常态。强盗以为他好对付,就互相敬酒痛饮,全都喝醉了。一个强盗去找买主,另一个躺着,把刀插在路上。区寄暗地里窥察等候,看强盗睡着了,把捆绑双臂的绳子靠在刀刃上,用力上下磨刮,绳子终于被割断。区寄于是就拿刀杀了那个强盗。还没有逃出多远,谈买卖的强盗回来了,把他追了回来,十分惊恐,要杀害他。区寄急忙说:"做你们两个人的仆人,哪比得上做你一个人的仆人好呢?他对我没有恩德,您果真能保全我的性命并且好好待我,我一切都听从您。"谈买卖的强盗考虑很久,心想:与其杀了这个僮仆,不如把他卖了;与其卖(他)分钱,不如我一人独占。幸亏(孩子)杀了那家伙,太好啦!(谈买卖的强盗)赶紧藏起另一个强盗的尸体,押着区寄到买主家里,(把孩子)捆绑得越发结实。到了半夜,孩子自己翻转身,把捆绑手臂的绳子靠近炉火烧断,虽然烧伤了手也不害怕，又拿起刀杀了这个要卖掉他的强盗。（区寄）于是大声哭叫，全集镇的人都大吃一惊。孩子说："我是区家的孩子，不该做别人的仆人。两个强盗抓了我，我侥幸把他们都杀了，希望把这件事报知官府。"

虚吏白州①，州白大府②，大府召视，儿幼愿耳。刺史颜证奇之③，留为小吏，不肯。与衣裳，吏护还之乡。乡之行劫缚者，侧目莫敢过其门④。皆曰："是儿少秦武阳二岁⑤，而讨杀二豪，岂可近耶。"

[注释]

①虚吏：管理集镇的官吏。白：禀告。②大府：韩愈《送郑尚书序》云："岭之南，其州七十，其二十二隶岭南节度府，其四十余分四府，府各置帅。然独岭南节度使为大府。"此处大府当指桂州刺史兼桂管观察使。③刺史：古代官名，汉代始设，本为监察郡县的官员，宋元以后沿用为一州长官的别称。颜证：人名，颜真卿的同宗兄弟颜杲卿之孙，元和初年为桂管防御使，贞元二十二年（806年）任桂州刺史、桂管观察使。④侧目：因畏惧而不敢正视。⑤秦武阳：亦作秦舞阳，战国时燕国儿童。燕太子丹欲行刺秦王，勇士秦武阳年十三杀人，人不敢忤视，乃令为荆轲副手而往，献图时被杀。

[译文]

管理集市的小官吏（把这件事）禀告给州官，州官又禀告给大府。大府召见区寄，看他不过是个幼小而老实的孩子。刺史颜证觉得他很了不起，便留他当衙门小吏，（区寄）不愿留下来。颜证送给区寄衣服，让小吏护送他回家。乡里抢劫绑架孩童的人（畏惧区寄），都不敢正眼看他，更不敢经过他家门，都说："这孩子比秦武阳还小两岁，却杀了两个强盗，哪敢招惹他呢。"

梓人传①

裴封叔之第在光德里②。有梓人款其门③,愿佣隙宇而处焉④。所职寻引、规矩、绳墨⑤,家不居砻斲之器⑥。问其能,曰:"吾善度材⑦,视栋宇之制,高深、圆方、短长之宜,吾指使而群工役焉。舍我,众莫能就一宇。故食于官府⑧,吾受禄三倍;作于私家,吾收其直太半焉⑨。"他日,入其室,其床阙足而不能理,曰:"将求他工。"余甚笑之,谓其无能而贪禄嗜货者⑩。

[题解]

本篇通过记述一个木匠"善度材"、"善运众工"的故事,进而联想到宰相"择天下之士,使称其职"的重任,并引用孟子"劳心者治人,劳力者治于人"的著名论断,以阐明人们各司其职的道理,很有现实意义。

[注释]

①梓人:亦称梓匠,唐称都料匠,即木工。②裴封叔:名瑾,字封叔,河东闻喜(今山西闻喜)人。贞元三年(787年)进士,曾官京兆万年县令。初娶卢氏,后娶柳氏,即柳宗元之姊。光德里:街名,在长安。③款:叩,敲门。④佣:租赁。隙宇:空置不用,暂无人居之室。⑤寻引:古代长度单位,八尺为寻,十丈为引。规:圆规。矩:直角尺。绳墨:以墨濡绳,木工用以定正直的工具。⑥居:储存。砻斲(zhuó)之器:泛指木工工具,如刀锯斧斤之类。砻,磨。斲,砍。⑦度材:度量木料的用途。⑧食:以劳取酬。⑨直:价值、价钱。太半:大半、多半。⑩贪禄嗜货:贪财好钱。

[译文]

裴封叔的住宅在京城光德里。有一天,有位木匠敲门求见,愿在裴家租空屋居住。他使用尺、圆规、墨线等度量工具,但家里没有刀斧之类的操作工具。问他会干什么,他说:"我擅长度量材料,依照建筑物的整体结构,如宅之高低、方圆、长短等,选择合适的木料,我指挥，由木工们操作。如果没有我，工匠们就建不成一间房。所以如果为官府建房，我所得的酬金是一般木匠的三倍；如果给私人干活，我拿的酬金是全部报酬的一大半。"有一天，我进了他的住处，见他的床缺了一条腿，他却不会修理，说："我打算请别的木匠来修。"我觉得很可笑，认为他是个没什么本领却贪财好钱的人。

其后京兆尹将饰官署①，余往过焉。委群材，会众工②。或执斧斤，或执刀锯，皆环立向之③。梓人左持引、右执杖而中处焉④。量栋宇之任，视木之能，举挥其杖曰："斧彼！"执斧者奔而右；顾而指曰："锯彼！"执锯者趋而左。俄而斤者斫、刀者削⑤，皆视其色，俟其言，莫敢自断者。其不胜任者，怒而退之，亦莫敢愠焉⑥。画宫于堵⑦，盈尺而曲尽其制⑧，计其毫厘而构大厦，无进退焉⑨。既成，书于上栋⑩，曰"某年某月某日某建"，则其姓字也。凡执用之工不在列。余圜视大骇，然后知其术之工大矣。

[注释]

①京兆尹：唐代设京兆府，掌管京城政事，其最高长官称京兆尹。饰：整修。官署：衙门。②会：集合。③环立：站一圈。向之：面向梓人。④持引：拿着尺。中处：站在中间。⑤斤者：持斧之人。刀者：持刀之人。⑥愠（yùn）：怒，怨恨。⑦宫：室，指建筑物图形。堵：墙。⑧盈尺：满一尺大小。曲尽：全部表达出来。制：房屋的结构形制。⑨无进退：没有出入。⑩上栋：正梁。

[译文]

此后不久，京兆尹要整修官署，我访问京兆尹时到过那里。官署内堆放着许多木材，聚集了许多工匠。他们有的手握斧子，有的手拿刀、锯，围成一圈都面朝那个木匠。木匠左手拿着长尺，右手拿着木杖，站在中间。他衡量房屋负重的情况，察看木料是否合用，然后挥起木杖说："斧子砍那里！"执斧的工匠立刻奔向右边；他回头指着木材说:"锯子锯那里!"拿锯的立刻奔向左边。顷刻之间,众工匠刀砍斧削,忙活起来,一个个都看他的眼色,等候按他的号令行事,没有一个敢自作主张的。若有不能胜任的工匠,他生气地辞退他们,也没有人敢怨恨他。他在墙上绘制房子的图样,图样仅有一尺见方,却全面周详地展示出了房屋的结构形制,根据图上缩小的尺寸比例而建造起高楼大厦,竟完全符合设计而没有分毫误差。房子竣工后,正梁上写上"某年某月某日某建",这"某"就是他的姓名。所有工匠的名字却都不在上面列名。我围绕房屋审视一番,不禁大吃一惊,才知道这个木匠的技艺确实精湛高超。

继而叹曰:彼将舍其手艺,专其心智,而能知体要者欤①?吾闻劳心者役人,劳力者役于人②,彼其劳心者欤?能者用而智者谋,彼其智者欤?是足为佐天子、相天下法矣!物莫近乎此也。彼为天下者本于人③,其执役者④,为徒隶,为乡师、里胥。其上为下士,又其上为中士、为上士,又其上为大夫、为卿、为公。离而为六职⑤,判而为百役。外薄四海,有方伯、连率⑥。郡有守,邑有宰⑦,皆有佐政⑧。其下有胥吏,又其下皆有啬夫、版尹⑨,以就役焉,犹众工之各有执伎以食力也。彼佐天子、相天下者,举而加焉,指而使焉,条其纲纪而盈缩焉,齐其法制而整顿焉,犹梓人之有规矩、绳墨以定制也。择天下之士,使称其职;居天下之人,使安其业。视都知野,视野知国,视国知天下,其远迩细大,可手据其图而究焉,犹梓人画宫于堵而绩于成也。能者进而由之,使无所德;不能者退而休之,亦莫敢愠。不衒能,不矜名,不亲小劳,不侵众官,日与天下之英材讨论其大经,犹梓人之善运众工而不伐艺也⑩。夫然后相道得而万国理矣。相道既得,万国既理,天下举首而望曰:"吾相之功也。"后之人循迹而慕曰："彼相之才也。"士或谈殷、周之理者，曰伊、傅、周、召⑪，其百执事之勤劳而不得纪焉，犹梓人自名其功而执用者不列也⑫。大哉相乎！通是道者，所谓相而已矣。其不知体要者反此：以恪勤为公，以簿书为尊，衒能矜名，亲小劳，侵众官，窃取六职百役之事，听听于府廷⑬，而遗其大者远者焉⑭，所谓不通是道者也。犹梓人而不知绳墨之曲直、规矩之方圆、寻引之短长，姑夺众工之斧斤刀锯以佐其艺，又不能备其工，以至败绩用而无所成也，不亦谬欤？

[注释]

①体要：事物的整体与纲要。②劳心：脑力劳动。役：役使、指使、驱使。劳力：体力劳动。③本于人：本于民，即以民为本。④执役者：服役的人。下文所说的徒隶、乡师、里胥，皆属于执役者。徒隶指服贱役的人，乡师为一乡之长，里胥为一里之长。⑤六职：指官府的治、教、礼、政、刑、事六种职务。⑥方伯：远离国都地区的诸侯之长。《礼记·王制》："千里之外设方伯。"连率：即连帅，古代以十国之长名连帅。⑦邑：城市，大城曰都，小城曰邑。宰：邑的最高长官，即后世之县令。⑧佐政：副手，副职。⑨啬夫：古代乡官，职掌听讼、收取赋税等。版尹：掌管户籍的办事员。⑩运：调动。伐艺：夸耀技艺。⑪伊：指伊尹，名挚，商汤的宰相。傅：指傅说（yuè），商武丁的宰相。周：指周公，姓姬名旦，周文王之子，辅佐武王伐纣，又辅佐成王平管、蔡，厘定典章制度，使天下臻于大治，后世多用作圣贤的典范。召（shào）：姓姬名奭，周武王之臣。成王时，与周公分陕而治。⑫执用者：负责承办具体事务的人。此指百工。⑬听（yín）听：笑。⑭大者远者：指宰相之职责，如制定国家的大政方针、选贤任能等大事。

[译文]

接着，我感叹道：也许他舍弃自己的手工技艺，专门运用其心思智慧，才能全面把握事物的全局要领吧？我听说从事脑力劳动的人役使别人，从事体力劳动的人被别人驱使，他应该是脑力劳动者吧？有技艺的人辛勤劳作，有才智的人出谋划策，他大概是有聪明才智的人吧？这足以作为辅佐天子、治理天下的法则。万物之中，没有比木匠更接近这一点的了。治理天下应以人为本，那些做基层工作的，是服贱役之人，有一乡之长和一里之长；乡师、里胥上面有下士；下士之上是中士和上士；上士之上又有大夫、卿、公等高级官员。总体来说，官府内共分治、教、礼、政、刑、事六种职务，六职之下又可以细分为各种具体工作。远离国都的四周边境，分别设有方伯和连帅。郡设郡守，邑置县令，都有自己的副职；副职下面置小吏，小吏之下设收取赋税的乡官和掌管户籍的办事员来为官府办事，就像众木工各有技能，靠力气养活自己一样。那些辅佐天子、治理天下的人，推荐人才，指挥行动，委派任务，整顿纲纪，增减人员，使得法规制度整齐划一，就像木匠用圆规、墨斗等度量工具绘制房屋的图样规格一样。选拔全国各地的官吏，使他们的才能与职位相称；聚集天下的老百姓，让他们能安居乐业。考察国都能了解郊原的情况，考察郊原能了解诸侯国的情况，考察诸侯国能知道整个国家。全国各地远近、大小各方面的情况，可以根据手中的图册来推究，就像木匠在墙上绘制房屋的图样而完成工程一样。提拔任用有才能的人，让他充分展示自己的才华，而不必对任何人感恩戴德；罢免那些没有真才实学的人，能让他们不会怨恨或恼怒。（宰相）不炫耀自己的才能，不矜夸自己的威名，不亲自做各类琐事，不侵犯众官的职权，经常和天下才智出众的人一起讨论治理国家的根本道理，就像木匠善于调派众工匠而不夸耀自己的技艺一样。这样做才掌握了做宰相的方法，而且国家就可以治理好。掌握了做宰相的方法，国家得到治理之后，全国的老百姓都会抬头仰望他说："这都是我们宰相的功劳啊！"后来的人依据他的做法而行，仰慕地说："他真是宰相之才啊！"士大夫中有人谈到殷商和周朝的治理者，称颂伊尹、傅说、周公、召公等人，而百官勤劳奉职，书中却不记载，就像木匠自己称自己的功劳（指在房屋正梁上写下自己的名字），却不把众工匠的名字列入一样。伟大啊，宰相！

既然明白了这个道理，为相之道也不过如此。那些不知道全局要领的宰相正与此相反：（他们）把勤勤恳恳、恪尽职守当成重大功劳，把埋头抄写官府文书等烦琐事务看成重大职责，炫耀自己的才能和名望，亲自做各类微小琐碎的事情，侵犯众官的职权，代替属官办理事务，并和颜悦色地流连于各级官衙之中，却忘记那些更重大的宰相之责，这就是人们所说的不懂得做宰相的方法的人。这就像木匠不懂得绳墨可正曲直，规矩可画方圆，寻引可量短长，姑且夺取工匠们的斧子、刀锯来帮助他们发挥技艺，却又不能把事情做完美，以至于事业遭到失败而无所成就，不也是错误吗？

或曰："彼主为室者①，傥或发其私智②，牵制梓人之虑，夺其世守而道谋是用③，虽不能成功，岂其罪耶？亦在任之而已。"余曰：不然。夫绳墨诚陈，规矩诚设，高者不可抑而下也，狭者不可张而广也。由我则固，不由我则圮④。彼将乐去固而就圮也，则卷其术，默其智，悠尔而去，不屈吾道，是诚良梓人耳。其或嗜其货利，忍而不能舍也，丧其制量⑤，屈而不能守也，栋挠屋坏⑥，则曰"非我罪也"，可乎哉，可乎哉？

[注释]

①主为室者：主持建房的人，即房主。②傥或：倘若，假设。发：发挥。私智：个人的偏见。③世守：祖传的技能。道谋是用："用道谋"的倒装，意为听从路人的建议。④我：指梓人。圮：毁坏、坍塌。⑤制量：指结构规格。⑥栋挠：屋梁弯曲。

[译文]

有人说："那些主持建房的房主，假如发挥他们的个人偏见，约束木匠的思维，不准他施展祖传技能，而听信路人之言，即使房子不能建成，难道是木匠的罪过吗？他不过听之任之罢了。"我说：不能这样认为。木匠的确使用了尺、圆规、墨线等度量工具，但是高屋不能压低，窄屋也不能拓宽。按照木匠的规矩盖房，房屋才会坚固；不按照他的话做，房屋就会坍塌。如果房主喜欢放弃坚固的房屋，而喜欢坍塌的房屋，那么，木匠就收敛自己的技能，缄默不提自己的智慧，远远走开，不放弃自己的做事原则，这才真是好木匠啊！假如木匠贪图房主的钱财，违心地接受房主的错误决策而不愿离去，失去了做事的原则，委曲迁就而不能坚持原则，万一屋梁弯曲，房屋坍塌，却说"不是我的罪过"，这么做可以吗？

余谓梓人之道类于相，故书而藏之。梓人，盖古之审曲面势者①，今谓之都料匠云②。余所遇者，杨氏，潜其名。

[注释]

①审曲面势：工匠制作器物时，审度材料的曲直来进行处理制作。②都料匠：亦作都料，古代称营造师或总工匠。

[译文]

我认为木匠之道与宰相之道相似，因此写下此文并收藏起来。木匠，大概是古代审察五材曲直方圆形势之宜以治之的人，如今人们称之为营造师。我所遇到的木匠姓杨，隐去他的名字。

蝜蝂传①

蝜蝂者，善负小虫也②。行遇物，辄持取③，卭其首负之④。背愈重，虽困剧不止也⑤。其背甚涩，物积因不散，卒踬仆不能起⑥。人或怜之，为去其负。苟能行，又持取如故。又好上高，极其力不已，至坠地死。

[题解]

本篇借蝜蝂这种善负物、喜爬高的小虫，嘲讽那些觊觎高位、唯利是图的贪官污吏。

[注释]

①蝜蝂（fù bǎn）：一种黑色的小虫，性喜负物，类似负版之状，故名。②善：喜欢。③辄：总是。④卬（áng）：高抬。⑤困剧：疲倦至极。⑥踬（zhì）仆：跌倒。

[译文]

蝜蝂是一种喜欢背东西的小虫。它们爬行时遇到东西，总是抓取过来，高抬着头背上这些东西。东西越背越重，即使非常疲倦也不停止（持取负物）。蝜蝂的背部很不光滑，因而东西堆上去不会散落，但它最终被压倒而爬不起来。有人可怜它，帮它去掉背上的东西。可是蝜蝂如果能够爬行，还会像从前一样抓取东西背上。这种小虫又喜欢爬高，往往用尽全身的力气也不肯停下来，以致跌落，摔死在地上。

今世之嗜取者①，遇货不避，以厚其室②，不知为己累也，唯恐其不积。及其怠而踬也③，黜弃之，迁徙之，亦以病矣。苟能起，又不艾④。日思高其位，大其禄，而贪取滋甚，以近于危坠，观前之死亡不知戒。虽其形魁然大者也，其名人也，而智则小虫也。亦足哀夫！

[注释]

①嗜取者：贪得无厌的人。②厚其室：使其家产丰厚。③怠：同"殆"，懈怠，危险。④艾：停止，绝。

[译文]

当今社会上那些贪得无厌的人，见到钱财从不退让，借此丰厚他们的家产，不知道钱财已成为自己的负担，只怕财富积聚得不够多。等到他们因为懈怠而倒台，或者被罢官，或者遭贬谪，也是因嗜好钱财而得罪。如果能被重新起用，他们又不思悔改，天天想着怎样使官位增高，让俸禄增多，并且变本加厉地聚敛钱财，就算接近摔死的边缘，看到以前由于贪财而自取灭亡的人，也不知接受教训。虽然他们的体形魁伟高大，他们也被称为人，但他们的智力却和蝜蝂这样的小虫一样。这也足够悲哀的了！

河间传①

河间，淫妇人也，不欲言其姓，故以邑称。始妇人居戚里②，有贤操③。自未嫁，固已恶群戚之乱龙④，羞与为类，独深居为翦制缕结⑤。既嫁，不及其舅，独养姑⑥，谨甚，未尝言门外事。又礼敬夫宾友之相与为肺腑者。

[题解]

本篇借一个素有贤操的良家女子逐渐变成荡妇的故事，感慨"朋友之恩难恃，君臣之际可畏"。

[注释]

①河间：县名，故战国赵地。汉文帝二年（前178年）为河间国，因地处黄河与永定河之间而名。北魏置郡。隋初废，后复置。唐以河间为瀛洲，置武垣县，宋改为河间县。现属于河北。②戚里：帝王的外戚聚居的地方。泛指亲戚邻里。③贤操：美好的德行或节操。④乱龙：杂乱。⑤翦制缕结：泛指做针线之类。⑥姑：婆婆。

[译文]

河间是一个淫荡的女人，因为不想提及她的姓氏，所以用其居住地来代称。起初，这个妇人跟亲戚住在一起，素有美好的节操。她在未出嫁之前，本来就很讨厌亲戚之间杂乱不堪的事情，把跟那些有恶行的亲戚往来看成羞耻的事，常常一个人深居简出，做做女红。出嫁之后，跟公公都不接触，唯独奉养婆婆，为人处世十分谨慎，从不多问外面的事情。河间夫妇相敬如宾，她对自己的丈夫就像对志同道合的宾客朋友一样尊敬。

其族类丑行者谋曰："若河间何①？"其甚者曰："必坏之。"乃谋以车众造门②，邀之遨嬉，且美其辞曰："自吾里有河间，戚里之人日夜为饬厉③，一有小不善，唯恐闻焉。今欲更其故，以相效为礼节，愿朝夕望若仪状以自惕也④。"河间固谢不欲。姑怒曰："今人好辞来，以一接新妇来为得师，何拒之坚也？"辞曰："闻妇人之道，以贞顺静专为礼⑤。若夫矜车服，耀首饰，族出欢闹，以饮食观游，非妇人宜也。"姑强之，乃从之游。过市，或曰："市少南入浮图⑥，有国工吴叟始图东南壁，甚怪。可使奚官先壁道⑦，乃入观。"观已，延及客位，具食帷床之侧⑧。闻男子欬者，河间惊，跣走出⑨，召从者驰车归。泣数日，愈自闭，不与众戚通⑩。

[注释]

①若河间何：把河间怎么样。②造门：登门，到别人家去。③饬厉：告诫、勉励。④惕：戒惧，小心谨慎。⑤贞顺静专：妇女的婉顺、贞静、专一。⑥浮图：也作"浮屠"、"佛图"，梵语音译，对佛或佛教徒的称呼，也专指和尚。⑦奚官：官名，职司养马。壁道：两壁夹着的巷道。⑧具食：准备饭菜。帷床：帷帐与床，泛指坐卧之处。⑨跣：光着脚。⑩通：往来，交往。

[译文]

河间同族中有些品行丑恶的人在一起商议说："你能把河间怎么样呢？"那些品行非常坏的人说："一定要败坏她的名声。"于是众人谋划一同乘车到河间家里，邀请她跟大家一起游玩嬉耍，并且话说得非常动听："自从我们这里出了个河间，戚里这个地方的人们时时告诫、勉励自己，一旦有个小小的过错，只怕传到河间耳朵里。现在我们想要改变过去的做法，把你的作为当做效仿的标准，愿意跟你朝夕相处，用你美好的仪态来警戒自己。"河间本来坚决推辞不想去。她的婆婆恼怒地说："现在别人好言好语来家里请，把一个刚进门的新媳妇当成老师看待，怎么能这样坚决地拒绝呢？"河间推辞说："我听说所谓的妇德，就是把婉顺、贞静、专一作为妇女的行为准则。像那矜夸车舆礼服，炫耀各种装饰用品，众人聚集在一起耍闹玩乐、在外吃饭、参观游玩的举动，不是女人应该有的举止。"婆婆强迫她去，河间只好跟随同族的人一起去游玩。路过人口密集的闹市，有人说："市场稍微往南一点的寺庙内，著名画工吴叟刚开始画东南面的墙壁，他的画风很怪异。可以让马倌先到巷道里候着，然后众人进寺庙看画工画画。"参观之后，主人把河间请到宾客的席位上，在帷床旁边准备饭菜。席间突然听到男人的咳嗽声，河间受到惊吓，光着脚跑了出去，召唤仆从驱车回家。河间哭了很多天，更加自我封闭，不再跟那些亲戚们往来。

　　戚里乃更来谢曰①："河间之逌也，犹以前故，得无罪吾属耶？向之欤者，为膳奴耳②。"曰："数人笑于门，如是何耶？"群戚闻且退。期年，乃敢复召，邀于姑，必致之，与偕行遂入鄢陧州、西浮图两池间③。叩槛出鱼鳖食之，河间为一笑，众乃欢。俄而，又引至食所，空无帷幕，廊庑廓然④，河间乃肯入。先，壁群恶少于北牖下⑤，降帘，使女子为秦声，倨坐观之。有顷，壁者出宿选貌美阴大者主河间⑥，乃便抱持河间。河间号且泣，婢夹持之，或谕以利，或骂且笑之。河间窃顾视持己者甚美，左右为不善者已更得适意，鼻息怫然⑦，意不能无动，力稍纵，主者幸一遂焉。因拥致之房，河间收泣甚适，自庆未始得也。至日仄⑧，食具，其类呼之食。曰："吾不食矣。"且暮，驾车相戒归，河间曰："吾不归矣，必与是人俱死。"群戚反大闷，不得已，俱宿焉。

[注释]

①谢：道歉。②膳奴：管理膳食的奴仆。③鄻陚（fēng gài）：均指湖岸。④廊庑：堂前的廊屋。廓然：形容空旷寂静的样子。⑤壁：躲藏。恶少：品行恶劣的年轻无赖。牖（yǒu）：窗户。⑥宿选：事先选定的人。主：主持，掌管，意谓控制。⑦鼻息：鼻腔呼吸的气息。怫（fú）然：同"怫然"，不悦，不高兴。⑧日仄：也作"日昃"、"日侧"，指太阳开始偏西，约下午两点。

[译文]

同族的那些人于是又来道歉说："河间之所以惊惧，还是因为以前的缘故吧，是不是还在怪罪我们呀？上次那个咳嗽的人，其实是管理膳食的奴仆啊。"河间说："很多人站在门口笑，像这样是什么原因啊？"那群亲戚听了这话，赶紧退回去了。过了一年，才敢再来召唤，先邀请河间的婆婆，一定要让河间与众人一起出游，于是大家一起到了鄻陚州、西浮图两湖泊之间。有人敲击栏杆让鱼鳖跳出来给它们喂食，河间因此笑了一下，大家才高兴起来。过了一会儿，他们又把河间请到吃饭的地方，没有陈设帷帐之类的东西，堂前的廊屋空旷寂静，河间才同意入席就座。起先，一群品行恶劣的年轻无赖躲藏在北窗下面，放下窗帘，让一个女子演唱秦地的音乐，蹲坐着等着看好戏。过了一段时间，躲藏在窗户下的无赖推举出事先选定的一个容貌漂亮、生殖器很大的人来控制河间，那个人趁机抱住河间。河间一边大声喊叫一边哭泣，其他的奴婢也帮忙按住河间（不让她动弹），有的人用好处来引诱她，有的人则对她又骂又嘲笑。河间偷偷地回头看抱着自己的那个男人，他长得很漂亮，旁边那些不怀好意的人看着更觉称心如意，她呼吸中流露出不高兴，心中对这一切不能无动于衷，力气稍微一放松，抱着她的人于是就有幸遂了心愿。于是众人把河间推拥到房内，河间擦干眼泪，心里很舒服，暗自庆幸最初没有让那人得逞。到了太阳偏西的时候，有人把饭菜准备好，同族的人喊她吃饭。河间说："我不吃。"天快黑了，赶车的人提醒她该回家了，河间说:"我不回家了,我一定要跟这个人死在一块儿。"那群亲戚反而迷惑不解,没有办法可想,只好都住宿在那里了。

夫骑来迎,莫得见。左右力制,明日乃肯归。持淫夫大泣,啮臂相与盟而后就车①。既归,不忍视其夫,闭目曰:"吾病。"与之百物②,卒不食。饵以善药③,挥去。心怦怦恒若危柱之弦④。夫来,辄大骂,终不一开目,愈益恶之,夫不胜其忧。数日,乃曰:"吾病且死,非药饵能已,为吾召鬼解除之,然必以夜。"其夫自河间病,言如狂人,思所以悦其心,度无不为。时上恶夜祠甚⑤,夫无所避,既张具,河间命邑臣告其夫召鬼祝诅⑥。上下吏讯验,笞杀之⑦。将死,犹曰:"吾负夫人!吾负夫人!"

[注释]

①盟:盟誓,山盟海誓。就:靠近。②百物:犹万物,此处指各种食物。③饵:喂。善药:良药。④怦怦:心急貌。危柱之弦:指紧绷的琴弦。危柱,谓琴。⑤祠:祭祀鬼神,祈祷。⑥祝诅:祝告鬼神,使加祸于别人。⑦笞(chī):古代用竹板或荆条打人脊背或臀腿的刑罚。

[译文]

河间的丈夫骑着马来接她,没能见着她的面。旁边的人强行劝她回去,第二天,河间才愿意回家。河间与那个淫荡的男子抱头痛哭,咬伤对方的手臂,相互立下山盟海誓后才上车。回到家里,河间不想看见她的丈夫,闭着眼睛说:"我生病了。"丈夫给她拿来各种食物,但她最终都没有吃。喂她良药,也都推开。她的心怦怦乱跳,犹如紧绷的琴弦。丈夫一来,河间就破口大骂,最终也不愿睁眼看他一下,心里更加厌恶他。丈夫非常担忧。过了很多日子,河间说:"我病得快要死了,不是药物能治好的。你为我召唤小鬼来除病吧,但是一定要在夜晚才行。"她的丈夫见河间自从生病之后说话像疯子,整天想着怎样让她开心,对她的话言听计从。当时皇帝非常厌恶夜间祭祀鬼神，河间的丈夫没有一点儿避讳，刚把帐具布置停当，河间就让县吏告发，说她的丈夫在祝告鬼神，想加祸于别人。朝廷让官吏讯问检验，查证属实后施以笞刑，将其夫杀死。她的丈夫临死之前，还在说："我对不起夫人啊，我对不起夫人啊！"

河间大喜，不为服①，辟门召所与淫者，裸逐为荒淫②。居一岁，所淫者衰，益厌，乃出之。召长安无赖男子，晨夜交于门，犹不慊③。又为酒垆西南隅④，已居楼上，微观之，凿小门，以女侍饵焉。凡来饮酒，大鼻者，少且壮者，美颜色者，善为酒戏者，皆上与合。且合且窥，恐失一男子也，犹日呻呼憎憎以为不足⑤。积十余年，病髓竭而死⑥。自是虽戚里为邪行者，闻河间之名，则掩鼻蹙頞皆不欲道也⑦。

[注释]

①服：即服丧。中国古代社会，以五种丧服来表示亲属之间血缘关系的远近以及尊卑关系，对死去的长辈或平辈亲属表示哀悼。旧时五服具体指斩衰（cuī）、齐衰、大功、小功、缌麻，服丧时间分别为三年、一年、九月、五月、三月。斩衰是五种丧服中最重的一种，要穿用粗麻布制成的衣服，左右和下边不缝；服制三年，子及未嫁女为父母、媳为公婆、妻妾为夫，均服斩衰。按照唐代丧礼，河间当为其夫守丧三年。②裸（luǒ）逐：赤身露体，相互追逐嬉戏。裸，同"裸"。③慊（qiè）：满意、满足。④酒垆：卖酒处安置酒瓮的砌台，借指酒肆、酒店。隅：角落。⑤呻呼：因痛苦而呻吟呼喊。憎憎：糊里糊涂。⑥病髓："病入骨髓"之省称，病到骨头里，形容病势严重，无法医治。⑦蹙頞（cù è）：皱缩鼻翼。

[译文]

（丈夫死后，）河间大喜过望，没有为丈夫守丧，而是开门招来那个跟她有奸情的男子，两人赤身露体，相互追逐嬉戏，纵情享乐。过了一年，淫夫渐渐精力衰退，河间越来越厌烦他，就把那个男人赶了出去。她又招来长安城的无赖男子，不分清晨黑夜在门内交媾，仍觉不满足。她又在自家房屋的西南角盖了一座酒肆,自己住在楼上,可以偷偷观察酒肆的情况。酒肆后面开了个小门,让自己的侍女当诱饵。所有来酒肆喝酒的人,鼻梁高挺的,年轻健壮的,长相漂亮的,擅长在喝酒时玩游戏的,都被叫上楼来跟她交合。河间与男子一边交合,一边窥视酒肆那边的动静,只怕错过别的男人,还每天痛苦地呻吟呼喊,糊里糊涂地认为这些不能满足自己的需求。这样日积月累过了十多年,河间终因病势严重、精力枯竭而死。从此以后,即使是同族中那些特别坏的人,听到河间的名字,也都会捂着鼻子皱缩鼻翼不想多说。

柳先生曰:天下之士为修洁者①,有如河间之始为妻妇者乎?天下之言朋友相慕望②,有如河间与其夫之切密者乎?河间一自败于强暴,诚服其利,归敌其夫,犹盗贼仇雠,不忍一视其面,卒计以杀之,无须臾之戚③。则凡以怀爱相恋结者,得不有邪利之猾其中耶④?亦足知恩之难恃矣⑤!朋友固如此,况君臣之际,尤可畏哉!余故私自列云。

[注释]

①修洁:高尚纯洁。②慕望:仰慕。③须臾:片刻。戚:忧愁、悲哀。④邪利之猾:邪恶奸猾的人。⑤恃:依赖、依仗。

[译文]

柳宗元说,全天下追求高尚纯洁之节操的读书人,有像河间刚开始做人妻子时那样素有贤操的吗?天下之人所说的互相仰慕的朋友,有像河间与其丈夫那样关系密切的吗?河间自从败给强狠凶暴的势力之后,臣服于强暴之举带来的快感,回到家中,视自己的丈夫为敌人,就像对待强盗、仇人似的,连看也不想看她丈夫一眼,最后还设计杀死了他,没有片刻的悲伤。凡是以情爱互相爱恋结合的人,难道都没有邪恶奸猾之徒在他们中间挑拨是非吗?这也足以说明所谓的深情厚谊很难依靠啊！朋友尚且如此，更何况君臣之间呢？这就更加让人害怕啊！我于是偷偷写下这篇文章（警戒自己）。

段太尉逸事状①

太尉始为泾州刺史时②，汾阳王以副元帅居蒲③，王子晞为尚书④，领行营节度使，寓军邠州⑤，纵士卒无赖。邠人偷嗜暴恶者，卒以货窜名军伍中⑥，则肆志，吏不得问。日群行丐取于市⑦，不嗛，辄奋击折人手足，椎釜鬲瓮盎盈道上⑧，袒臂徐去，至撞杀孕妇人。邠宁节度使白孝德以王故⑨，戚不敢言。

[题解]

本篇是元和九年（814年）柳宗元在永州时所作，选取了段秀实与恶势力抗争的三件事，揭露中唐时期藩镇的专横跋扈，意在彰明正义，以供史官采录，故而曾将这篇逸事状寄给时任史馆修撰的韩愈。

[注释]

①段太尉：即段秀实，字成公，唐汧阳（今陕西汧阳）人，官至司农卿。德宗建中四年（783年），朱泚反，段秀实被害。兴元元年（784年），德宗追赠段秀实为太尉，谥忠烈。逸事：即佚事或轶事，指散佚而未经史书记载的事迹。状：行状，古代叙述死者生平事迹的一种文体。逸事状是行状的变体，只记录逸事，至于人所共知的内容，如世系、爵里、享年等皆不录。段秀实死时，柳宗元年仅十二岁。②泾州：故治在今甘肃泾川一带。③汾阳王：即郭子仪，唐代名将，平定安史之乱，功居第一。肃宗上元三年（762年），封汾阳王。代宗广德二年（764年）正月，授郭子仪为关内河东副元帅、河中节度使等职，驻军蒲州。蒲：即蒲州，唐代河中府治所，在今山西永济。④王子晞（xī）：汾阳王郭子仪第三子郭晞，英勇善战，随父平定安史之乱有功，时任左散骑常侍，卒赠兵部尚书，文中称"尚书"乃是追称。⑤寓军：驻军。邠州：今陕西邠县。⑥以货：用钱财的手段，指贿赂。窜名：列名，把名字混入。⑦丐取：求取，

指强行勒索。⑧椎（chuí）：用物击打。釜：锅。鬲（lì）：古代的一种炊具，形状像鼎而足部中空。瓮：一种盛水或酒的陶器。盎（àng）：古代一种腹大口小的瓦盆。⑨邠宁：邠州和宁州。宁州治所在今甘肃宁县，南与邠州接壤，西与泾州接壤。白孝德：李光弼部将，有军功，广德二年为邠宁节度使，后封昌化郡王。

[译文]

段太尉刚任泾州刺史时，汾阳王郭子仪以副元帅的身份驻军蒲州。郭子仪第三子郭晞时任左散骑常侍，代理郭子仪统领军务，驻军邠州，放纵手下士卒横行不法。邠州当地那些轻薄、贪婪、残暴、凶恶的不法分子，大都通过行贿加入郭晞军籍，这样就可以胡作非为，官吏不能干涉。他们每天成群结队在市场上强行勒索，还觉得不满足，动不动就奋力打断人家的手足，砸碎锅、鼎、瓮、瓦盆等器具，扔得路上到处都是，挽起袖子大摇大摆地扬长而去，甚至残忍地撞死怀孕的妇女。邠宁节度使白孝德因为汾阳王郭子仪位高权重的缘故（白孝德当时受郭子仪节制，故有所顾虑），满腹忧愁却不敢惩处郭晞手下那些士卒。

太尉自州以状白府①，愿计事②。至则曰："天子以生人付公理，公见人被暴害，因恬然，且大乱，若何？"孝德曰："愿奉教。"太尉曰："某为泾州甚适③，少事，今不忍人无寇暴死，以乱天子边事。公诚以都虞侯命某者④，能为公已乱⑤，使公之人不得害。"孝德曰："幸甚！"如太尉请。

[注释]

①州：泾州。府：邠宁节度使衙门，此处代指白孝德。段秀实一年前为白孝德部下，此任泾州刺史，是以旧部属上状白孝德而自我推荐。②计事：商议事情，指商议处理郭晞士卒不法之事。③某：段秀实自称。适：舒适，清闲。④都虞侯：唐代中后期藩镇府中的一种武官，专职掌管惩治不法军士。⑤已乱：制止暴乱。

[译文]

太尉以旧部属的身份从泾州上状禀告邠宁节度使衙门，希望能跟白孝德节度使商议这件事。到了节度使衙门，他对白孝德说："天子把老百姓交给您治理，您看着老百姓被暴徒伤害，仍能清闲自在，将要引起大乱，您该怎么处理这件事啊？"白孝德说："请您多多指教。"太尉说："我现在担任泾州刺史，很清闲，事情不多。现在不忍心看着没有外敌入侵，老百姓却惨遭杀害，从而使国家的边境陷入混乱。您如果能任命我担任都虞侯，我能替您制止暴乱，使您治下的百姓不受侵害。"白孝德说："很好。"就同意了段太尉的请求，任命他为都虞侯。

既署一月①，晞军士十七人入市取酒，又以刃刺酒翁，坏酿器，酒流沟中。太尉列卒取十七人，皆断头注槊上②，植市门外。晞一营大噪，尽甲③。孝德震恐，召太尉曰："将奈何？"太尉曰："无伤也。请辞于军。"孝德使数十人从太尉，太尉尽辞去，解佩刀，选老躄者一人持马④，至晞门下。甲者出，太尉笑且入曰："杀一老卒⑤，何甲也？吾戴吾头来矣。"甲者愕。因谕曰："尚书固负若属耶⑥？副元帅固负若属耶？奈何欲以乱败郭氏？为白尚书，出听我言。"晞出，见太尉。太尉曰："副元帅勋塞天地，当务始终。今尚书恣卒为暴，暴且乱，乱天子边，欲谁归罪？罪且及副元帅。今邠人恶子弟以货窜名军籍中，杀害人，如是不止，几日不大乱？大乱由尚书出，人皆曰，尚书倚副元帅不戢士⑦，然则郭氏功名其与存者几何？"言未毕，晞再拜曰："公幸教晞以道，恩甚大，愿奉军以从。"顾叱左右曰："皆解甲，散还火伍中⑧，敢哗者死！"太尉曰："吾未晡食⑨，请假设草具⑩。"既食，曰："吾疾作，愿留宿门下。"命持马者去，旦日来。遂卧军中。晞不解衣,戒候卒击柝卫太尉⑪。旦,俱至孝德所,谢不能,请改过。邠州由是无祸。

[注释]

①署:暂时代理。②注:属,附着。槊:丈八长矛。③尽甲:都披上铠甲,意谓准备打仗。④躃(bì):两脚瘸。持马:牵马。⑤老卒:段太尉自称。⑥负:辜负,对不起。若属:你们这些人。⑦戢(jí)士:管束士兵。⑧火伍:唐代府兵十人为火,五人为伍,此处泛指队伍。⑨晡(bū)食:名词用作动词,吃晚饭。晡,申时,下午三点至五点。⑩草具:粗糙简单的食具,意谓简单的饭食。⑪戒:命令。候卒:负责巡逻警卫的士兵。柝(tuò):巡夜时敲打的梆子。

[译文]

太尉(以泾州刺史的身份)代理都虞侯已经一个月,郭晞手下的十七名士兵入城打酒,又用刀刺伤了酿酒人,并打破盛酒的器皿,酒流入路旁的沟中。太尉带领士兵逮捕了这十七人,把他们的头都砍下来挂在丈八长矛上,竖立在城门外。郭晞的整个行营喧嚷骚动,士兵全部披甲备战。白孝德大为震惊恐慌,召见太尉说:"你打算怎么办?"太尉回答说:"不要紧,请允许我到郭晞军营去解释。"白孝德派了几十个人跟随太尉,太尉让他们全都退回去,并解下佩刀,只挑选了一个又老又瘸的士卒牵马,来到郭晞行辕门前。行营内全副武装的士兵冲了出来,太尉笑着走进行营,说:"杀一个老兵,何必全副武装呢?我顶着我的脑袋来了。"全副武装的士兵非常惊讶。太尉趁机开导他们说:"郭尚书难道亏负你们这些人吗?副元帅难道亏负你们这些人吗?为什么要用骚乱来败坏郭家的名声?替我禀告郭尚书,请他出来听我解释。"郭晞出来会见太尉。太尉说:"副元帅(谓郭子仪)的功勋充满天地之间,应当力求有始有终。现在您放纵士兵作恶,作恶的结果导致暴乱。天子的边地发生暴乱,将要归罪于谁呢?(郭晞的军队逼反邠民,)那么其罪必将牵连副元帅。现在邠州当地的不法之徒用财物行贿，混进军籍，杀害驻地的百姓，如果像这样不加以制止，不乱还能有几天呢？这么大的暴乱因您而起，人们肯定都说您倚仗副元帅，不管束士兵。这样一来，郭家的功名还能剩下多少呢？"话没说完，郭晞一再拜谢说："有幸蒙您用大义来教导我，恩深谊重，我愿意带领全军听您指教。"回头呵斥手下的士兵："都解下铠甲回到队伍中去，谁要是胆敢再喧哗，立即处死！"太尉说："我还没吃晚餐，请让我吃顿便饭吧。"吃完晚饭，太尉说："我的老毛病又犯了，想请您留我在行营中住一晚。"他让赶马的老士卒先回去，明天早上再来。于是太尉就睡在军营中。郭晞不脱衣，告诫负责警卫的卫兵打更并保护太尉。第二天一大早，郭晞和太尉一起到了白孝德住所，道歉说自己无能，请允许自己改正错误。从此以后，邠州再没有发生过祸乱。

先是太尉在泾州，为营田官①，泾大将焦令谌取人田②，自占数十顷，给与农③，曰："且熟，归我半。"是岁大旱，野无草，农以告谌。谌曰："我知入数而已④，不知旱也。"督责益急。且饥死，无以偿，即告太尉。太尉判状辞甚巽⑤，使人求谕谌。谌盛怒，召农者曰："我畏段某耶？何敢言我？"取判铺背上，以大杖击二十，垂死，舆来庭中⑥。太尉大泣曰："乃我困汝。"即自取水洗去血，裂裳衣疮⑦，手注善药，旦夕自哺农者，然后食。取骑马卖，市谷代偿，使勿知。淮西寓军帅尹少荣⑧，刚直士也，入见谌，大骂曰："汝诚人耶？泾州野如赭⑨，人且饥死，而必得谷，又用大杖击无罪者。段公，仁信大人也，而汝不知敬。今段公唯一马，贱卖市谷入汝，汝又取不耻。凡为人，傲天灾、犯大人、击无罪者，又取仁者谷，使主人出无马，汝将何以视天地，尚不愧奴隶耶？"谌虽暴抗⑩，然闻言则大愧流汗，不能食。曰："吾终不可以见段公。"一夕，自恨死⑪。

[注释]

①营田官：指白孝德初任邠宁节度使时，曾署段秀实支度、营田副使。唐代兵制，各道节度使多兼支度、营田、招讨、经略使，诸军万人以上置营田副使一人，掌管军队屯垦。②焦令谌：泾州节度使马璘的部将。取人田：强占民田。③给与农：租给农民耕种。④入数：按照规定的数目交粮。⑤判状：判决书。辞：措词。巽（xùn）：通"逊"，恭顺，委婉。⑥舆：抬。庭：段秀实的府邸。⑦裂：撕开。衣：包扎。疮：创伤。⑧淮西：指淮南道西部的申州（今河南信阳）、光州（今河南潢川）、黄州（今湖北新洲）、安州（今湖北安陆）一带。寓军：唐代宗时期，吐蕃骚扰西北边境，常调外镇军队驻防戍边，故称临时驻扎的军队为寓军。尹少荣：人名，生平事迹不详。⑨赭（zhě）：红土，意味赤地，庄稼绝收。⑩暴抗：凶暴强横。⑪自恨死：自己为此事懊悔而死。此说与事实不相符。《资治通鉴》卷二二四载，代宗大历八年（773年）十月，焦令谌任泾原节度使马璘的兵马使。《段公别传》亦云："大历八年令谌犹存者，盖公之得于传闻，其实令谌不死。"

[译文]

任泾州刺史以前，太尉曾在泾州担任营田副使。泾州大将焦令谌强夺民田，占为己有，多达几十顷，并把田地租给农夫耕种，说："将来谷子成熟时，给我一半。"这一年大旱，田野里连草都不长。农民将旱情告诉焦令谌。焦令谌却说："我只知道按数交粮，不管是否有旱灾。"于是催取得更加厉害。农民快要饿死了，没有粮食交，就将此事告到段秀实那里。太尉写的判决书措词很谦和，派人劝告焦令谌，替农夫求情。焦令谌大怒，将农夫叫了去说："你以为我会怕姓段的吗？竟敢去告我？"拿出判决书铺在农夫背上，用大杖打了他二十杖，农夫差点被打死了，人们把他抬到段秀实衙门的庭院中。太尉大声哭泣，说："是我害苦了你。"立即亲自取水洗去农夫身上的污血，撕破自己的衣裳，为农夫包扎伤处，亲手敷上良药，早晚先亲自喂农夫食物，然后自己才吃饭。他把自己的坐骑卖掉，买回谷子代农夫偿还地租，却不让农夫知道。临时寄寓在泾州的淮西军统帅尹少荣，是个刚强正直的人，他来到焦令谌的住处，见到焦令谌，大骂说："你真算得上是人吗？泾州干旱严重，禾苗枯死，田野如同赤土，人都快饿死了，你却一定要得到租谷，还用大杖打伤无罪的人。段公是仁义真诚、品德高尚的人，你却不知道敬重。现在段公仅有的一匹马，低价卖了买谷子送到你家充田租，你又不知羞耻地收下了。总之你这种人，轻视天降之祸、冒犯品行高尚之人、打击无辜百姓之流，还收取仁义之人的谷子，使段先生进出没有马骑，你有何资格活在人间，连个奴隶都不如吗？"焦令谌虽然凶暴强横，但听了尹少荣的话也深感羞愧，甚至直冒冷汗，吃饭难以下咽。焦令谌说："我再也无颜面见段公了。"终于在一天傍晚，自己懊悔而死。

及太尉自泾州以司农征①，戒其族②："过岐③，朱泚幸致货币，慎勿纳。"及过，泚固致大绫三百匹，太尉婿韦晤坚拒，不得命④。至都，太尉怒曰："果不用吾言。"晤谢曰："处贱，无以拒也。"太尉曰："然终不以在吾第。"以如司农治事堂⑤，栖之梁木上。泚反，太尉终，吏以告泚，泚取视，其故封识具存⑥。

[注释]

①自泾州以司农征：德宗建中元年（780年）二月，段秀实因直言触怒吏部侍郎杨炎，自泾原节度使征为司农卿。②戒：告诫。族：家族中人。③岐：州名，岐州，治所在今陕西凤翔。大历十四年（779年）六月，朱泚为凤翔尹，镇守岐州。④不得命：不得允许，意谓推辞不掉。⑤如：送往。司农治事堂：司农卿衙公堂。⑥故封：旧有的封条。识（zhì）：通"志"，题识。

[译文]

太尉自泾原节度使被征召为司农卿之时，曾告诫他的家族中人说："经过岐州时，朱泚可能会赠送财物，一定不要接受。"等到经过岐州的时候，朱泚一定要赠送他大绫三百匹，太尉的女婿韦晤坚决拒绝，实在推辞不掉（，只好收下了）。到了京都，太尉大发脾气,说:"你们果真不听我的吩咐。"韦晤谢罪说:"我的地位太卑下,没有办法拒绝他。"太尉说:"(既然这样,)终究不能将这些东西放在我们家里。"就把这三百匹大绫送到司农卿官府治事大堂,安放在梁木上面。朱泚谋反以后,太尉被杀,官吏将所送大绫被搁置在梁木上的事告诉了朱泚。朱泚叫人将大绫取下来一看,只见(大绫)原包装外面的缄封字迹都还原封不动地保存着。

　　太尉逸事如右①。元和九年月日,永州司马员外置同正员柳宗元谨上史馆②。今之称太尉大节者出入③,以为武人一时奋不虑死,以取名天下,不知太尉之所立如是。宗元尝出入岐、周、邠、斄间④,过真定⑤,北上马岭⑥,历亭鄣堡戍⑦。窃好问老校退卒,能言其事。太尉为人姁姁⑧,常低首拱手行步,言气卑弱,未尝以色待物⑨,人视之儒者也。遇不可⑩,必达其志,决非偶然者。会州刺史崔公来⑪,言信行直⑫,备得太尉遗事,覆校无疑。或恐尚逸坠,未集太史氏,敢以状私于执事。谨状。

[注释]

①如右:如上文。古人作文,由右向左竖行书写。②永州司马员外置同正员:柳宗元时任官职的全称。员外置,唐太宗时规定,全国官员定员七百三十人,定员之外,称"员外置"。同正员,地位和待遇等与正员相同。史馆:旧时主持编修国史的机构。③出入:不符之处,差距。④周:周朝的都城原在岐,故称岐周。斄(tái):同"邰",在今陕西武功境内。⑤真定:疑为"真宁"之误,唐宁州真宁,即今甘肃正宁,属邠宁节度使辖区。⑥马岭:唐代县名,在今甘肃庆阳西北,以县西一里处有马岭坂而得名,属弘化郡。⑦亭:边防哨所。鄣:防御工事。堡:堡垒。戍:岗哨所。亭鄣堡戍泛指各种驻防戍守的地方。⑧姁(xǔ)姁:喜悦自得的样子。⑨色:怒色,厉色。待物:待人接物。⑩不可:不平之事。⑪崔公:指崔能,字子才,元和九年(814年)任永州刺史。⑫言信行直:说话真实可靠,行为正直。

[译文]

　　以上就是段太尉的几件逸事。元和九年的某一天，永州司马员外置同正员柳宗元恭恭敬敬地将此文上呈史馆。如今人们称颂段太尉高风亮节，与事实不太相符，他们多认为段太尉不过是一介武夫，他之所以奋不顾身，不考虑个人生死，不过是以此博取名誉，这是因为他们并不了解段太尉素来的立身之道。我曾往来于岐、周、邠、斄之间，经过真定，北上马岭，到过各种驻防戍守的地方，私下里喜欢询问军中那些年老的校官和退役的士卒，他们都能讲述一些当时的事情。段太尉为人和气，经常低头走路，抬头见人即拱手，说话的口气谦恭温和，从不用怒色待人接物，人们觉得他更像个读书人。遇到不平之事，他一定要表达出自己的态度，（朱泚之事）决不是一时冲动。适逢刺史崔公来永州上任，他说话真实可靠，向来行为正直，全面而详备地了解段太尉的这些逸事，这些都是经过反复核对没有什么疑问的。我恐怕（关于段太尉的）有些事实会散失遗漏，没能收集采录到史官手里，斗胆将这篇行状私下送交给您。（柳宗元）郑重地写下这篇逸事状。

小 品

乞巧文[1]

柳子夜归自外庭[2],有设祠者,籯饵馨香[3],蔬果交罗[4],插竹垂绥[5],剖瓜犬牙[6],且拜且祈。怪而问焉。

[题解]

这篇文章借乞巧来表明作者拙于为自己谋划的心志,将一切归之于仁厚,意谓大巧之不可为。

[注释]

①乞巧:旧时的一种风俗,传说农历七月七夜晚,天上牛郎织女相会,妇女于当晚穿针,称为乞巧。南朝梁宗懔《荆楚岁时记》记载:"七夕妇人结彩缕,穿七孔针,或以金银鍮石为针,陈瓜果于庭中以乞巧。有喜子网于瓜上,则以为得。"另一种说法是,如果看到天空中熠熠发光,有五色云雾,就是吉祥之兆,看见的人能得到幸福。②外庭:亦作"外廷",是相对内廷、禁中而言,国君听政的地方。③籯(jiān)饵:浸泡过的稻米拌和动物脂肪而煎成的食品,亦指厚粥。④交罗:交杂错列。⑤垂绥:枝条下垂。⑥剖瓜犬牙:像犬牙形状参差不齐,此处比喻把瓜切成交错如犬牙状。

[译文]

柳宗元夜晚下朝回来，遇见有人陈设祭品，精致糕饼香气扑鼻，时令蔬果交杂错列，所插竹枝随风飘舞，切开之瓜状如犬牙，并且一边拜祭一边祈祷。我感觉很奇怪，就上前询问原因。

女隶进曰①："今兹秋孟七夕②，天女之孙将嫔于河鼓③。邀而祠者，幸而与之巧，驱去蹇拙④，手目开利，组纴缝制⑤，将无滞于心焉。为是祷也。"柳子曰："苟然欤？吾亦有所大拙，傥可因是以求去之⑥。"乃缨弁束袵⑦，促武缩气⑧，旁趋曲折，伛偻将事⑨。

[注释]

①女隶：本指被掠卖或因家人有罪而没入宫中为奴的宫女，后作为女仆的泛称。②秋孟：即孟秋，指农历七月。③天女之孙：指织女。《史记·天官书》："织女，天女孙也。"河鼓：星名，又名黄姑、天鼓。《史记·天官书》："牵牛为牺牲，其北为河鼓。"一说河鼓即牵牛。天孙星与河鼓星之间隔着天津星。④蹇拙：艰难困拙，不顺利。⑤组纴：编织、纺织。⑥傥：通"倘"，倘若、或者。⑦缨弁：整理帽带，恭敬貌。亦为仕宦之代称。束袵：亦作"束衽"，整衣，表示恭敬。⑧促武：快步走。缩气：收敛盛气，形容畏惧。⑨伛偻：鞠躬，恭敬貌。

[译文]

一个女仆前来回答说："今天是农历七月七夕节，织女将嫁给牛郎。我在这里向上天求告祈祷，希望能有幸赐予我灵巧，驱逐艰难困拙，使我心灵手巧，耳聪目明，编织缝纫，心无旁碍。故而才在此祈祷。"我说："如果真是这样，我也非常笨拙，倘若可以因祈祷而去除笨拙（就好了）。"于是就整理衣帽，快步上前，躬身行礼，恭恭敬敬地向上天祈祷。

再拜稽首称臣而进曰①：下土之臣，窃闻天孙，专巧于天，樛轕璇玑②；经纬星辰，能成文章；黼黻帝躬③，以临下民。钦圣灵、仰光耀之日久矣。今闻天孙不乐其独得，贞卜于玄龟④，将蹈石梁，款天津⑤，俪于神夫，于汉之滨⑥。两旗开张，中星耀芒。灵气翕欻，兹辰之良。幸而弭节⑦，薄游民间。临臣之庭，曲听臣言。

[注释]

①稽首：旧时所行跪拜礼，行礼时两手拱至地，头至手，不触及地。这是九拜中最隆重的拜礼，常为臣子拜见君王时所用。后来，子拜父、拜天、拜神、新婚夫妇拜天地父母、拜祖拜庙、拜师、拜墓等，也都行此大礼。②樛轕（jiāo gé）：交加，纵横交杂的样子。璇玑：同"璿玑"。《尚书·舜典》云："在璿玑玉衡，以齐七政。"③黼黻（fǔ fú）：古代礼服上绘绣的花纹。④贞卜：占卜、问卜。玄龟：元龟，大龟。古人以龟为灵物，灼龟甲以卜，称为龟卜。⑤天津：星名，位于北方七宿中的女宿之北，在银河分支处，故称。《晋书·天文志上》："天津九星，横河中，一曰天汉，一曰天江。"天津凡九星，主四渎津梁。⑥汉：天河，也称云汉、银汉、天汉。⑦弭节：驻车。弭，徐行。节，行车进退之节。

[译文]

我再次跪拜稽首，对天祷告：下界之臣，私下听说织女之手巧夺天工，织起布来纵横交错，五彩斑斓；即便是日月星辰，亦能织成锦绣图案；唯愿天帝能亲临下界，体恤民情。我们敬仰圣灵，渴求圣恩照耀的时间很长了。如今听说织女不喜欢自己独得恩宠，于是就以元龟为卜，打算经过石梁，留止天津，在天河边上与神人结成伉俪。旗星开阔，雄伟壮观，旗中的天市四星发出耀眼的光芒。良辰美景，转瞬即逝。希望织女能在人间稍作驻足，降临在臣的庭院，静听我陈词如下。

臣有大拙，智所不化，医所不攻，威不能迁，宽不能容。乾坤之量，包含海岳。臣身甚微，无所投足。蚁适于垤①，蜗休于壳。龟鼋螺蟒②，皆有所伏。臣物之灵，进退唯辱。仿佯为狂，局束为谄，吁吁为诈，坦坦为忝。他人有身，动必得宜；周旋获笑，颠倒逢嘻。己所尊昵，人或怒之。变情徇势，射利抵巇③。中心甚憎，为彼所奇。忍仇佯喜，悦誉迁随。胡执臣心，常使不移？反人是己，曾不惕疑④。贬名绝命，不负所知。抃嘲似傲⑤，贵者启齿。臣旁震惊，彼且不耻。叩稽匍匐，言语谲诡。令臣缩恧⑥，彼则大喜。臣若效之，瞋怒丛己⑦。彼诚大巧，臣拙无比。

[注释]

①垤(dié)：蚁冢，蚂蚁做窝时堆积在洞口周围的浮土。②龟鼋：泛指背部有硬甲的爬行动物。鼋，大鳖，背青黄色，头有疙瘩，故俗称癞头鼋。螺蟒：亦作"螺蚌"或"螺蛢"，即螺与蚌，泛指有贝壳的软体动物。③射利：追求财利，谓见利则疾速求取，如射之发矢。抵巇(xī)：语出《鬼谷子·抵巇》："巇始有朕，可抵而塞，可抵而却，可抵而息，可抵而匿，可抵而得，此谓抵巇之理也。"后因此称投机钻营为抵巇。④惕疑：警惕、怀疑。⑤抃嘲：鼓掌、嘲笑。⑥缩恧(nù)：羞惭畏缩。⑦丛己：束缚自己。

[译文]

我有一颗非常笨拙的心，智慧不能改变它，医术无法攻克它，威严吓不走它，宽容融化不了它。它有容纳天地的气量，有包含大海和山岳的胸怀。我虽然身份卑微，待人接物经常无所适从。但蚂蚁能适应自己的蚁冢，蜗牛休息于自己的外壳之内。无论龟鳖还是螺蚌，动物都有自己的归属之所。微臣得以生而为人，无论进退都屡次蒙受耻辱。我若狂放不羁，别人说我狂傲；我若处事拘谨，别人说我谄媚；我若安闲自得，别人说我狡诈；我若坦率直爽，别人说我不知羞愧。别人的言谈举止，一定很合乎时宜；我与人应酬时，总是受到嘲笑，做事颠三倒四，屡遭蔑视。我所尊敬和亲近的人，别人却可能恼怒他们。审时度势、钻营逐利之类，是我心中最不愿意做的事情，别人却很看重。待人处世虚与委蛇，明明仇深似海，却能假装见之欣喜，不以外物的好坏而喜怒无常。怎样才能坚定微臣之心，使之不轻易改变呢？我一向认为是人对我错，并且从未怀疑过这一点。即使声名俱下，也从未辜负知己好友。有人狂傲地对别人鼓倒掌以示嘲讽，那些身份高贵的人亦跟着嗤之以鼻。我在旁边看见十分震惊，那些人却不以为耻。他们行叩拜稽首之礼，潜心祈祷，却言辞闪烁，巧舌如簧。他们的言行令我羞惭畏缩，他们自己却喜不自胜。我如果效仿他们的言行，就会因恼怒而束缚自己的思想。他们确实非常机巧，我却笨拙得无与伦比。

王侯之门，狂吠狴犴①。臣到百步，喉喘颠汗。睢盱逆走②，魄遁神叛。欣欣巧夫，徐入纵诞③。毛群掉尾，百怒一散。世途昏险，拟步如漆④。左低右昂，斗冒冲突。鬼神恐悸，圣智危栗。泯焉直透，所至如一。是独何工，纵横不恤。非天所假，彼智焉出。独啬于臣，恒使玷黜。沓沓謇謇⑤，恣口所言。迎知喜恶，默测憎怜。摇唇一发，径中心原。胶加钳夹，誓死无迁。探心扼胆，踊跃拘牵。彼虽佯退，胡可得旃⑥？独结臣舌，喑抑衔冤⑦。擘眦流血，一辞莫宣。胡为赋授，有此奇偏？

[注释]

①狴犴（bì àn）：传说中的兽名，形似虎，有威力，故将其画于狱门之上。②睢盱（suī xū）：仰视貌。逆走：逆向而行。此指绕道而行。③纵诞：放纵荒诞。④拟步：又称拟足或投足，揣度脚步。《汉书·扬雄传》："欲行者拟足而投迹。"⑤沓沓：话多貌。謇謇：放肆貌。⑥旃（zhān）：赤色曲柄无饰的旗，引申为表彰之义。⑦喑：缄默不语。

[译文]

爵位显赫的王侯府前，有狂叫的恶犬和威猛的狴犴守门。微臣距离门口尚有百步之远，已经吓得一身冷汗，不敢出声。我抬头观察恶犬的举动，急忙绕道而行，吓得魂飞魄散。而那些高高兴兴的灵巧之人，却是缓缓而入，自由放纵。看见兽类对他们摇头摆尾，所有的恼怒一挥而散。世道艰难险恶，真是举步维艰。左冲右突，此起彼伏，鬼神会为之恐惧，圣贤智者也会感到战栗。正直无私的人常常无声无息，他们的抱负与追求始终如一。为何这种人能够投机取巧，恣肆横行，无所忌惮。如果不是上天恩赐，他们的聪明才智从何而来呢？唯独对我非常吝啬，总是使我蒙受耻辱。他们巧舌如簧，滔滔不绝，说话肆无忌惮；对面而谈就知道别人的憎恶喜好，默不作声亦能推测别人的厌恶与爱好；只要嘴巴轻轻一张，就能直击别人的心扉。即使受到严酷的刑罚，他们仍誓死不改变自己的初衷；绞尽脑汁，到处奔走。他们即使假装退让，谁又能够争得表彰和奖赏呢？我只能缄默不语，含冤负屈，目眶瞪裂至于流血，怒火万丈却有口难言。同是上天所给予的生命，为什么命运有如此大的差别呢？

眩耀为文，琐碎排偶①。抽黄对白②，唵哢飞走③。骈四俪六，锦心绣口。宫沉羽振④，笙簧触手。观者舞悦，夸谈雷吼。独溺臣心，使甘老丑。嚚昏莽卤⑤，朴钝枯朽。不期一时，以俟悠久。旁罗万金，不鬻弊帚⑥。跪呈豪杰，投弃不有。眉睺颈蹙⑦，喙唾胸欧。大椒而归，填恨低首。

[注释]

①排偶：指文章中采用排比对偶的词句。②抽黄对白：黄白颜色相对，意指讲究对仗。③唵哢（án lòng）：梦语、鸟叫声。飞走：飞禽走兽。④宫、羽：本指五音中的宫音和羽音，借指诗律中的平仄和声韵中的四声。⑤嚚（yín）昏：冥顽不灵。莽卤：粗疏，不精细。⑥弊帚：亦作敝帚。东汉刘珍《东观汉纪》卷一："家有敝帚，享之千金。"曹丕《典论·论文》亦引用此句，言物虽微，而人各自以其所有为贵，故后称此为弊帚千金或弊帚自珍。

⑦眉矉颇蹙：亦作深矉蹙颊或深颊蹙额。耸鼻子皱眉，形容愁苦的样子。矉，鼻梁。

[译文]

文章写得光彩夺目，大量运用排比对偶的词句，讲究色彩对应，追求事物类同。骈体文多用偶句，讲求对仗，以四言或六言相间成文，其构思之巧与措词之丽令人惊叹。至于平仄押韵，对仗工整，犹如笙奏出的音乐，触手可及。围观之人欢呼雀跃，夸夸其谈，赞叹之声如同雷鸣。只有微臣沉溺古拙而不变，即使老态龙钟，仍一如既往。（在世俗之人看来，）我冥顽不灵，为文古拙愚钝，干枯老朽。但我不期望自己的文章流行于一时，而是等待得到世人长久的欣赏。虽说有敝帚自珍之嫌，但万两黄金亦不愿调换。我将自己的文章呈请才华出众之人，人家却弃之不顾。我羞愧难当，捶胸顿足，面红耳赤回到家中，满腹愁苦和遗憾，只觉人前难以抬头。

天孙司巧，而穷臣若是，卒不余畀①，独何酷欤？敢愿圣灵悔祸②，矜臣独艰。付与姿媚，易臣顽颜③。凿臣方心④，规以大圆。拔去呐舌，纳以工言。文词婉软，步武轻便。齿牙饶美，眉睫增妍。突梯卷臠⑤，为世所贤。公侯卿士，五属十连⑥。彼独何人，长享终天⑦！

[注释]

①畀：给予。《左传·昭公十三年》："（楚灵王）投龟诟天而呼曰：'是区区者而不予畀，余必自取之。'"②悔祸：撤去所加的灾祸。③顽颜：冥顽不化。④方心：方正之心。⑤突梯：谓无隅角，世俗圆滑之貌。卷臠：蜷缩，引申为安分守己。⑥五属十连：王制，五国以为属，属有长；十国以为连，连有帅。⑦终天：久远，谓如天之久远无穷。

[译文]

织女掌管着人的巧拙，但是看到像我这样遭际困厄的人，竟然不给予帮助，为何唯独对我这般残酷呢？衷心希望神灵能够撤去所加给我的灾祸，怜悯我这个孤独苦闷之人吧。请赐予我婉美媚人的姿态，替换我的冥顽不化；请把我的方正之心削凿一番，使我变得更加圆滑；请拔去我笨拙的口舌，放进去善讲花言巧语的舌头；请让我的言辞变得婉转和顺，步履变得轻盈，牙齿变得丰美，眉目能够传情。为人圆滑、安分守己，为世人所推崇。那些官高位显的达官贵人，彼此盘根错节，关系牢不可破。那些人为什么这样幸运，能够长命百岁，永享天年？

言讫，又再拜稽首，俯伏以俟。至夜半，不得命，疲极而睡。见有青褒朱裳①，手持绛节而来②，告曰："天孙告汝，汝词良苦，凡汝之言，吾所极知。汝择而行，嫉彼不为。汝之所欲，汝自可期。胡不为之，而诳我为！汝唯知耻，谄貌淫词，宁辱不贵，自适其宜。中心已定，胡妄而祈？坚汝之心，密汝所持，得之为大，失不污卑。凡吾所有，不敢汝施。致命而升③，汝慎勿疑。"呜呼！天之所命，不可中革。泣拜欣受，初悲后怿④。抱拙终身，以死谁惕⑤！

[注释]

①襃（bāo）：衣袂、衣袖。②绛节：使者所持的红色符节。③致命：致辞、报命。④怿（yì）：欢喜、快乐。⑤惕：警惕、戒惧。

[译文]

说完上面一番话，再次对上天行稽首之礼，长久趴伏在地上，等待着天女降临。等到半夜，没有听到天女的命令，疲惫到了极点，不知不觉睡着了。梦见一位身穿青袖红衣的女子，手里拿着红色符节飘然而来，告诉我说："织女让我告诉你，你祈祷的话语可谓一片苦心，你所说的话语，我都知道了。你可以按照自己的选择去做，憎恨那些不愿做的事情。你希望得到的东西，你自己可以得到。你为什么不这样做，而要欺骗我呢？你一定要知道廉耻，那些谄媚的举止和浮夸失实的言辞，只会给人们带来羞辱而不是富贵，自己内心的恬然自得才最为重要。既然你心中主意已定，为什么还胡乱祈祷？你要坚定自己的意志，珍藏自己所拥有的东西，得到了就是伟大崇高，即便失去了也不至于污秽卑鄙。我所拥有的东西（指织女掌管人巧拙的权力），不敢赐予给你。只要向上天致辞就能升迁，请你一定不要怀疑。"是啊，既然天命不可违背，我只好哭着拜谢上天，欣然接受这一切，悲伤过后又慢慢高兴起来。从此以后，我要终身保持这颗朴拙之心，即使为之而死，也可给后人留下鉴诫。

骂尸虫文并序

有道士言："人皆有尸虫三①，处腹中，伺人隐微失误，辄籍记②。日庚申，幸其人之昏睡，出谗于帝以求飨③。以是人多谪过、疾疠、夭死。"柳子特不信，曰："吾闻聪明正直者为神④。帝，神之尤者，其为聪明正直宜大也。安有下比阴秽小虫，纵其狙诡，延其变诈，以害于物，而又悦之以飨？其为不宜也殊甚！吾意斯虫若果为是，则帝必将怒而戮之，投于下土，以殄其类⑤，俾夫人咸得安其性命而苟慝不作⑥，然后为帝也。"

[题解]

这是一篇讽刺时世的寓言体小赋。永贞年间，柳宗元受党争牵连，被贬为永州司马。此后屡遭谗毁、陷害。本文有感于中唐时期宦官擅权、奸佞当道的时弊，借道士所言的迷信传说，生动刻画了尸虫"潜窥默听"、"冥持札牍"的丑恶行径，"妒人之能，幸人之失"的卑鄙心态，"谮下谩上"、"摇动祸机"的毒辣手段，揭露和鞭挞了那些专以谗毁贤良、陷害忠臣为能事的政客，并提出以"帝功"、"帝德"来造福臣民的政治理想。

[注释]

①有尸虫三:道家认为人身中有作祟之神,叫三尸。每逢庚申的日子,向天帝诉说人的过失。三尸有不同的说法,唐段成式《酉阳杂俎》卷二记载:"三尸一日三朝,上尸青姑,伐人眼;中尸白姑,伐人五脏;下尸血姑,伐人胃命。"《道书》以为:"上尸彭琚,中尸彭质,下尸彭矫。"②籍记:登记姓名于簿册上。③飨:犒赏,赏赐。④聪明正直者为神:语出《左传》:"神,聪明正直而壹者也。"⑤殄:尽、绝。⑥俾:使。慝(tè):邪恶。

[译文]

曾经听一个道士说过:"每个人身上都有三个作祟的神,称做三尸。它们住在人的腹中,伺机探听人们的隐私和差错,并随时记录在册。每逢庚申之日,等到它们寄居的主人昏昏入睡后,急忙向天帝诉说人的过失,以便获得天帝的犒赏。因此,人们经常遭遇贬谪、身长恶疾、少壮而死等不幸。"我特别不相信这种说法,说:"我听说神是聪明正直之人。天帝是诸神中格外优异的神,那么他一定更加聪明正直,怎会去亲近那些阴暗污秽的小小尸虫,纵容它们像猕猴一样诡诈,去施展它们的欺诈手段,危害人间呢?(更不用说天帝)为了使它们高兴而犒赏它们了。这也太不合情理了。我认为,这种尸虫如果当真这样做,那么天帝一定非常生气,将把它们消灭之后扔到低洼之地,并且将它们的同类赶尽杀绝。(只有这样,才会)使芸芸众生都能安身立命,奸恶之人才不会乘机而起,这样的话天帝才能放心地当他的天帝。"

余既处卑,不得质之于帝①,而嫉斯虫之说,为文而骂之:来,尸虫!汝曷不自形其形?阴幽跪侧而寓乎人,以贼厥灵②。膏肓是处兮③,不择秽卑;潜窥默听兮,导人为非;冥持札牍兮,摇动祸机④;卑陬拳缩兮⑤,宅体险微。以曲为形,以邪为质；以仁为凶，以僭为吉⑥；以淫谀诌诬为族类⑦，以中正和平为罪疾；以通行直遂为颠蹶⑧，以逆施反斗为安逸。潛下谩上⑨，恒其心术，妒人之能，幸人之失。利昏伺睡，旁睨窃出，走谗于帝，遽入自屈⑩。幂然无声，其意乃毕。求味已口，胡人之恤。

[注释]

①质：对质，问明。②贼：残害。厥灵：他的生命。③膏肓：古代医学称心脏下部为膏，膈膜为肓。后称病重难治为膏肓之疾或病入膏肓，引申为事物的要害或关键部位。④祸机：指祸患一触即发，有如张着的机栝。⑤卑陬(zōu)：低下的角落。《庄子》："卑陬失色。"意为愧惧，颜色不自得也。⑥僭：越份而冒用在上者的职礼行事。⑦淫谀诌诬：迷惑奉承，献媚诬陷。族类：同类。⑧颠蹶：亦作颠踬，困顿挫折。⑨谮（zèn）：诬陷。谩：欺骗。⑩遽：疾速。

[译文]

我地位卑微，没有机会跟天帝对质，故而不可能问明情况，但心里很痛恨这种尸虫的做法，于是就写篇文章痛骂它们一番：

尸虫，过来！你为什么不自己显露你的形状呢？你潜藏不露，寄生在人的身上，危害他的生命。你选择居住在膏肓之间，不在乎这个地方多么污秽卑陋；你悄无声息潜伏在那里窃听人的隐私，就是想探得人的过错；你偷偷地将人的过失记录在册，目的在于制造祸端；你蜷缩在低下的角落，寄身于不为人注意的小旮旯，用心阴险，神色很不自然。你把枉曲视为合理的标准，把邪恶视为事物的本质；把仁慈看成凶残，把非分之举视为吉祥；你把迷惑奉承、献媚诬陷别人的人当成同类，把内心公正无私、心平气和之人视为罪恶和疾病；你把通行无阻、顺遂心意看成困顿挫折，把倒行逆施看成安闲舒适。欺下瞒上是你一贯的心计，(更别说经常) 嫉妒贤能、幸灾乐祸了。你常常等候和利用人昏睡之机，左顾右盼，四处窥视,偷偷溜到天帝面前大进谗言,然后又急忙进入人体将自己蜷曲起来。只有把自己隐藏得严密无声,你的意图才算达到。你只求满足自己的口味,何曾想到过怜恤别人呢!

彼修蛕恙心①,短蛲穴胃②,外搜疥疠,下索瘘痔,侵人肌肤,为己得味。世皆祸之,则惟汝类。良医刮杀,聚毒攻饵。旋死无余,乃行正气。汝虽巧能,未必为利。帝之聪明,宜好正直。宁悬嘉飨③,答汝谗愿④?叱付九关⑤,贻虎豹食。下民舞蹈,荷帝之力。是则宜然,何利之得!速收汝之生,速灭汝之精。蓐收震怒⑥,将敕雷霆。击汝酆都⑦,糜烂纵横。俟帝之命,乃施于刑。群邪殄夷,大道显明,害气永革,厚人之生,岂不圣且神钦!

[注释]

① 修蛕(huí):腹中长蛔虫。恙心:祸害心脏。② 短蛲(náo):人体肠内的寄生虫。③ 嘉飨:亦作嘉飨、嘉享,谓祭祀时神灵歆享。④ 谗愿:指专进谗言的邪恶小人。⑤ 九关:九重天门。古人认为天有九重,每一重皆有门关,故又称九天之关,简称九关。⑥ 蓐收:神名,西方白虎金正之官,司秋,执掌刑罚。《礼记·月令》孟秋之月:"其帝少皞,其神蓐收。"⑦ 酆都:旧传罗酆山洞天六宫为鬼神治事之所,道家附会谓此处是阴曹地府所在。此处代指巢穴。

[译文]

那些寄居在人腹中的长蛔虫,能祸害人的心脏;寄生在人肠内的蛲虫,则能洞穿人的肠胃。它们向人体外搜寻疥疮恶疾,向下搜索痔漏,侵入到人的肌肤之内,旨在满足自己的贪欲。举世都认为这些寄生虫是祸害,只有你们(三尸虫)把这些人体寄生虫视为同类。医术高明的医生能将深入至骨的毒性刮除,并聚集成毒饵诱杀寄生虫。寄生虫很快全被毒死,人的真气才得以畅通无阻。你尸虫虽然以巧售奸，不一定能够得利。天帝如此聪明，当然喜欢正直之人，难道会颁赐丰厚的犒赏来答谢你们这群专进谗言的邪恶丑类？天帝呵斥将你们交付把守九重天门的神灵，把你们喂食凶猛的虎豹。下界的臣民欢欣鼓舞，承蒙天帝的恩赐。这些都是你们搬弄是非的后果，你们能得到什么好处！你们快把本性收藏起来，把祸害别人的精力除掉。否则，执掌刑罚的蓐收之神一旦震怒，就会以雷霆告诫，到时候你们的巢穴就要被雷击得糜烂不堪，尸体横陈。等到天帝下达命令，就对你们施以严刑。到那时所有的奸邪小人都被消灭，公正之理得到彰显，歪风邪气永远消亡，人民生活充裕，这难道不是圣明天神的功劳吗？

祝曰[①]：尸虫逐，祸无所伏，下民百禄。惟帝之功，以受景福[②]。尸虫诛，祸无所庐，下民其苏。惟帝之德，万福来符。臣拜稽首，敢告于玄都[③]。

[注释]

①祝：古代祭祀神鬼或祖先的文辞，此处意指以言告神祈福。②景福：洪福，大福。③玄都：传说中神仙所居之处。

[译文]

祝文说：尸虫被放逐，祸害无处寄居，下界的臣民才能多福。这些都是天帝的功劳，让万民得到洪福。尸虫被诛杀，祸害无处安身，下界的臣民才能复生。这些都是天帝的恩德，让臣民幸福、和谐。微臣再行稽首大礼，面向玄都陈述心曲。

宥蝮蛇文并序[①]

家有僮，善执蛇。晨持一蛇来谒曰："是谓蝮蛇。犯于人，死不治。又善伺人，闻人咳喘步骤，辄不胜其毒，捷取巧噬肆其害。然或慊不得于人②，则愈怒，反啮草木，草木立死。后人来触死茎，犹堕指、挛腕、肿足③，为废病④。必杀之，是不可留。"

[题解]

宋代晁无咎曾将柳宗元的《骂尸虫》、《憎王孙》、《宥蝮蛇文》归于《变骚》，并且系之曰："《离骚》以虬龙鸾凤托君子，以恶禽臭物指谗佞。王孙、尸虫、蝮蛇，小人谗佞之类也，其憎之也，骂之也，投畀有北之意也；其宥之也，以远小人不恶而严之意也。盖《离骚》备此义，而宗元放之焉。"本文对毒害人类的蝮蛇名义上给予宽宥，实际上则是在看似宽宥的言辞中，对其累累罪行大张挞伐，寄予了作者对谗佞小人的愤慨之情。

[注释]

①宥（yòu）：宽恕，原谅。蝮：毒蛇名，一名反鼻，出自南方，头部略呈三角形，体色灰褐而有斑纹，鼻上有针，大者长七八尺，以鼠、鸟、蛙等为食，也能伤人畜；毒腺的毒液可治麻风病。②慊：不满，怨恨。③堕指：断掉手指。挛腕：手腕蜷曲不能伸开。④废病：卧病不起。

[译文]

我家有个僮仆善于抓蛇。有天早晨，他抓了一条蛇来拜见我说："这种蛇名叫蝮蛇。如果人被它咬过，就无法救治。这种蛇善于偷袭人，听到人的咳嗽声和脚步声，就会聚集它的毒液，敏捷地爬行，灵巧地咬人，为害作孽。但是如果它咬不到人，就会更加恼怒怨恨，反过来咬啮草木，草木马上就会枯死。后来的人接触到枯死的草木，还会导致手指断掉、手腕蜷曲、脚步肿痛，最终卧病不起。一定要杀掉它，这种蛇坚决不能让它活命。"

余曰："汝恶得之？"曰："得之榛中①。"曰："榛中若是者可既乎？"曰："不可，其类甚博。"余谓僮曰："彼居榛中，汝居宫内②，彼不即汝，而汝即彼，犯而斗死以执而谒者，汝实健且险，以轻近是物。然而杀之，汝益暴矣。彼耕获者③，求薪苏者④，皆土其乡，知防而入焉，执耒、操鞭、持芟⑤，扑以远其害。汝今非有求于榛者也，密汝居，易汝庭，不凌奥⑥，不步暗⑦，是恶能得而害汝？且彼非乐为此态也，造物者赋之形，阴与阳命之气，形甚怪僻，气甚祸贼⑧，虽欲不为是不可得也。是独可悲怜者，又孰能罪而加怒焉？汝勿杀也。"

[注释]

①榛：丛杂的草木。②宫：房屋。③耕获：耕种与收获。④薪苏：樵采。⑤耒：古代称犁上的木把。芟（shān）：割草，引申为除去。⑥凌：渡过，越过。奥：室内的西南角，泛指房屋及其他深处隐蔽的地方。⑦步暗：指行走在阴暗无光的地方。⑧祸贼：作祸残害。

[译文]

我说："你从哪里捉到它的呢？"僮仆回答说："在草木丛中捉到的。"我说："草木丛中像这样的毒蛇能捉住吗？"他回答说："不能，毒蛇的种类太多了。"我告诉僮仆说："它住在草木丛中，你住在你的房屋里，你不招惹它，它也不招惹你。现在你冒着生命危险跟它搏斗，目的在于捉住它而来拜见我，你确实健壮而且以身犯险，来接近这个东西。但是现在你如果杀了它，显得你更加残暴了。那些耕作的农人，那些打柴的樵夫，都用土加固自己的房屋，知道防备毒蛇进入居室，分别拿着犁上的木把、赶牛的鞭子、割草的镰刀等农具，将毒蛇赶走以远离其残害。你现在既不需要砍伐草木来加固你的房屋、重修你的庭院，也不用穿越僻静的角落，不用行走在阴暗无光的地方，毒蛇怎么能够残害到你呢？况且毒蛇并不是自己乐意生成现在的形状，而是大自然赋予它这种形状，阴阳二气造就了它的生命，它的外形很稀奇古怪，天性就是作祸残害其他事物，即使它不想这样做也是不可能的。它本来就是令人可悲可叹的东西，又怎么能怪罪它并且迁怒于它呢？你不要杀它！"

余悲其不得已而所为若是，叩其脊，谕而宥之①。其辞曰：

吾悲夫天形汝躯，绝翼去足，无以自扶，曲脊屈胁②，惟行之纤。目兼蜂虿③，色混泥涂，其颈蹙恶④，其腹次且⑤，搴鼻钩牙，穴出榛居。蓄怒而蟠，衔毒而趋⑥，志蕲害物，阴妒潜狙。汝之禀受若是⑦，虽欲为蛙为螾⑧，焉可得已？凡汝之为恶，非乐乎此，缘形役性，不可自止。草摇风动，百毒齐起，首拳脊努，呻舌摇尾⑨。不逞其凶，若病乎己。世皆寒心，我独悲尔。

[注释]

①谕：告诉，使人知道（一般用于上对下）。②脊（lǚ）：脊梁骨。胁：从腋下到肋骨尽处的部分。③蜂虿（chài）：蜂和虿，都是有毒刺的螫虫，比喻狠毒凶残。④蹙：皱，收缩。恶：惭愧，畏缩。⑤次且：犹豫不进貌。⑥趋：蛇伸头咬人。⑦禀受：承受，常指受于自然的体性或气质。⑧螾：古同"蚓"，蚯蚓。⑨呻（rán）：咀嚼的样子。

[译文]

蝮蛇本性喜欢作祸害人，我为其所作所为而悲悯，敲打着这条蝮蛇的脊背，告诉它宽恕它的原因。内容如下：

我为上天赋予你蝮蛇的躯体而悲悯，你被削去翅膀和双脚，使你无法支撑自己的身体，蜷曲着脊骨和肋骨，只能匍匐在地，迂回行走。你的眼睛长着毒刺，眼神透着浑浊，颈部畏畏缩缩，腹部犹豫不进，鼻子上翘，牙齿倒钩，出入在洞穴和草木丛中。你将满腔的怨怒蓄积在心中而屈曲盘伏，嘴里含着剧毒等待时机伸头咬人，生平的愿望就是残害其他东西，不动声色地嫉妒和窥伺他人。你的禀性如此，即使想做蛤蟆或蚯蚓一类的动物，又怎么可能实现呢？你所有作恶的行为，并不是喜欢这样做，而是因为你的外形驱使着你的本性，自己无法控制（不去做这些事）。草木随风摇摆，各种毒性一起发挥威力,你的脑袋蜷缩脊背弓起,趁机口吐毒液,摇头摆尾。如果不行凶作恶,你就好像病恹恹的无精打采。世人提起你都会因恐惧而惊心,只有我十分怜悯你。

吾将薙吾庭①,葺吾楹,窨吾垣②,严吾扃③,俾奥草不植④,而穴隙不萌。与汝异途,不相交争。虽汝之恶,焉得而行?嘻!造物者胡甚不仁,而巧成汝质。既禀乎此,能无危物?贼害无辜,惟汝之实。阴阳为沴,假汝忿疾。余胡汝尤,是戮是挞⑤。宥汝于野,自求终吉。彼樵竖持芟⑥,农夫执耒,不幸而遇,将除其害,余力一挥,应手糜碎。我虽汝活,其惠实大。他人异心,谁释汝罪?形既不化,中焉能悔?呜呼悲乎!汝必死乎?毒而不知,反讼其内⑦。今虽宽焉,后则谁贳?阴阳尔,造化尔?道乌乎在?可不悲欤!

[注释]

①薙(tì):除草。②窨:把东西贮藏起来。③扃(jiōng):从外面关门用的门闩。④奥草:茂密的荒草。⑤挞(chì):用鞭、杖或竹板之类的东西打。⑥樵竖:砍柴的小孩子。竖,即竖子,小孩子。⑦讼:古同"颂",颂扬。

[译文]

我要除去庭院里的杂草,修葺好堂前的房屋,把院墙垒得像地窖一样密不透风,紧紧关闭庭院大门,不让院内长出茂密的荒草,不让墙缝内冒出草芽。我与你走的不是同一条路,不会与你产生纷争。即使你非常凶恶,又怎能伤害到我?唉!上天是多么不仁义啊,竟然巧妙地让你生成这样的资质。既然你禀性如此,怎能不危害其他事物呢?祸害其他无辜的生物,确实是你的唯一的天性。天气阴阳的变化使你产生乖张的行为,通过你的躯体以表达上天的愤怒憎恨。我为什么要责备你,应该杀掉你还是击打你。我还是宽恕你吧,放你回归原野,你还是祈求上天保佑你能平安无事吧。那些打柴的孩子手持树枝,耕田的农夫手拿犁把,你如果不幸遇上他们,他们就会铲除祸害,使劲挥动手中的棍棒,手起棒落就将你打得稀烂。我虽然救活你的命,你得到的实惠更大。其他人的想法跟我大不相同,又有谁能抛开你的罪过不问呢?你的形体既然不能变化,本性又怎能悔改呢?呜呼哀哉!你一定要死吗!你在不知不觉中毒害了别人,内心反而自我夸赞。如今我虽然宽恕了你,以后还有谁给予你这样的机会呢?是阴阳之气,还是自然造化?公理在哪里呢?能不令人悲愤吗?

憎王孙文并序①

猨、王孙居异山②,德异性,不能相容。猨之德静以恒③,类仁让孝慈。居相爱,食相先,行有列,饮有序。不幸乖离④,则其鸣哀。有难,则内其柔弱者。不践稼蔬。木实未熟,相与视之谨;既熟,啸呼群萃,然后食,衎衎焉⑤。山之小草木,必环而行遂其植,故猨之居山恒郁然⑥。王孙之德躁以嚣,勃诤号呶⑦,唶唶强强⑧,虽群不相善也。食相嚙啮,行无列,饮无序。乖离而不思。有难,推其柔弱者以免。好践稼(蔬),所过狼藉披攘。木实未熟,辄龁龅投注⑨。窃取人食,皆实其嗛⑩。山之小草木,必凌挫折挽,使之瘁然后已。故王孙之居山恒蒿然⑪。以是猨群众则逐王孙,王孙群众亦苲猨。猨弃去,终不与抗。然则物之甚可憎,莫王孙若也。余弃山间久,见其趣如是,作《憎王孙》云。

[题解]

这是一篇寓言式的骚体杂文。东汉楚辞学家王逸之子王延寿,曾作

《王孙赋》云:"有王孙之狡兽,形陋观而丑仪,颜状类乎老公,躯体似乎小儿。储粮食于耳颊,稍委输于胃脾。同甘苦于人类,好铺糟而啜醨。"柳宗元写作此文,其名出于王延寿之《王孙赋》,其义则承袭了屈原《离骚》之精神。

[注释]

①王孙:即猢狲,猴的别称,脸像老头,躯体像小孩,极为丑陋。②猱:同"猿",猴类。③静:安静。以:而且。恒:持久不变。④乖离:失散、离散。⑤衎(kàn)衎:和乐的样子。⑥郁然:草木繁盛的样子。⑦勃诤:乱打乱闹。呶(náo):喧闹。⑧嘖(zè)嘖:大声呼叫。强强:互相追逐。⑨龁龅(hé yǎo)投注:乱咬乱扔。⑩嗛(qiǎn):猴嘴里两腮上贮存食物的地方。⑪芜然:荒芜衰败的样子。

[译文]

猿与王孙居住在不同的地方,因为它们性格不同,互不相容。猿的德行很像人类,喜欢安静而且持久不变,仁义礼让、孝亲慈祥。它们平时相处彼此相爱,吃东西互相谦让,走路排成行,喝水有先后。如果有同伴不幸失散,其他猿的叫声就非常哀伤。遇到危难的时候,它们总是先把年小体弱者围在中间加以保护。猿从来不践踏庄稼和蔬菜。树上的果实如果还未成熟,就共同谨慎地守护着;果实成熟以后,你呼我叫地把猿群聚集在一起,然后才开始吃,一派和乐融融的景象。看见山中幼小的花草树木,必定绕着走,不妨碍其生长。因此猿居住的山上,总是草木繁盛。王孙的德行却非常暴躁而且喧嚣,动不动就乱打乱吵,大声呼叫,互相追逐喧闹,虽然群居在一起,却难以和睦相处。吃东西时互相撕咬,走路、饮水均争先恐后,互不相让。即使同伴失散也无动于衷。遇到危难的时候,就抛弃年小体弱者而自己逃命。平日喜欢践踏庄稼蔬菜,只要是王孙经过之处,必定杂乱不整。不等树上的果实成熟,它们就乱咬乱扔。偷窃人们种植的果实,都是把自己两腮上的嗛装得满满的。看见山坡上的幼小树木,都是乱折乱扯,不把树木摧残死不罢休,所以王孙居住的山上经常是荒芜衰败的景象。因此猿群聚集在一起就驱逐王孙,王孙群居的时候也撵着咬猿。猿一般都是放弃与王孙争斗,离开那里。由此看来,动物中没有什么比王孙更可恨的了。我被贬官到永州山中很久了,知道了王孙的生活习性,就作了下面的这篇《憎王孙》文。

湘水之潋潋兮①,其上群山。胡兹郁而彼瘵兮,善恶异居其间。恶者王孙兮善者猨,环行遂植兮止暴残。王孙兮甚可憎!噫,山之灵兮②,胡不贼旃③?跳踉叫嚣兮④,冲目宣龂⑤。外以败物兮,内以争群。排斗善类兮,哗骇披纷。盗取民食兮,私己不分。充嗛果腹兮,骄傲驩欣⑥。嘉华美木兮硕而繁,群披竞啮兮枯株根。毁成败实兮更怒喧,居民怨苦兮号穹旻⑦。王孙兮甚可憎!噫,山之灵兮,胡独不闻?

[注释]

①湘水:即湘江,湖南省境内最大的河流,长江的主要支流之一。潋(yóu)潋:水流貌。②山之灵:指山神。③贼:惩罚。旃:之焉,指王孙。④跳踉(liáng):跳跃。⑤冲目:怒目,瞪眼。宣:露。龂(yín):牙根肉。⑥驩:通"欢"。⑦穹旻(mín):上天。

[译文]

湘水悠悠流淌,其两边是起伏的群山。为什么湘水这边郁郁葱葱,而那边衰败荒芜呢?因为善良的猿居住在这边,而可恶的王孙居住在那边。可恶的是王孙,善良的是猿,猿看见小树木绕着走,植物得以自由生长,而却被王孙摧残。王孙实在太可恨了!啊,山神啊,您为什么不惩罚王孙呢?王孙上蹿下跳,非常嚣张,对人龇牙咧嘴,怒目而视。对外破坏林木、庄稼、蔬菜,对内与同伴争斗不断。它们善于排斥异己,动不动就闹得喧哗骚动,争斗混乱。它们极度自私,偷来粮食就自己占有,从不分给同群的伙伴。它们把偷来的东西藏在自己嗛内，留作自己吃饱肚子之用，却忍不住自鸣得意。美丽的大树上鲜花朵朵，果实累累，王孙争相去咬，很快使得树死根枯。它们毁树咬果，喧闹不堪，劳苦百姓怨声载道，哭求上天来庇佑。王孙们太可恨了。啊，山神啊，为什么您偏偏听不到我的祈求呢？

猨之仁兮，受逐不校①。退优游兮②，惟德是效。廉来同兮圣囚③，禹稷合兮凶诛④。群小遂兮君子违⑤，大人聚兮蘖无余⑥。善与恶不同乡兮，否泰既兆其盈虚⑦。伊细大之固然兮⑧，乃祸福之攸趋。王孙兮甚可憎！噫，山之灵兮，胡逸而居？

[注释]

①校（jiào）：计较。②优游：悠然自得。③廉来：廉指飞廉，来即恶来，乃飞廉之子。父子二人皆是商纣王的臣子，善于毁谗。圣囚：指被商纣王囚禁于羑里的周文王。④禹稷：夏禹和后稷。二人皆是舜时的大臣。相传尧舜时代有四个恶名昭彰的部族首领，即浑敦、穷奇、梼杌（táo wù）、饕餮（tāo tiè）。舜集夏禹和后稷之力征服了他们，把他们流放到荒远之地，天下才得平安。一说四凶为共工、驩兜、三苗和鲧。⑤遂：竟进。违：离去。⑥蘖：树木砍去后从残存茎根上长出的新芽，泛指植物近根处长出的分枝，此处比喻恶人的余党。⑦否（pǐ）泰：本为《易经》中的两个卦名，否卦为不吉，泰卦为吉利。后人遂用"否泰"代指命运的好坏和事情的顺逆。⑧细大：小人和君子。

[译文]

猿类非常仁义，被王孙驱逐却不计较。它们从原来所居住的山上离开，仍悠然自乐，只有这种德操才值得仿效啊。飞廉、恶来父子同进谗言，周文王就被商纣王囚禁在羑里；夏禹和后稷联合起来，四凶才被舜惩处（，流放边疆），使得天下太平。一群小人在朝野争先竞进，正人君子无奈离去；正人君子聚集在朝廷，恶人的余党才能清除干净。自古以来善良之人与邪恶之辈不能共处一室，

（国家）命运的幸与不幸即在善恶力量的消长变化中表现出来。小人与君子的关系本来如此，他们之间斗争的结果决定着是福还是祸。王孙真是可恨啊！啊，山神啊，您为什么还能安然坐视、无动于衷呢？

箴戒铭

师友箴并序①

今之世,为人师者众笑之,举世不师,故道益离②;为人友者,不以道而以利,举世无友,故道益弃。呜呼!生于是病矣③,歌以为箴。既以儆己,又以诫人。

不师如之何,吾何以成!不友如之何,吾何以增!吾欲从师,可从者谁?借有可从,举世笑之。吾欲取友④,谁可取者?借有可取,中道或舍。仲尼不生,牙也久死⑤,二人可作,惧吾不似。中焉可师⑥,耻焉可友,谨是二物,用惕尔后。道苟在焉,佣丐为偶;道之反是,公侯以走。内考诸古,外考诸物,师乎友乎,敬尔毋忽!

[题解]

唐代中叶,士林之中"耻于相师"的风气愈演愈烈。柳宗元有感于当时学风不正、师友之道沦丧,写下这篇规诫性的文章,充分肯定良师益友的重要作用,倡言全社会都应尊师重道。

[注释]

①箴:古代的一种文体,以告诫规劝为主题。②道:学术或宗教的思想

体系,此处指儒家尊师重友的道德风尚。离:背离、偏离。③病:担忧。④取友:选择朋友,交友。《孟子·离娄章》:"尹公之他,端人也,其取友必端矣。"⑤牙:指春秋时齐人鲍叔牙,初与管仲为友,后向齐桓公推荐管仲,相桓公九合诸侯而成霸业。杜甫《贫交行》诗云:"君不见管鲍贫时交,此道今人弃如土。"后世言人之相交,必称管鲍。⑥中焉:忠贞诚信的人。

[译文]

当今社会(的世风每况愈下),当老师的总受到众人的讥笑,全社会的人都不愿意做老师,因而造成轻视知识、偏离正道的后果;与人交朋友,不是遵循道义而是以利害关系为标准,以至于全社会都没有真正的朋友,因此良好的道德风气进一步被抛弃。可惜呀!我非常担忧这种状况,就写下这篇箴文以言志,既用以警示自己,又用以告诫芸芸众生。

(一个人如果)没有良师的教诲,就不可能成才;没有益友的辅助,就不能增长知识和才干。我想要跟随老师学习,但谁值得我师从呢?即使找到可以当我老师的人,却会受到全社会的讥笑。我想要交个好朋友,但又该选择什么样的朋友呢?即便已经交结的朋友,半路或许又分开了。当今社会已经没有孔子那样的老师,也没有鲍叔牙那样的朋友,即使这两个人可以做我的老师和朋友,恐怕我也不一定能符合他们的选择标准。忠贞诚信之人可以作为老师,知耻守廉之人可以结为朋友。谨慎地对待这两种标准,可以警示你们以后的生活道路。如果尊师重道的社会风气还存在,即使是地位卑下的贫穷之人也能相谈甚欢;如果社会道德风尚每况愈下,就算是官高位显的达官贵人也会扭头就走,不与交谈。无论是推求古代的仁人志士,还是考证于现实的万事万物,良师益友都非常值得尊敬,请你一定不要忽视。

三戒并序①

吾恒恶世之人,不知推己之本②,而乘物以逞③,或依势以干非其类④,出技以怒强,窃时以肆暴⑤,然卒迨于祸⑥。有客谈麋、驴、鼠三物,似其事,作《三戒》。

[题解]

本文是柳宗元被贬做永州司马期间所作的三篇警世小品文。柳宗元借麋、驴、鼠三种动物寓言,揭示那些自命高贵的豪门望族、徒有其表的达官显宦和恃宠作恶的宦竖恶奴的丑恶行径与下场,寓意深刻,具有强烈的现实讽刺意义。

[注释]

①戒:古代的一种文体,以警告性的言辞作为告诫。其文体有韵文、散文两种。三戒:三件足以引起警戒的事情。②推:推究,考察。本:根源,引申为本身的实际能力。③乘:凭借。物:指客观时势。④干:干犯,接触。⑤窃时:趁机。肆暴:肆意施行暴力。⑥迨(dài):及,至。

[译文]

我始终憎恶社会上的某些人,不懂得考察自身的实际能力,却凭借外界力量而为所欲为。有的人依靠外界力量去触犯与自己不同类的人,故意显露自己的技能令强者发怒,趁机肆意施暴,但这些人最终却遭到灾祸。有位客人谈到麋、驴、鼠这三种动物,与上述事情相类似,因此就写了《三戒》这篇文章。

临江之麋①

临江之人,畋得麋麑②,畜之。入门,群犬垂涎,扬尾皆来。其人怒,怛之③。自是日抱就犬,习示之,使勿动,稍使与之戏。积久,犬皆如人意。麋麑稍大,忘己之麋也,以为犬良我友④。抵触偃仆,益狎⑤。犬畏主人,与之俯仰甚善⑥,然时啖其舌。三年,麋出门,见外犬在道甚众,走欲与为戏。外犬见而喜且怒,共杀食之,狼藉道上⑦。麋至死不悟。

[注释]

①临江:唐代县名,属江南东道吉州,即今江西清江境。麋:鹿的一种,形稍大于鹿。②畋(tián):打猎。麋麑(ní):幼鹿。③怛(dá):恐吓、吓唬。④良:真的是,确实是。⑤狎:亲昵,不庄重。⑥俯仰:周旋,迎合。⑦狼藉:散乱的样子。

[译文]

临江有个人,打猎时获得一头幼鹿,没有杀死带回家喂养。回到家中,一群家犬对这头小鹿垂涎欲滴,都摇头摆尾绕着它转。主人很生气,吓唬那群狗。从此开始每日抱着小鹿接近狗,经常给狗看,不让狗咬麋鹿,慢慢地让狗与麋鹿戏耍。长此以往,狗都能顺从主人的意愿(,跟这头小鹿和睦相处)。这头幼鹿渐渐长大,忘记自己是麋鹿了,认为狗真是自己的好朋友。麋鹿与狗嬉戏玩耍,有时用头顶撞,有时卧倒趴下,行为更加亲昵。那些家犬害怕主人,于是对那头麋鹿迎合顺从,但家犬很想吃它却又只能强忍着,故而常常舔咂自己的舌头。过了三年,有一天,这头麋鹿来到门外,看见道路上有很多狗,麋鹿跑过去想与它们一起戏耍。群狗看见麋鹿既高兴又愤怒,一拥而上咬死麋鹿并把它吃掉,(被吃剩的麋鹿的尸骨)散乱满地。那头麋鹿到死也不明白自己被狗吃掉的真正原因。

黔之驴①

黔无驴,有好事者船载以入。至则无可用,放之山下。虎见之,庞然大物也②,以为神。蔽林间窥之,稍出近之,慭慭然莫相知③。他日，驴一鸣，虎大骇，远遁，以为且噬己也④，甚恐。然往来视之，觉无异能者⑤。益习其声，又近出前后，终不敢搏。稍近，益狎，荡倚冲冒⑥，驴不胜怒，蹄之。虎因喜，计之曰："技止此耳！"因跳踉大㘎⑦，断其喉，尽其肉，乃去。噫！形之庞也类有德，声之宏也类有能。向不出其技，虎虽猛，疑畏，卒不敢取。今若是焉，悲夫！

[注释]

①黔：唐开元二十五年（737年）置黔中道，为开元十五道之一，辖境包括今湖北西南部、重庆东南部、贵州北部、湖南西北部，治所黔州，在今重庆彭水。②庞然：高大的样子。③慭（yìn）慭然：恭敬谨慎的样子。④噬：咬。⑤异能：特殊的本领。⑥荡倚冲冒：碰撞接近，冲击冒犯。⑦㘎（hǎn）：虎怒吼、吼叫。

[译文]

黔州本不出产驴，有个好事的人用船载了一头驴到黔州。运到之后却没有用处，就把它释放到山下。有一只老虎看见了驴，见它形体高大，以为是神物。老虎躲藏在树林内，偷偷窥视这头驴，渐渐出来接近它，表现出非常恭敬的样子，可是对驴仍一无所知。有一天，驴高叫一声，老虎非常害怕，远远地逃走了，认为驴要咬它，很是恐惧。但通过来来回回多次观察，觉得驴并没有特殊的本领。老虎越来越习惯驴的叫声，又靠近驴的周围活动，但最终还是不敢与驴搏斗。老虎走得离驴更近了，对其态度更加亲近而不庄重，对驴采用冲撞、偎依、撞击、冒犯等方法进行试探，驴不堪忍受虎的戏弄，怒不可遏，用蹄子踢老虎。老虎于是非常高兴，盘算这件事说："驴的本领不过如此呀！"于是老虎便跳跃起来，大声吼叫着，咬断驴的喉咙，吃光驴肉才离去。唉！驴形体高大，好像很有德行；声音洪亮，好像很有本领。假如驴不显露其（只会用蹄子踢的）技能，老虎即使勇猛，但因为怀疑驴有德有能而心生畏惧,最终不敢捕取。驴现在落得这般下场,真是可悲啊!

永某氏之鼠①

永有某氏者,畏日②,拘忌异甚。以为己生岁直子③,鼠,子神也。因爱鼠,不畜猫犬,禁僮勿击鼠。仓廪庖厨,悉以恣鼠不问④。由是鼠相告,皆来某氏,饱食而无祸。某氏室无完器,椸无完衣⑤,饮食大率鼠之余也。昼累累与人兼行,夜则窃啮斗暴,其声万状,不可以寝,终不厌。数岁,某氏徙居他州。后人来居,鼠为态如故。其人曰:"是阴类恶物也⑥,盗暴尤甚,且何以至是乎哉!"假五六猫,阖门撤瓦灌穴,购僮罗捕之⑦。杀鼠如丘,弃之隐处,臭数月乃已⑧。呜呼!彼以其饱食无祸为可恒也哉!

[注释]

①永:永州。某氏:某人。②畏日:怕触犯日辰忌讳。旧时迷信,对日辰有所忌畏而不敢有所举动。③生岁直子:出生的年份正当子年。古代以干支纪年,又以十二种动物与十二地支相配,以人的生年确定他所属的生肖。子为十二地支的第一位,生肖为鼠。④悉:完全。恣:纵任,放任自流。⑤椸(yí):衣架。⑥阴类恶物:穴居而避人之物。⑦购僮:花钱雇人,以求奖励。罗捕:到处捕杀。⑧臭:同"臭"。

[译文]

永州有个人,很怕触犯日辰忌讳,特别拘泥于禁忌。他认为自己生于子年,鼠是子神。故而他很喜欢老鼠,家里不养猫狗,并且禁止僮仆袭击老鼠。他家的仓库和厨房全部任由老鼠糟蹋而从不过问。因此老鼠们奔走相告,都来到这个人家里安身,饱食终日却不用担心会遭祸殃。他家的家具和衣服全被老鼠咬坏,日常吃的喝的大都是老鼠吃剩下喝剩下的东西。老鼠白天连续不绝地与人同时行动，夜晚盗咬器物搏斗捣乱，各种叫声不可名状，吵得主人难以睡觉，却始终不讨厌它们。过了几年，这个永州人迁居到别的地方。后来又有人住在这个人原来的地方，老鼠的活动和从前一样。新主人说："这些在阴暗处穴居活动的坏东西，糟蹋器物特别厉害，怎么能猖獗到这种程度啊？"主人于是就借来五六只猫，关闭门窗，搬走各种器皿，往老鼠洞中灌水。又花钱雇人，在住所内到处捕捉老鼠。他们杀死的老鼠堆得像小山丘一样高，并把老鼠尸体丢弃在僻静处，过了好几个月臭气才散发尽。唉！那些老鼠还认为终日饱食没有祸端的日子能够永久不变呢！

涂山铭并序[①]

惟夏后氏建大功[②]，定大位，立大政，勤劳万邦，和宁四极[③]，威怀之道，仪刑后王[④]。当乎洪流方割[⑤]，灾被下土，自壶口而导百川[⑥]，大功建焉。虞帝耄期[⑦]，承顺天眷，自南河而受四海[⑧]，大位定焉。万国既同，宣省风教，自涂山而会诸侯[⑨]，大政立焉。功莫崇乎御大灾，乃赐玄圭[⑩]，以承帝命；位莫崇乎执大象[⑪]，乃辑五瑞[⑫]，以建皇极[⑬]；政莫先乎齐大统，乃朝玉帛，以混经制[⑭]。是所以承唐、虞之后[⑮]，垂子孙之丕业，立商、周之前，树帝王之洪范者也[⑯]。

［题解］

本篇旨在讴歌大禹治水的丰功伟绩。

［注释］

①涂山：传说中禹会诸侯及娶妻的地方，具体位置说法不一，一说在今浙江西北，一说在安徽蚌埠西。铭：铸刻或写在器物上记述生平、事迹或警戒

自己的文字,古代多刻于钟鼎,秦汉以后,或刻于石碑,后来逐步发展成一种文体。②夏后氏:也称夏后或夏氏,指禹建立的夏王朝。③和宁:使和平安宁。四极:指国家的四周边境。④仪刑:效法,法式。后王:君主,天子。⑤洪流:巨大的水流。方割:普遍为害。⑥壶口:山名,在今山西乡宁县内旧吉县境西南。黄河北来,至此倾泻于西崖,悬注如壶,故名壶口。百川:江河湖泽的总称。⑦耄期:八十岁至九十岁。古时候,以八十至九十岁为耄。⑧南河:古代称黄河自今潼关以下由西向东流的一段为南河。《孟子·万章上》记载,舜避尧之子于南河之南,讼狱讴歌者,不之尧之子而之舜,然后之中国践天子位焉。此处以之为禹的事迹,似乎有误。⑨自涂山而会诸侯:据《左传·哀公七年》记载:禹会诸侯于涂山,执玉帛者万国。晋皇甫谧《帝王世纪》云:"今九江当涂有禹庙,则涂山在淮南。"⑩玄圭:一种黑色的玉器,上尖下方,古代用以赏赐建立特殊功绩的人。⑪大象:大道,常理。⑫五瑞:即五玉,古代诸侯作符信用的五种玉。⑬皇极:帝王统治天下的准则,即所谓大中至正之道。⑭经制:治国的制度。⑮唐:古代传说中由尧建立的朝代名。虞:古代传说中由舜建立的朝代名。⑯洪范:大法,楷模。

[译文]

　　自从禹建立了夏王朝,确立帝位,制定出国家的大政方针,辛勤地治理天下万邦,使国家的四周边境和平安宁。他威德并用,堪称后代君主效法的榜样。当时尧在位之时,黄河流域洪水泛滥成灾,天下百姓深受洪水之害。禹率领众人从壶口挖通河道,把洪水导入江河湖泽,终于治理好黄河,为人民建立了伟大的功业。舜帝年事已高,禹对他既恭敬顺从,又恳切真诚,在南河一带接受了舜的禅让,继舜之后任部落联盟的首领。禹统一天下之后,巡视全国的风俗教化,在涂山与许多部落首领会盟,确立了夏朝的正统。自古以来,没有比能抵御重大的自然灾害功劳更大的人了,大禹治水有功,于是被赐予象征着重大功绩的玄圭,来承继天命。没有比掌握大道常理在百姓心目中地位更崇高的人了,禹将众位诸侯作符信用的五种玉聚集在一起,来建立帝王统治天下的准则。治理国家事务没有比统一国家的大业更重要的了，禹乃使众诸侯都携带玉帛来朝拜，商定治国的制度。禹正是凭借这些，继尧、舜之后为后世子孙建立了大业，在商朝和周朝建立之前为后代帝王确立了应予遵守的规范。

呜呼，天地之道尚德而右功，帝王之政崇德而赏功。故尧、舜至德，而位不及嗣，汤、武大功①，而祚延于世。有夏德配于二圣，而唐、虞让功焉；功冠于三代②，而商、周让德焉。宜乎立极垂统，贻于后裔；当位作圣，著为世准。则涂山者，功之所由定，德之所由济，政之所由立，有天下者宜取于此。追惟大号既发③，华盖既狩④，方岳列位⑤，奔走来同，山川守神⑥，莫敢遑宁⑦，羽旄四合⑧，衣裳咸会⑨，虔恭就列，俯偻听命。然后示之以礼乐，和气周洽；申之以德刑，天威震耀。制立谟训⑩，宜在长久。

[注释]

①汤、武：商朝的开国君王汤和周朝的开国君主周武王。②三代：指夏、商、周三个朝代。③追惟：亦作追维，意谓追忆、回想。大号：国号、帝号。④华盖：帝王车驾的伞形顶盖。狩：古同"守"，指帝王视察诸侯所守的地方。⑤方岳：传说尧命羲和四子掌四岳，称四伯；至其死乃分岳事，置八伯，主八州之事；后因称任专一方之重臣为"方岳"。⑥山川守神：据《国语·鲁语》记载，吴伐越，堕会稽，获骨焉，节专车。吴子使来聘，问之仲尼。仲尼曰："丘闻之，昔禹致群神于会稽之山，防风氏后至，禹杀而戮之，其骨节专车，此为大矣。"客曰："敢问谁守为神？"仲尼曰："山川之守，足以纪纲天下者，其守为神，社稷之守为公侯者也。"⑦遑宁：安逸，安宁。⑧羽旄：古时常用鸟羽和旄牛尾为旗饰，故亦为旌旗的代称。四合：四方配合，四面响应。⑨衣裳咸会：语出《穀梁传·庄公二十七年》："衣裳之会十有一，未尝有歃血之盟也，信厚也。"指国与国之间以礼交好之会，相对"兵车之会"而言。⑩谟训：谋略和训诲。

[译文]

唉！天地之间的法则在于崇尚高尚的品质而且尊崇功劳，帝王的政治权术则推崇道德并按功行赏。因此，尧、舜二帝虽然达到道德的至高境界，却不能将王位传给自己的子孙；商汤和周武王功高盖世，却能将皇位传承于后世子孙。夏禹的德行可与尧、舜二帝相匹配，尧、舜二帝的功劳却不如他大；夏禹的功劳为夏、商、周三代之首，商朝与周朝帝王的德行却比不上他。夏禹应该登帝位，秉国政，把基业留传下去，让自己的后世子孙承袭皇位；他应担任圣人之职，作为世人的楷模和准绳。因此涂山可以看做是禹建功立业、德济天下、治理国家事务的象征，拥有天下的君主都应当效法他。遥想当初大禹初定王位之时，巡察天下的车驾顶盖浩浩荡荡，四方诸侯各司其位，争先恐后前来归附，没有谁敢坐享安逸，无动于衷。四方诸侯一呼百应，各国之间以礼交好，虔诚恭敬地迎接禹的巡察，俯首听命于他。巡察之后，大禹对各诸侯国以礼乐相待，遍施恩德，使他们尊卑有序、远近和合；用恩泽与刑罚两种手段来说明自己的执政方针，使帝王的威严辉耀四方。大禹制定了治国谋略，理应长久地流传下去。

厥后启征有扈①，而夏德始衰；羿距太康②，而帝业不守。皇祖之训不由，人亡政坠，卒就陵替③。向使继代守文之君，又有绍其功德，修其政统，卑宫室，恶衣服，拜昌言，平均赋入，制定朝会，则诸侯常至，而天命不去矣。兹山之会④，安得独光于后欤？是以周穆遐追遗法⑤，复会于是山，声垂天下，迹绍前轨，用此道也。故余为之铭，庶后代朝诸侯制天下者，仰则于此。

[注释]

①启：亦称夏后启、夏后开，姒姓，禹之子。相传禹命伯益继位为王，

禹死后，伯益推让，退隐箕山，启遂继王位，在位九年。有扈：即有扈氏，夏初部落名，位于今河南原阳一带。一说在今陕西户县一带，或说为东夷少昊族的九扈部落。启即位后，有扈氏不服，启遂与有扈战于甘之野，作《甘誓》。②太康：夏启之子。太康即位后，荒淫奢华，喜好田猎，不恤民事，被大臣羿驱逐出境，不得返国。③陵替：衰败。④兹山：指涂山。兹，这，这个。⑤周穆：指周穆王，周昭王之子，曾西击犬戎，东征徐戎。周穆王在位时，曾效法大禹，大会诸侯于涂山。

[译文]

此后，禹的儿子夏启征伐有扈，夏朝的恩德才开始衰减；夏启的儿子太康荒废国政，不体恤民间疾苦，被羿放逐，无法回到国都，夏朝的帝业不能坚守。禹的子孙不能坚持禹为政爱民的政策，导致政权颠覆，自己身败名裂，最终使国家衰败。假使禹的继承者能够坚守禹制定的大政方针，又能够继承他的功业和道德品质，不断完善他的政治策略，不大修宫室，不追求华丽的服饰，尊重敢于直言的大臣，降低赋税，制定和执行诸侯、臣属及外国使者朝见天子的规章制度，那么诸侯一定会经常来觐见，夏朝的统治就不会结束了。涂山会盟又怎能独自光耀千秋万世呢？因此若干年后，周穆王还追怀禹遗存下来的法度，再次在这里会盟，名声传遍天下，他的行为延续着前人的轨迹，也是实践着威德并用的道理啊。因此我写了这篇铭文，但愿后世能令诸侯朝拜、统治天下的人，能够在这里瞻仰大禹（并学习他恩威并施的治国方略）。

辞曰：惟禹体道①，功厚德茂。会朝侯卫②，统壹宪度。省方宣教，化制殊类。咸会坛位，承奉仪矩。礼具乐备，德容既孚。乃举明刑，以弼圣谟③。则戮防风④，遗骨专车。克明克威，畴敢以渝。宣昭黎宪⑤，耆定混区⑥。传祚后胤⑦，丕承帝图。涂山岩岩，界彼东国⑧。惟禹之德，配天无极。即山刊碑，贻后训则。

[注释]

①体道：躬行正道。②会朝：诸侯或群臣朝会盟主或天子。侯卫：本指自侯服至卫服之地，借指侯服至卫服之间的诸侯，即五等诸侯。③圣谟：本指圣人治天下的宏图大略，后多为称颂帝王谋略之词。④防风：古代传说中部落酋长名。《国语·鲁语下》："丘闻之，昔禹致群神于会稽之山，防风氏后至，禹杀而戮之，其骨节专车。"韦昭注："防风，汪芒氏之君名也。"⑤宣昭：宣扬、显扬。黎宪：亦作黎献，指黎民中的贤者。⑥耆定：平定。混区：诸侯割据的局面。⑦传祚：流传后世，此处指帝位相传。后胤：后裔。⑧东国：东方之国，上古时期指齐、鲁、徐夷等国。

[译文]

铭文写道：大禹躬行正道，丰功伟绩，德泽厚重。召集诸侯会盟，统一法度。巡视四方，宣扬教导，教化少数民族的百姓。除地为坛，设置席位，礼遇诸侯。上承天命，奉行各种仪法规矩。礼仪和音乐都已具备，大禹的仪容功德深为百姓所信服。于是制定明确的法令，来辅佐圣人施展治理天下的宏图大略。巡视东方，会盟诸侯，防风氏迟迟未会，大禹严正法度，将他杀掉，专门用车装殓其尸骨。既圣明又威严，于是当时的诸侯都不敢违背他的命令。禹推崇表彰黎民中的贤能之人，平定了诸侯割据的局面。他将帝位传给后裔，使他们能很好地继承帝业。涂山高耸巍峨，成为夏王朝与东方之国的分界线。禹的功德，能与天地媲美。将碑文刊刻在山石上，希望留给后世作为典范。

题 序

读韩愈所著《毛颖传》后题[①]

自吾居夷,不与中州人通书。有来南者,时言韩愈为《毛颖传》,不能举其辞,而独大笑以为怪,而吾久不克见。杨子诲之来[②],始持其书,索而读之,若捕龙蛇,搏虎豹,急与之角而力不敢暇,信韩子之怪于文也。世之模拟窃窃,取青媲白[③],肥皮厚肉,柔筋脆骨,而以为辞者之读之也,其大笑固宜。

[题解]

本文是柳宗元读《毛颖传》后所发的感慨,对韩愈作俳谐文给予了肯定和赞扬。

[注释]

①《毛颖传》:韩愈所作。该文以俳谐文的形式,叙述了毛笔的发明、使用及遭际,寄予了作者怀才不遇的感慨。②诲之:即杨诲之,杨凭之子。元和五年(810年)十一月,柳宗元与杨诲之的书信中,谈到过韩愈的《毛颖传》,说:"足下所持韩生《毛颖传》来,仆甚奇其书,恐世人非之,今作数百言,知前圣不必罪俳也。"③取青媲白:以青配白。比喻作诗为文讲究对仗。

[译文]

自从我谪居永州之后,和中原人士没有书信往来。有到永州来的人,经常说起韩愈的《毛颖传》,不能说出文章的内容,却偏偏要大笑其文章之怪诞,可是我却很久没有能够见到这篇文章。杨诲之到永州来,才把韩愈这篇文章带来,我向他找来阅读,感觉读其文就像是捕捉龙蛇、搏击虎豹,急于与之搏斗,力量不敢有少许的懈怠,这时我才相信韩愈为文之险怪。世上有一些人模仿剽窃,讲究对仗,追求丰腴,风骨柔弱,喜欢写此类文章的人读了韩愈的《毛颖传》,本来就应该是哈哈大笑。

且世人笑之也,不以其俳乎?① 而俳又非圣人之所弃者。《诗》曰:"善戏谑兮,不为虐兮。"② 太史公书有《滑稽列传》③,皆取乎有益于世者也。故学者终日讨说答问,呻吟习复,应对进退,掬溜播洒,则罢惫而废乱④,故有"息焉游焉"之说⑤。不学操缦⑥,不能安弦。有所拘者,有所纵也。大羹玄酒⑦,体节之荐⑧,味之至者。而又设以奇异小虫、水草、楂梨⑨、橘柚,苦咸酸辛,虽蜇吻裂鼻⑩,缩舌涩齿,而咸有笃好之者。

[注释]

①俳:戏谑,诙谐。②善戏谑兮,不为虐兮:语出《诗经·卫风·淇奥》,意思是擅长戏谑诙谐,不为过分之事。③太史公书:指司马迁《史记》。④罢(pí)惫:疲惫。罢,同"疲"。⑤息焉游焉:语出《礼记·学记》:"君子之于学也,藏焉修焉,息焉游焉。"意思是在学习上,君子应默记于心,注重复习,融会贯通,左右逢源。⑥操缦:拨弄琴弦。⑦大羹玄酒:美食和净水。大羹,肉汁,代指美食。玄酒,上古祭祀所用净水。北方为黑,属水,故以水为黑(玄)。⑧体节之荐:进献禽畜等肉类。⑨楂:似梨而酢。⑩蜇:毒虫叮咬。

[译文]

再说了,世人耻笑韩愈的《毛颖传》,不正是因为它的戏谑诙谐吗？可是，圣人并不排斥戏谑诙谐。《诗经·卫风·淇奥》中说："善戏谑兮，不为虐兮。"司马迁的《史记》中也有《滑稽列传》。这些都是对世有益的。所以，学习的人整天向人请教问题的答案，低声吟咏复习，为求得解答而进进退退，忙得不亦乐乎，那么就会因精神和体力的疲惫而导致所学的东西乱糟糟地被废弃，故而《礼记·学记》有"息焉游焉"这样的说法。不学习如何拨弄琴弦，就不能让琴弹奏出美妙的乐曲。而要学习，就要有所收缩，有所放纵。美食和美酒，奉献给神灵的禽畜等肉类，是最好的美味。但是，又摆上奇异的小虫、水草、楂梨、橘柚，其味有苦咸酸辛，即使食之令人龇牙咧嘴、缩舌涩齿，但总是有嗜好这些东西的人。

文王之昌蒲菹①，屈到之芰②，曾皙之羊枣③，然后尽天下之味以足于口。独文异乎？韩子之为也，亦将弛焉而不为虐欤④？息焉游焉而有所纵欤？尽六艺之奇味以足其口欤⑤？而不若是，则韩子之辞，若壅大川焉，其必决而放诸陆，不可以不陈也。且凡古今是非六艺百家，大细穿穴用而不遗者，毛颖之功也。韩子穷古书，好斯文，嘉颖之能尽其意，故奋而为之传，以发其郁积，而学者得之励，其有益于世欤！是其言也，固与异世者语，而贪常嗜琐者⑥，犹呫呫然动其喙⑦。彼亦甚劳矣乎！

[注释]

①文王：即周文王。昌蒲菹：菖蒲根做的腌菜。昌蒲，即菖蒲，多年生草本植物。生在水边，有淡红色根茎，叶子呈剑形，夏天开花，淡黄色，肉穗花序，根茎可做香料。传说食之可令人长生。《吕氏春秋·遇合》载："文王嗜昌蒲菹，孔子闻而服之，缩颈而食之。三年，然后胜之。"②屈到之芰：春秋时期，楚人屈到嗜好芰。他生了病，把宗族的长老招来，嘱咐说："我死之后，祭祀我一定要用芰。"芰，俗称菱角。两角的为菱，四角的为芰。③曾皙之羊枣：曾皙，即曾点，孔子的弟子，喜欢吃羊枣。曾皙死后，其子曾参不忍

再食羊枣。羊枣,果名。长椭圆形,初生色黄,熟则黑,似羊矢,俗称"羊矢枣"。④弛焉:放松的样子。⑤六艺:此指《易》、《书》、《诗》、《礼》、《乐》、《春秋》六经。⑥嗜琐者:喜欢细小东西的人。⑦呫(chè)呫然:喋喋不休的样子。

[译文]

周文王喜欢吃菖蒲根做成的腌菜,楚国的屈到喜欢吃菱角,孔子的弟子曾皙喜欢吃羊枣,吃到这些东西之后,他们就以为吃尽了天下的美味。唯独文章与此不同吗?韩愈作文章,也是有所松弛而不为过分,融会贯通、左右逢源而有所放纵,还是把六经的奇妙之味全部尝遍呢?假如不是这个样子,韩愈的文章就像阻断了的大河,一定要冲决堤岸漫延于陆地,不可不加以预防啊!况且,古往今来凡是评价六经和诸子百家的言论,不论大大小小还是穿凿附会的都没有遗漏,都是毛颖的功劳啊!韩愈读遍了古书,喜好他的文章,嘉许毛颖能够全部表达其思想,故而奋起为之作传,以抒发其胸中的郁积之情,而向他学习的人也可从中得到激励,所以,他的这篇《毛颖传》是对社会有益的啊!他的这篇文章,本来就是对那些与世不同者说的,而那些习惯于平常之文而喜欢细小东西的人,还在那里喋喋不休地随意评论。他们也是太辛劳了吧!

送宁国范明府诗序①

近制,凡得仕于王者②,岁登名于吏部③。吏部则必参其等列,分而合之④,率三十人以为曹,谓之甲。名书为三,其一藏之有司⑤,其二藏之中书泪门下⑥。每大选置大考绩,必关决会验而视其成⑦。有不合者,下有司,罢去甚众⑧。由是吏得为奸以立威,贼知以弄权⑨,诡窃窜易,而莫示其实。必求端悫而习于事、辩达而勤其务者⑩，命之官而掌之。居三年，则又益其官，而后去其职。

[题解]

范传真赴宁国县令任时，范的亲友为其赋赠别诗。柳宗元时任监察御史，本篇是他为此赠别诗所作的序，揭露了唐朝中期吏治的腐败。

[注释]

①宁国：安徽县名。明府：汉魏以来对郡守、牧尹的尊称，唐以后用以尊称县令。②得仕：取得做官的资格。王者：指朝廷。③吏部：唐朝尚书省下设吏、户、礼、兵、刑、工六部，吏部掌管全国官吏的任免、考课、升降等事务。④分而合之：按照不同等级、年资等条件分别归类。⑤有司：主管部门，此处指吏部。古代设官分职，各有专司，故名。⑥中书：即中书省，与尚书省、门下省并为唐代最高权力机关之一，负责决策、起草诏书，长官称中书令。隋唐以中书令、侍中、尚书令共议国政，俱为宰相，后因以中书称宰相。门下：即门下省，唐代亦有东台、鸾堂、鸾台、黄门省等名称，掌受天下之成事，审查诏令，驳正违失，收发通进奏状，进请宝印等，长官称侍中。⑦关决：报请决定。会验：共同考核。唐制，吏部选拔六品以下的官吏要举行考试，内容为判决词，根据其文理及书法的优劣评定成就，再加以面试，决定是否任用。⑧罢去：指取消候选资格。⑨贼知：使用诡计。弄权：玩弄权术。⑩端悫（què）：正直诚谨。习：熟练。辩达：明白通晓。

[译文]

本朝近来吏制规定，凡是从朝廷取得做官资格的官吏，每年都要在吏部登记名单。吏部一定要考核官吏的等级和年资，按照不同等级和年资条件分别归类，大致以三十个人为一组，称之为甲。名单书写三份，其中一份藏在吏部，另外两份藏在中书省和门下省。每次大幅度地选择处置官吏或者大规模地考核现任官吏的政绩，必定先报请决定，共同考核，进而看他们的成绩优劣。如有不合格的官吏，就将其名单下发到有关部门。被取消候选资格的人相当多。因此，有些官吏趁机舞弊来逞威风，使出阴谋诡计来玩弄权术，暗地里偷换或改动文书，因而选置和考核并没有显示出真实的情况。务必选拔那些正直诚谨而又能熟练处理公务、思路明白通晓而又能勤于政务的人，任命他为选拔官吏的官员，由其执掌选拔、考核、管理官吏之权。任现职三年之后，就要先升他的官，然后再让他离职。

　　有范氏传真者，始来京师，近臣多言其美。宰相闻之，用以为是职。在门下，甚获休问①。初命京兆武功尉②。既有成绩，复于有司，为宣州宁国令③。咸曰："由邦畿而调者④，命东西部尉以为美仕⑤。"范生曰："不然。夫仕之为美，利乎人之谓也。与其给于供备，孰若安于化导⑥。故求发吾所学者，施于物而已矣。夫为吏者，人役也。役于人而食其力，可无报耶？今吾将致其慈爱礼节，而去其欺伪凌暴，以惠斯人，而后有其禄，庶可平吾心而不愧于色。苟获是焉⑦，足矣。"季弟为殿中侍御史⑧，以是言也告于其僚，咸悦而尚之。故为诗以重其去⑨，而使余为序。

[注释]

　　①休问：好的声誉。②京兆：汉代京畿的行政区划，即今陕西西安以东至华县之地，后称京都为京兆。此处指京师所在的地区。武功：县名，属于京兆郡。尉：负责一县治安的官吏。③宣州：治所在今安徽宣城，唐代宁国县隶属之。④邦畿：此处指京畿。调：外放，指中央政府官员被派到地方上去做官。⑤东西部：指当时的京城治所长安、万年（合称赤县）。古时为官重内轻外，由畿县（京城之旁邑）尉召入，任京城所治县令即为美职。美仕：美职务，美差。⑥化导：教化和引导。⑦苟：如果。获：获得，此处指做得到。⑧季弟：最小的弟弟，此指范传真之弟传正。范传正曾任集贤殿校书郎，历歙、湖、苏三州刺史，进拜宣歙观察使，后以光禄寺卿卒于任上。殿中侍御史：与监察御史、侍御史同为唐代御史台官员，行监察之职。《旧唐书》卷一

八五下《范传正传》载：范传正当时自渭南尉拜监察殿中侍御史。柳宗元时为监察御史，与范传正为同僚，故为此序。⑨重其去：犹言为其壮行。

[译文]

　　有个叫范传真的年轻人，刚到京师时，皇帝左右的很多近臣都称赞他人品不错。当时的宰相听说了，就任用他担任这个职务。他在门下省（任职一段时间），获得了更好的声誉。范传真起初被任命为京兆武功县尉。在武功县尉任上做出一些政绩之后，上报到有关部门，他又被任命为安徽宣州的宁国县县令。人们都说："范氏由畿县尉外放为宁国县令，实有明升暗降之意。"范生却说："不能这样认为。把做官看成美差，是从为人民谋利益的观点考虑。与其满足于财物供应齐备，不如安心于施行教化引导。因此我要发挥自己所学的知识技能，把它付诸实践罢了。做官的人应当是百姓的仆役。被百姓役使而且靠他们的劳动养活，可以不回报他们吗？现在我将要用慈爱友善、彬彬有礼的态度来对待他们，同时抛弃那些欺骗虚伪凶暴虐待百姓的想法，来造福这里百姓，这样做以后再享有自己的俸禄，希望自己能够心态平和，而不会有愧于心。如果能够做到这样，我就心满意足了。"范传真最小的弟弟范传正当时为殿中侍御史，把他哥哥的这番话告诉自己的同僚，大家听后都很高兴并且推崇他。传正特意写诗为其兄壮行，而且让我为此诗作序。

送薛存义序①

　　河东薛存义将行②，柳子载肉于俎③，崇酒于觞④。追而送之江之浒，饮食之。且告曰："凡吏于土者⑤，若知其职乎？盖民之役⑥，非以役民而已也⑦。凡民之食于土者⑧，出其十一佣乎吏⑨，使司平于我也。今受其直怠其事者⑩，天下皆然。岂惟怠之，又从而盗之。向使佣一夫于家，受若直，怠若事，又盗若货器，则必甚怒而黜罚之矣。以今天下多类此，而民莫敢肆其怒与黜罚者，何哉？势不同也。势不同而理同，如吾民何⑪？有达于理者，得不恐而畏乎！"

[题解]

薛存义离任前，柳宗元为之饯行，并写了这篇序赠给他，阐明为吏之道。

[注释]

①薛存义：柳宗元的同乡，河东（今山西永济）人，时任永州零陵（今湖南零陵）县令。②河东：隋设河东郡，唐代先后改为蒲州、河中府，治所在河东县。③俎（zǔ）：古代祭祀时盛肉的礼器，此处泛指食具器皿。④崇酒：斟满酒。⑤吏于土者：在地方上做官的人。⑥民之役：人民的仆役，即地方官。⑦役民：役使百姓。⑧食于土者：靠种地吃饭的百姓。⑨十一：十分之一。佣乎吏：雇佣官吏，意谓向官府缴纳赋税。⑩直：同"值"，雇佣价钱，指官吏的俸禄。怠：懈怠，敷衍，不认真。⑪如吾民何：拿老百姓怎么样呢？意谓老百姓不会长期忍受这种状况。

[译文]

河东人薛存义将要离开这里了，我准备好了酒肉，赶到江边为他饯行，并且告诉薛存义说："你知道地方官吏的职责吗？地方官应是百姓的仆役，而不是奴役百姓的。那些靠种地吃饭的百姓，拿出他们收入的十分之一来雇佣官吏，目的是要求官吏公平地处理政事。如今拿了百姓的工钱（即俸禄）却敷衍了事的官吏，普天之下到处都是。他们岂止是敷衍了事，甚至还要贪污、敲诈百姓的财物。假使你家中雇一个仆人，他拿了你的工钱，却不好好干活，而且还盗窃你的财物和器具，那么你必然很恼怒地要赶走他，同时还要处罚他。因为现在的官吏大都像这样，而百姓却不敢像对待怠工又偷东西的仆人那样，尽情发泄自己的愤怒并驱逐责罚他们，这是为什么呢？这是因为民与吏的关系跟主与仆的权势和地位不同啊。虽然权势和地位不同，但是道理都一样，怎样对待我们的百姓呢？

对懂得这个道理的人来说,能不感到惶恐而有所畏惧吗!"

存义假令零陵二年矣①。蚤作而夜思②,勤力而劳心。讼者平,赋者均③,老弱无怀诈暴憎,其为不虚取直也的矣④,其知恐而畏也审矣。

吾贱且辱,不得与考绩幽明之说⑤;于其往也⑥,故赏以酒肉而重之以辞。

[注释]

①假令:代理县令。零陵:唐县名,为永州治所,即今湖南零陵。②蚤:通"早"。作:起。思:思考(政务)。③赋:税赋。均:合理。④虚取直:白拿钱。的:明白。⑤与:参与。考绩:考核官吏。幽明:昏暗和清明,指政绩低劣或卓著。⑥往:离去,离任。

[译文]

薛存义代理零陵县县令两年了。在这期间,他清早起来办事,夜里还在思考政务,昼夜辛劳,尽心竭力。他断案公平,赋税合理,无论老少都没有虚伪欺骗之心,没有憎恶嫌恨之色。他没有白拿百姓的钱,这是清楚明白的。他知道恐惧和害怕,从不对百姓敷衍了事和敲诈百姓财物这也是清楚明白的。

我现在是遭受贬谪、官位低下的人,没有资格参与考核官吏政绩优劣的评议。因此,在薛存义调离时,我用酒肉为他饯行,并赠他这篇序。

愚溪诗序

灌水之阳有溪焉①,东流入于潇水②。或曰:冉氏尝居也,故姓是溪为冉溪。或曰:可以染也,名之以其能,故谓之染溪。

余以愚触罪，谪潇水上，爱是溪，入二三里，得其尤绝者家焉。古有愚公谷③，今予家是溪，而名莫能定，土之居者犹龂龂然④。不可以不更也，故更之为愚溪。

[题解]

柳宗元被贬永州，首居龙兴寺，次居愚溪，并颇以愚溪自慰。《与杨诲之书》云："方筑愚溪东南为室，耕野田，囿堂下。"愚溪诗，即篇末所云《八愚诗》，八愚指愚溪、愚丘、愚泉、愚沟、愚池、愚堂、愚亭、愚岛，可惜均已散佚。本文是柳宗元为其《八愚诗》所作的序，记述他喜爱愚溪，卜居于此，并将此地景物命名为"愚"的原因。文章运用大量的对比与衬托，表达了愚者不愚的愤激之情，可视为柳宗元山水诗和山水记的总序。

[注释]

①灌水：水名，今名灌江，湘江支流，发源于永州灌阳（今广西灌阳），于永州湘源（今广西全州）入湘水。阳：河水的北面为阳。②潇水：一名泥江，湘江支流，源出湖南宁远县南九嶷山，即古冷水。北流经道县，会沱水，又北经零陵县南，至县西北入湘水。③愚公谷：在今山东临淄县西。汉刘向《说苑·政理》载：齐桓公出猎，逐鹿而入山谷之中，见一老公而问之曰："是为何谷？"对曰："为愚公之谷。"桓公曰："何故？"对曰："以臣名之。"④土之居者：当地居民，犹言土著。龂龂然：争论不休的样子。

[译文]

灌水的北面有一条溪水，向东流淌注入潇水。有人说："有个姓冉的人曾在此居住，所以用他的姓给溪水命名叫做冉溪。"又有人说："溪水可以用来调染料染布帛，根据它能染色的功能把它命名为染溪。"我因为愚笨获罪，被贬官到永州潇水，心里很喜欢这条溪水，顺着溪水往里走二三里路，在一个极佳的地方筑室安家。古代山东有个愚公谷，今天我在这条溪水畔安家，可是溪名不能确定，当地居民仍在为此争论不休，溪名不能不改，因此把它改名叫做愚溪。

愚溪之上，买小丘为愚丘。自愚丘东北行六十步，得泉焉，又买居之，为愚泉。愚泉凡六穴①，皆出山下平地，盖上出也②。合流屈曲而南，为愚沟。遂负土累石，塞其隘为愚池③。愚池之东为愚堂，其南为愚亭，池之中为愚岛。嘉木异石错置④，皆山水之奇者，以余故，咸以愚辱焉。

[注释]

①穴：泉眼。②盖：连词，表示原因。上出：向上喷涌而出。③隘：狭窄之处。④嘉木：名贵的树木。错置：交错设置。

[译文]

我在愚溪的上游买了座小土山，把它叫做愚丘。从愚丘向东北走六十步，在那里发现了泉水，又买下来占有，把它叫做愚泉。愚泉共有六个泉眼，都是自愚丘下的平地向上奔涌而出。六个泉眼的水合流后弯弯曲曲朝南流，称其为愚沟。于是在沟水狭窄的地方积土垒石蓄水，形成一池塘，称之为愚池。在愚池东边建一座堂屋，命名为愚堂。在愚池南边建一个亭子，命名为愚亭。在愚池中央建一个小岛，命名为愚岛。（这八处地方，）美树、怪石错落有致，都是奇异的山水胜境。因为我愚笨的原因，所以都用"愚"命名而让它们受辱。

夫水，智者乐也①。今是溪独见辱于愚，何哉？盖其流甚下②，不可以溉灌；又峻急，多坻石③，大舟不可入也；幽邃浅狭，蛟龙不屑，不能兴云雨④。无以利世，而适类于余，然则虽辱而愚之，可也。

[注释]

①乐（yào）：喜欢。《论语·雍也》："知者乐水，仁者乐山。"后以"乐山乐水"比喻所好不同。②下：水位低。③坻（chí）：水中陆地。④兴云雨：古人认为蛟龙能够兴云行雨。

[译文]

水是聪明人所喜欢的。现在唯独这条溪水被"愚"这名字所玷辱,是什么原因呢?因为这条溪流水位很低,不能用来灌溉土地;流淌又特别湍急,溪中有很多滩石,所以大船不能行进;溪水幽深而狭窄,不能兴云行雨,故而蛟龙看不上它。溪水对人类没有益处,这恰好和我一样,既然这样,即使以"愚"命名它,还是可以的。

宁武子"邦无道则愚"①,智而为愚者也;颜子"终日不违如愚"②,睿而为愚者也,皆不得为真愚。今余遭有道,而违于理③,悖于事,故凡为愚者莫我若也④。夫然⑤,则天下莫能争是溪,余专得而名焉。

[注释]

①宁武子:即宁俞,春秋时卫国大夫,谥武子。《论语·公冶长》载孔子语:"宁武子,邦有道则智,邦无道则愚。其智可及也,其愚不可及也。"孔子称赞宁武子在国家政治修明时就献出聪明才智,为国效力;当政治昏庸黑暗时就佯装愚蠢,洁身自好,不与世俗同流合污。人们往往能学到他为国效力的一面,却学不到他洁身守节的一面。②颜子:即孔子的弟子颜回,字子渊,又称颜渊。《论语·为政》载孔子语:"吾与回言终日,不违如愚。退而省其私,亦足以发,回也不愚。"孔子与颜回谈论,颜回整天不提问题,像是愚笨,课后考察他的言行,才知道他不但听懂了,而且有所发挥,因此孔子说他不愚。③有道:政治清明。理:道理。④莫我若:"莫若我"的倒置,意思是比不上我。⑤夫然:如此说来。

[译文]

宁武子在国家政治昏庸黑暗的时候表现得非常愚拙,这是明智的人佯装愚蠢;颜回终日不提疑难问题好像是愚笨,这是聪明的人貌似愚笨。对于这样的人,不能认为是真的愚笨。如今我恰逢政治清明之时,却不合常理,不能在清平盛世有所作为,因此请所有的愚人不要像我这样。如此说来，就愚笨而言，天下没有谁能争这个愚溪，我可以独占并命名它为"愚溪"。

溪虽莫利于世，而善鉴万类①，清莹秀澈②，锵鸣金石，能使愚者喜笑眷慕，乐而不能去也。余虽不合于俗，亦颇以文墨自慰③，漱涤万物，牢笼百态④，而无所避之。以愚辞歌愚溪，则茫然而不违，昏然而同归，超鸿蒙⑤，混希夷⑥，寂寥而莫我知也。于是作《八愚诗》，纪于溪石上。

[注释]

①善鉴万类：能够很好地鉴照万物。②清莹秀澈：晶莹清澈。③文墨：指诗文之类的文学作品。④牢笼：囊括、概括。⑤鸿蒙：宇宙形成前的混沌状态。一说大气空间。⑥希夷：指空虚寂静的空间。无声曰希，无色曰夷。

[译文]

愚溪虽然无益于世人，但溪水能够鉴照万物，晶莹清澈，发出金玉般铿锵悦耳的声音，能让我满心欢喜，爱恋思慕，乐居于此而不想离开。我虽然在官场中不合流俗，但也对自己的诗文感到安慰，它能够洗涤世间万物，包罗人间万象，没有什么能从我的笔端逃逸。我用愚笨的歌辞来赞美愚溪，自己的精神世界就在不知不觉中与愚溪融为一体，超出天地之外，混入空寂虚静的状态，寂静空廓而忘情自我。于是我就写下《八愚诗》，镌刻在愚溪的石头上，以作纪念。

送元十八山人南游序①

太史公尝言②，世之学孔氏者③，则黜老子④，学老子者，则黜孔氏，道不同不相为谋⑤。余观老子，亦孔氏之异流也，不得以相抗，又况杨、墨、申、商、刑名、纵横之说⑥，其迭相訾毁、抵捂而不合者⑦，可胜言耶？然皆有以佐世。太史公没，其后有释氏⑧，固学者之所怪骇舛逆其尤者也。

[题解]

柳宗元一生追求超脱，又不能忘怀政治，因而常常徘徊于儒与佛、入世与出世、社会与自然之间的矛盾状态。他认为佛与儒有相通之处，本篇就阐明了自己"悉取向之所以异者，通而同之"，"咸伸其所长，而黜其奇邪，要之与孔子同道"的观点。

[注释]

①元十八：未详其名。依唐代称呼惯例，其人在其家族中当是排行第十八。白乐天《游大林寺序》有河南元集虚者，疑即其人也。韩愈《昌黎集》《赠元十八协律诗》云："吾友柳子厚，其人艺且贤。吾未识子时，已览赠子篇。"柳宗元另有《送僧浩初序》云："退之寓书罪余，见《送元生序》，不斥浮图。"即指此序，详见下篇。山人：指隐士。②太史公：指西汉司马迁，以其曾任太史令，后世多称司马迁为太史公。以下几句出自《史记·老子韩非列传》："世之学老子者则黜儒学，儒学亦黜老子。'道不同不相为谋'者，岂谓是耶？"③孔氏：即孔子，名丘，字仲尼，鲁国陬邑（今山东曲阜东南）人，儒家学派的创始人。④老子：姓李名耳，字聃，一说又名老聃，楚国苦县（今河南鹿邑东）人，道家学派的创始人。⑤道不同不相为谋：语出《论语·卫灵公》，意谓走着不同道路的人，不能在一起谋划。比喻意见或志趣不同的人无法共事。⑥杨、墨、申、商、刑名、纵横：皆是战国时期诸子百家中的著名学派。杨即杨朱，字子居，又称杨子、阳生、阳子居，战国时魏人。后于墨翟，前于孟轲。其说重在爱己，不以物累，不拔一毛以利天下，与墨子的"兼爱"相反。墨即墨子，名翟，战国时期著名思想家、政治家，墨家学派的创始人。相传原为宋人，后长期住在鲁国，收徒讲学。主张"兼爱"、"非攻"，即天下人应相爱互利，不应有亲疏贵贱之别。申即申不害，亦称申子，战国时期郑国京县（今河南荥阳）人，著名的思想家和改革家，法家思想的代表人物之一，以"术"著称于世。商即商鞅，姬姓，本为卫国公族之后，又称公孙鞅或卫鞅；后封于商，人称商鞅，战国时期政治家，法家思想的代表

人物。应秦孝公求贤令入秦，实行"商鞅变法"，使秦国大治。死后被处以车裂之刑，并遭灭族。刑名家以邓析和公孙龙子等人为代表，纵横家以苏秦和张仪为代表人物。⑦迭相：相继，轮番。訾（zǐ）毁：非议诋毁。抵捂：亦作抵梧、抵牾，抵触，矛盾。⑧释氏：佛姓释迦的略称，亦指佛家或佛教。

[译文]

　　太史公司马迁曾经说过，人世间学习效法孔子学说的人，就一定反对老子（的学说）；学习效法老子学说的人，就一定反对孔子（的学说），这真是志向不同的人无法在一起共事啊。我仔细研究老子，觉得他也称得上是孔子学说的不同流派，不能与孔子相抗衡。又何况杨朱、墨翟、申不害、商鞅、刑名家和纵横家的学说。各个学派之间轮番相互诋毁，各种矛盾交织在一起，怎么能说得清楚呢？但是这些学说对于治理国家和社会都具有辅助作用。太史公死后，佛教又传入中国，这就是学者们视为最惊世骇俗、离经叛道、颠倒传统的学说。

　　今有河南元生者，其人闳旷而质直①，物无以挫其志②；其为学恢博而贯统，数无以踬其道③。悉取向之所以异者，通而同之，搜择融液④，与道大适，咸伸其所长，而黜其奇邪，要之与孔子同道，皆有以会其趣，而其器足以守之，其气足以行之。不以是道求合于世，常有意乎古之"守雌"者⑤。及至是邦，以余道穷多忧，而尝好斯文⑥，留三旬有六日，陈其大方，勤以为谕，余始得其为人⑦。今又将去余而南，历营道⑧，观九疑⑨，下潇水⑩，穷南越，以临大海，则吾未知其还也。黄鹄一去，青冥无极，安得不冯丰隆、诉蜚廉⑪，以寄声于寥廓耶！

[注释]

　　①闳旷：宽宏豁达。质直：素质淳朴正直。②物：外物，指自己以外的人或跟自己相对的环境。挫：摧折，动摇。③数：天数，天命。踬：事情不顺

利,受挫折。④搜择:搜求挑选。融液:犹言融为一体。⑤守雌:以柔弱的态度处世。《老子》中有云:"知其雄,守其雌,为天下谿。知其白,守其辱,为天下谷。"⑥斯文:指儒者或文人。⑦为人:做人和跟人交往的态度。⑧营道:唐代县名,属零陵郡,即今湖南道县。⑨九疑:也作九嶷,山名,在湖南宁远县南。《郡国志》:"营道南有九疑山。"《山海经注》称"其山九溪皆相似,故曰九疑也"。⑩漓水:即漓江,源出零陵。⑪冯(píng):同"凭",凭借,靠着。丰隆:传说中的云师。蜚廉:即飞廉,风伯名。

[译文]

如今有个姓元的河南后生,为人宽宏豁达,纯朴正直,外界环境不能轻易动摇他的志向;他做学问的眼界博大而且贯通,命运不能阻挡他前进的脚步。他将之前不同学派汇集在一起,弄清楚其思想内涵的差异,将各个学派的精髓统一起来,搜求挑选,融为一体。与儒家精神相吻合,并且把其长处都伸展出来,把那些邪伪不正的苗头压制下去。总的说来,一切皆与孔子的儒家学说相通,都能理解其旨趣,其器量和才干足可以使其坚守,其精神状态足以推动他的实践活动。元生不是用儒家的思想观念来迎合世人,反而常常对古代以柔弱态度处世的"守雌"之道大感兴趣。他来到永州之后,因为正赶上我处于穷途末路,曾经爱好舞文弄墨之类的雅事。他在这里停留了三十六天,向我陈述其治国方略,并殷勤地加以比喻说明,我才得以了解他待人接物的态度。现在他又要离开我向南进发,经过营道,观赏到九嶷山的美景,从漓江顺流而下,到达南越的尽头,面对无垠的大海,可是我不知道他什么时候才能再回来。黄鹄一旦飞走,辽阔的天空无边无际,岂可不凭借着云师和风伯,将一腔热血和豪情寄托于辽阔的天空呢!

送僧浩初序①

儒者韩退之与余善②,尝病余嗜浮图言,訾余与浮图游。近陇西李生础自东都来③，退之又寓书罪余，且曰："见《送元生序》④，不斥浮图⑤。"浮图诚有不可斥者，往往与《易》、《论语》合，诚乐之，其于性情奭然⑥，不与孔子异道。退之好儒未能过扬子⑦，扬子之书于庄、墨、申、韩皆有取焉⑧。浮图者，反不及庄、墨、申、韩之怪僻险贼耶？曰："以其夷也。"⑨果不信道而斥焉以夷，则将友恶来、盗跖⑩，而贱季札、由余乎⑪？非所谓去名求实者矣。吾之所取者与《易》、《论语》合，虽圣人复生不可得而斥也。

[题解]

这篇文章属于赠序，作于柳宗元任柳州刺史时。文章既回答了韩愈的责难，也表明了柳宗元对佛学内容伸黜取合的具体看法。陈长方称赞说："子厚作序皆平平，惟送浩初一序，真文章之法。"

[注释]

①浩初：僧人法名，龙安海禅师的弟子。②儒者：尊崇儒学、通习儒家经书的人，汉代以后泛指一般读书人。退之：韩愈字。韩愈是中唐著名思想家、政治家和文学家，与柳宗元是好朋友。古人自称则称名，称呼别人则称字或号。③陇西：唐代陇西属陇右道渭州，即今甘肃陇西县东南。李生础：即李础，贞元十九年（803年）进士，李仁钧之子。李础为湖南从事，元和六年（811年）请告省其父东都，当时韩愈官河南县令。东都：隋唐时期称洛阳为东都。④《送元生序》：指柳宗元《送元十八山人南游序》。韩愈亦与元十八相识，有《赠元十八协律诗》："吾友柳子厚，其人艺且贤。吾未识子时，已览赠子篇。"⑤不斥浮图：柳宗元《送元十八山人南游序》中有云："太史公没，其后有释氏，固学者之所怪骇舛逆其尤者也。今有河南元生者，其人闳旷而质直，物无以挫其志；其为学恢博而贯统，数无以踬其道。悉取向之所以异者，通而同之……"韩愈即针对此而言。⑥奭（shì）然：旷达开阔的样子。⑦扬子：即扬雄，字子云，东汉文学家、学者。他在《法言》中说："庄、杨荡而不法，墨、晏俭而废礼，申、韩险而无化。"⑧申：指申不害，战国时期郑国京人，其学说本于黄老而主刑名。韩：即韩非子，战国时期韩国（今河

南新郑）人，著名哲学家、思想家，法家思想的集大成者。⑨夷：中国古称外国为夷，佛教由印度传入，故称其为夷。⑩恶来：商纣的臣子，善于毁谗，作恶多端。跖（zhí）：名展雄，春秋末年鲁国柳下人，故又名柳下跖，因被诬为盗，后世称盗跖。⑪季札：春秋时吴国公子，吴王寿梦之季子，寿梦欲传以位，辞不受，封于延陵，故称延陵季子。曾历聘鲁、齐、郑、卫、晋等多国，当时以多闻而著称。由余：人名，其先晋人，逃亡入戎。奉使入见秦穆公。穆公以女乐赠戎王，戎王受而悦之。由余数谏不听，遂奔秦。秦用由余谋伐戎，益国十二，开地千里，遂霸西戎。

[译文]

尊崇儒家思想的韩退之跟我交情很好，曾对我爱好佛教学说表示过不满，并批评我与僧人交往过密。最近陇西人李础从洛阳来，韩退之又寄来书信怪罪我，并且说："我看了你写的《送元十八山人南游序》，还是不反对佛教。"佛教学说确实有不应该反对之处，佛教教义往往与《易》、《论语》阐发的宗旨相吻合，我真的喜欢它，它能使人的性情变得旷达开阔，与孔子所倡导的儒家学说并无分歧。韩退之推崇儒学却不责备扬雄，（实际上）扬雄的著作对《庄子》、《墨子》、《申子》、《韩非子》等流派的著作都有所择取。难道佛教思想还不比庄、墨、申、韩等流派的怪异少见、阴险狡诈好吗？有人会说："因为这是外国的东西。"如果你把自己不相信的学说都因为是外国的而加以排斥，那么你就是把恶来、盗跖之类当成朋友，而认为季札、由余一类人很下贱了？这就不是舍去名称而追求实质了。我自信信佛乃是去名求实，因为它与《易》、《论语》等儒家经典有很多相合之处，即使孔子在世也不可能排斥佛教的存在啊。

退之所罪者其迹也①，曰："髡而缁②，无夫妇父子，不为耕农蚕桑而活乎人③。"若是，虽吾亦不乐也。退之忿其外而遗其中④,是知石而不知韫玉也⑤。吾之所以嗜浮图之言以此。与其人游者,未必能通其言也。且凡为其道者⑥,不爱官,不争能,乐山水而嗜闲安者为多。吾病世之逐逐然唯印组为务以相轧也⑦,则舍是其焉从?吾之好与浮图游以此。

[注释]

①迹:行迹,外在表现。②髡(kūn):剃光头发。缁(zī):黑色,僧人的衣服为浅黑色,此处指穿缁衣。③活乎人:被人养活。④忿:怨恨,生气。遗其中:遗弃其核心内容。⑤韫(yùn)玉:石中包藏着玉。⑥为其道者:指信奉佛教的人。⑦病:厌恶,讨厌。逐逐然:竞争,急于得利貌。印组:印绶,代指做官。组,佩印用的丝带。轧:倾轧,排挤不同派系的人。

[译文]

韩退之批评的是佛教徒的外在表现,他说:"(僧人)剃着光头,穿着缁衣,不讲夫妇之谊和父子之情,不务农耕田,不养蚕种桑,靠别人养活。"如果单单是这些外在表现,即便是我也不喜欢僧人。我之所以爱好佛教学说,原因在于此。跟佛教徒经常交往的人,不一定能理解佛教的语言和思想。大凡信奉佛教之人,不爱好做官,不争强好胜,喜欢游山玩水、追求安闲舒适的生活的人居多。我厌恶世俗之人热衷于追名逐利,把高官厚禄当成人生追求的唯一目标,为追求官位而相互倾轧。这样看来,如果放弃了佛学还有什么可以追随呢?这就是我喜欢跟僧人交往的又一个原因。

今浩初闲其性,安其情,读其书,通《易》、《论语》,唯山水之乐,有文而文之;又父子咸为其道,以养而居,泊焉而无求①,则其贤于为庄、墨、申、韩之言。而逐逐然唯印组为务以相轧者,其亦远矣。李生础与浩初又善,今之往也,以吾言示之②。因北人寓退之③,视何如也。

[注释]

①泊:淡泊,恬淡。②吾言:指这篇序。③因:借助,托请。北人:到

北方去的人。寓：捎带书信。

[译文]

如今，浩初性情闲适，安于现状，每天熟读诗书，精通《易》和《论语》的精髓，纵情于山水之中的乐趣，有所感悟就写成文字。同时他们父子都信奉佛教，平常讲究修身养性，处世淡泊而无所求，这比信奉庄子、墨子、申不害、韩非子的学说要好。而那些只为追求官位而相互倾轧的人跟浩初（的高尚节操）相比，实在相差太远了。李础跟浩初的关系也很好，在浩初到李础那儿去的时候，把这篇序带给他。委托到北方去的人把这篇序带给韩愈，看看他对此文有何看法。

桂州裴中丞作訾家洲亭记[①]

大凡以观游名于代者，不过视于一方，其或傍达左右，则以为特异。至若不骛远，不陵危[②]，环山洄江，四出如一[③]，夸奇竞秀，咸不相让，遍行天下者，唯是得之。

[题解]

唐元和十二年（817年），裴行立建訾家洲亭，柳宗元为之作记。作者颂扬裴公慧眼独具，建造这座亭，慨叹自己仕途不遇，表达求荐望举的希望。

[注释]

①桂州：州名，南朝梁天监六年（507年）置桂州于苍梧、郁林之境，因桂江为名，大同六年（540年）移治始安（唐代改名临桂，即今桂林）。唐代辖境相当于今广西龙胜、永福以东和荔浦以北地区，唐宋时期为桂管经略使、广南西路治所。裴中丞：裴行立，山西闻喜人，以军功授安南经略使，徙为桂管观察使，又以功迁安南都护。訾家洲亭：在桂林城东二里，訾氏故居。②陵危：攀登高险。③四出如一：四面景色都一样很美。

[译文]

大多数以观赏游览著称于世的名胜，不过让人看到它的一个面,有能向两旁扩展到左右的,就被认为是突出的或奇异的。像这样无需远求,无需攀登高险,周围环山绕水,四面景色一样美丽,争奇斗艳,互不相让的景致,走遍天下,只有訾氏洲亭具备这样的特点。

桂州多灵山①,发地峭坚②,林立四野。署之左曰漓水③,水之中曰訾氏之洲。凡峤南之山川④,达于海上,于是毕出,而古今莫能知。

[注释]

①灵山:对山的美称。②发地:拔地而起。③署:州署,官署。左:指东边,古以左为东。④峤(qiáo):尖而高的山。

[译文]

桂州一带有很多风景秀美的山峰,一座座拔地而起,陡峭牢固,耸立在四周广阔的原野上。州署的东边是漓水,水中央的陆地被称作訾氏之洲。自高耸陡峭的山峰往南看去,灵山秀水蜿蜒起伏,直达海上,(訾氏之洲)独特的景致就全部出现在眼前,从古至今却没有人发现。

元和十二年①,御史中丞裴公来莅兹邦,都督二十七州诸军州事。盗遁奸革②,德惠敷施。期年政成,而富且庶。当天子平淮夷③,定河朔④,告于诸侯,公既施庆于下,乃合僚吏,登兹以嬉。观望悠长,悼前之遗。于是厚货居氓,移于闲壤,伐恶木,刜奥草⑤,前指后画,心舒目行。忽然若飘浮上腾,以临云气,万山面内,重江束隘⑥,联岚含辉,旋视具宜,常所未睹,倏然牙见。以为飞舞奔走,与游者偕来。乃经工化材⑦,考极相方⑧。南为燕亭,延宇垂阿,步檐更衣,周若一舍。北有崇轩⑨,以临千里。左浮飞阁,右列闲馆。比舟为梁⑩,与波昇降。苞漓山,涵龙宫,昔之所大,蓄在亭内。日出扶桑⑪,云飞苍梧⑫,海霞岛雾,来助游物。其隙则抗月槛于回溪⑬,出风榭于篁中。昼极其美,又益以夜。列星下布⑭,颢气回合,邃然万变,若与安期、羡门接于物外⑮。则凡名观游于天下者,有不屈伏退让以推高是亭者乎?

[注释]

①元和:唐宪宗李纯年号(806~820年)。元和十二年(817年),裴行立徙为桂州刺史、桂管观察使。②盗遁奸革:盗贼逃遁,奸邪革除。③天子平淮夷:指唐宪宗于元和九年至元和十二年平定淮西(今河南东南部)藩镇吴元济的战事。元和十二年冬十月,李愬雪夜袭取蔡州,擒获吴元济,攻克淮蔡。夷,古代对边疆少数民族的旧称。④定河朔:元和十一年,唐宪宗令河东、幽州等六道节度使出兵讨伐成德镇王承宗,次年收兵。元和十三年春正月,宪宗下诏大赦天下。藩镇割据的局面暂告结束,唐王朝又恢复了统一。河朔,古代泛指黄河以北的地区。⑤刜(fú):用刀砍。奥草:茂密的荒草。⑥重(chóng)江:指二江或诸江合流。束隘:山川聚集而形成的要隘。⑦经工:量度筹划用工。化材:治理用材。⑧极:屋脊之栋。相:占视。方:方正之材。⑨崇轩:高台。轩,有窗的长廊。⑩比:连接,并置。梁:桥。⑪扶桑:神话中的树木名,相传日出其下。《淮南子·天文训》:"日出于旸谷,浴于咸池,拂于扶桑,是谓晨明。"⑫苍梧:山名,亦名九嶷或九疑,在湖南宁远县南,相传舜葬于苍梧之野。⑬抗:举出。月槛:月亮形状的栏杆。⑭列星:罗布天空定时出现的恒星。⑮安期:即安期生,琅琊阜乡(今属山东)人。据汉刘向《列仙传》云,安期生曾卖药海上,受学于河上丈人,时人称为千岁翁。秦始皇东游,与语三昼夜,重金征之,安期生置之而去,曰:数十年后求我于蓬莱山下。后秦始皇遣人入海求之而不得。羡门:古代仙人,名子高,秦始皇东游时曾求之。《史记》卷五《秦本纪》云:"始皇之碣石,使燕人卢生求羡门。"物外:尘世之外。

[译文]

元和十二年,御史中丞裴行立徙为桂州刺史、桂管观察使,来到桂州，统帅二十七州诸军州的事务。于是盗贼逃遁，奸邪革除，德泽恩惠布施于百姓。过了一年，朝政大局稳定，当地物产丰富，人口众多。当时，宪宗皇帝令各路藩镇合力平定了淮西藩镇吴元济的叛乱，还号令河东、幽州等六道节度使出兵讨伐成德镇王承宗，于元和十三年下诏大赦天下。裴公已将朝廷的恩泽和庆典告知下属，就聚集属下官吏，登临訾家洲亭来共同欢庆。裴公观望得非常久远，为这块胜地被世人遗忘而伤悼。裴公于是给了当地居民很多钱财，让他们迁居到闲散的地方去；让人砍伐掉贱劣的树木，铲除掉茂密的荒草，在洲前洲后指点规划，周围豁然开朗，让人心情舒畅，眼前一亮。一会儿感觉飘飘然像是升上高空，俯视那稀薄流动的白云，重峦叠嶂都像在对人行注目礼；诸江合流，流过狭窄的要隘；山间雾气萦绕，折射出美丽的色彩。平日常见的自然景物和从未见过的奇妙景象，迅速地交替出现，令人眼花缭乱。这些山水胜景仿佛美丽的舞女轻盈飘飞，就像是与游览者一起而来。裴公于是筹划怎样开工治理用材，考量怎样寻求方正之材和栋梁之料。在南边建造一个宴会亭，加长屋角处房檐高高翘起，四周交错布置着可供漫步的廊檐与换衣休息之处，环绕起来好像一处房舍。北边建有高台，登临其上可以远眺千里内外的景色。左边设置一个可供远眺的小阁子，右边陈列一个闲置的书馆。将船只并置成桥，随着波浪起伏不定。怀抱漓山，将包容龙宫，往日的风光胜景，都可以在洲亭之内一览无余。太阳从扶桑下升起，苍梧山依旧云气缭绕。海天之间壮观的云霞和小岛上茫茫的浓雾，好像也来给云气、联岚等飘游之物帮忙，蔚为奇观。在各种陈设的缝隙之间，在回旋的溪水中，竖起月亮形状的栏杆，在竹林中间又修建起高高的台榭。白天尽情地欣赏这里的美景，夜晚又继续观赏。天空中星罗棋布，夜幕下山间云气缭绕，瞬息万变，愈发显得幽深，好像跟安期、羡门这样的仙人相遇在蓬莱仙境。这样看来，所有号称游遍全国名山大川的人们,有谁敢不对此叹为观止,进而推崇这个洲亭的景色(为第一)呢?

既成以燕①,欢极而贺。咸曰:昔之遗胜概者②,必于深山穷谷③,人罕能至,而好事者后得以为己功。未有直治城④,挟阛阓⑤,车舆步骑,朝过夕视。讫千百年,莫或异顾⑥。一旦得之,遂出于他邦,虽博物辩口⑦,莫能举其上者。然则人之心目,其果有辽绝特殊而不可至者耶?盖非桂山之灵,不足以瑰观⑧;非是洲之旷,不足以极视;非公之鉴,不能以独得。噫,造物者之设是久矣⑨,而尽之于今,余其可以无藉乎⑩?

[注释]

①燕:设宴庆祝。②胜概:非常好的风景和环境。③穷谷:深谷,幽谷。④直:同"值",遇到,逢着。治城:指地方长官官署所在地。⑤挟:怀抱,环绕。阛阓(huán huì):古代指市场的墙壁和大门,代指市区。⑥莫或:没有,没有人。顾:看,注意到。⑦博物:见多识广的人。辩口:能言善辩的人。⑧瑰观:珍奇的景观。⑨造物者:指创造万物的神灵,大自然。⑩藉:或作"籍",记录,书写。

[译文]

亭子筑成之后,裴公设宴与僚属共同庆祝。人们都说:以往那些遗留下来的非常优美的风景,一定处在幽深的山谷之中,那里多是荒凉偏僻之地,人很少能到达,可是喜欢多事的人虽然后发现,却把发现它当成自己的功劳。没有遇到像訾家洲这样的景色,位于地方官署所在之城,环绕市民生活区,旁边车水马龙、人来人往,从早到晚都在人们的视线范围内。千百年来,没有人发现它的惊奇之处。一旦某一天被人发现它风景奇绝,那人一定不是本地人。即使是见多识广、巧言善辩的人,也不能举出胜过它的景观。这样看来,人们的心目中,难道果真有遥远、特殊而且不能到达的地方吗？大概不是桂山的灵性，不足以称得上珍奇的景观；没有这个小洲的高旷，不足以极目远眺；没有裴公的慧眼赏鉴，不可能因此而独自发现这处美景。唉！大自然早就将这里陈设成这样了，并且保持原貌到现在，我怎么能不写点东西来表示祝贺呢？

永州龙兴寺息壤记①

永州龙兴寺东北陬有堂②，堂之地隆然负砖甓而起者③，广四步④，高一尺五寸。始之为堂也，夷之而又高⑤，凡持锸者尽死。永州居楚越间⑥，其人鬼且机⑦。由是寺之人皆神之，人莫敢夷。

[题解]

永贞元年（805年）九月，永贞革新失败，柳宗元自礼部员外郎贬为邵州刺史，未至，再贬永州司马。柳宗元贬永州，首居龙兴寺，次居愚溪。本篇当作于元和初年（806年）。据说龙兴寺的一所殿堂始建时，很多铲土者死亡，因此"息壤"之说盛传。本文对这一传说进行了澄清，指出铲土者死亡的原因在于劳累过度、感染疫病而死，驳斥了上天惩罚铲过"息壤"之人的迷信说法，阐发了唯物主义的无神论思想。

[注释]

①龙兴寺：在永州零陵县。息壤：古代传说的能生长不已的土壤。②陬：隅，角落。堂：佛堂。③隆然：凸起的样子。负：顶起。甓（pì）：砖。④步：古代度量单位，其制历代不一，秦以前有以周尺八尺为步，或以六尺四寸为步，秦以六尺为步，旧制以营造尺五尺为步。⑤夷：削平，铲平。⑥楚：春秋时国名，今湖南、湖北属古楚地。越：古称五岭之南少数民族为百越或百粤，即今浙闽一带。⑦鬼且机（jī）：迷信鬼神，并且相信吉凶征兆。鬼，迷信鬼神。机，袄祥，吉凶征兆。《吕氏春秋》云："荆人鬼，越人机。"《列子·说符》："楚人鬼，越人机。"

[译文]

永州龙兴寺东北角有座佛堂,佛堂内的砖地被土顶起一片,方圆达四步,高达一尺五寸。当初建佛堂时,已将凸起的地面铲平铺砖,后来土竟然又高隆起来,顶起地面上的砖,所有拿铁锹铲过土的工匠后来都死掉了。永州位居古代楚国与越国之间,那里的人迷信鬼神,并且相信吉凶征兆。因为这个原因,寺庙里的人都把那隆起的一片土视为神物,没有人再敢去铲平它。

《史记·天官书》及《汉志》有地长之占①,而亡其说。甘茂盟息壤②,盖其地有是类也。昔之异书③,有记洪水滔天,鲧窃帝之息壤以湮洪水④,帝乃令祝融杀鲧于羽郊⑤,其言不经见。今是土也,夷之者不幸而死,岂帝之所爱耶?南方多疫,劳者先死,则彼持锸者,其死于劳且疫也,土乌能神⑥。余恐学者之至于斯,征是言而唯异书之信⑦,故记于堂上⑧。

[注释]

①长(zhǎng):升高。占:占验,征兆。《史记·天官书》载:"水澹泽竭,地长见象。"《汉书·天文志》云:"水澹地长,泽竭见象。"②甘茂:人名,战国时楚下蔡人,曾任秦武王左相。盟:盟誓。息壤:秦地名。武王三年,王使甘茂约魏以伐韩,茂恐王反悔,乃与王盟于息壤以为信。《史记·甘茂传》云:"(秦)王迎甘茂于息壤,因与之盟。"③异书:记载奇异之事的典籍,此处指《山海经》。④鲧:相传为夏禹之父,曾奉尧之命治理洪水,鲧从天帝那里偷来息壤(能够生长的土壤)来堵洪水,却没有治理好洪水。天帝令祝融在羽郊把鲧杀害。湮(yīn):同"堙",填塞。⑤祝融:传说中的火神,曾为高辛氏的火正(古代掌火的官)。羽郊:羽山之郊。羽山,传说中的山名。⑥乌:何,哪里,怎样。⑦征:引证,验证。⑧堂上:佛堂壁上。

[译文]

《史记·天官书》和《汉书·天文志》中记载了土地长高的征兆,但却没有对这种现象加以具体阐说。甘茂曾在息壤与秦王定盟,大概那个地方的土与龙兴寺的土相类似,也能生长。过去记载怪异现象的典籍,如《山海经·海内经》就记载了鲧偷天帝的息壤来堵塞洪水,天帝于是命令祝融在羽郊这个地方杀死了鲧。关于这种说法,儒家的经典没有记载。现在这种土,铲平它的人会遭遇不幸而死亡,这难道是因为天帝喜爱的息壤被铲平,故而惩罚铲平息壤的人吗?其实不是。南方多流行瘟疫,劳累过度的人会因染病先死去,至于那些拿铁锹铲地的人,他们是死于过度劳累和瘟疫,土壤怎么能够显示神灵呢?我恐怕求学之人来到此地,听了僧人这番话,就只相信异书所记载的天帝息壤之事,所以把这篇文章写在佛堂壁上,以正视听。

永州龙兴寺东丘记①

游之适,大率有二:旷如也②,奥如也③,如斯而已。其地之凌阻峭④,出幽郁,廖廓悠长,则于旷宜;抵丘垤,伏灌莽,迫遽回合,则于奥宜。因其旷,虽增以崇台延阁,回环日星,临瞰风雨,不可病其敞也;因其奥,虽增以茂树蘽石⑤,穹若洞谷,蓊若林麓⑥,不可病其邃也。

[题解]

柳宗元被贬到永州十年,所作记序甚多,写作此篇的具体年月无考。本篇借记述龙兴寺东南的小丘,阐发其自然美学观。

[注释]

①东丘:龙兴寺东边的小山丘。②旷如:开阔貌。③奥如:幽深貌。④阻峭:指险峻的高山。⑤蘽:古与"丛"同,聚集。⑥蓊(wěng):草木茂盛。林麓:山林。

[译文]

适宜游玩的自然景观,大体而言有两种情况:一种是空旷开阔，一种是幽静深邃，自然景观不过如此罢了。如果某处山峰险峻，林木茂盛，高远空旷，就属于空旷开阔之景；如果某处山丘低如蚁穴，周围树木丛生，通道狭窄迂曲，就属于幽静深邃之景。因为其空旷，即使在周围增建高高的楼台和绵延的阁道，在上能环视日月星辰，俯视世间风雨，也无损于它的开阔；因为其幽深，即使在周围种上茂盛的树木，聚集很多石头，使它高高隆起好像能贯穿整个山谷，草木茂盛得好像山林，也不会影响它的深邃。

今所谓东丘者，奥之宜者也。其始龛之外弃地①，余得而合焉，以属于堂之北陲②。凡坳洼坻岸之状③，无废其故。屏以密竹，联以曲梁。桂桧松杉梗楠之植④，几三百本，嘉卉美石，又经纬之⑤。俯入绿缛，幽荫荟蔚⑥。步武错迕⑦，不知所出。温风不烁，清气自至。水亭隧室，曲有奥趣。然而至焉者，往往以邃为病。

[注释]

①龛：供奉佛像、神位等的小阁子。②北陲：北边。③坳洼：地面的低洼处。坻岸：水中的小块高地。④桧（guì）：亦称刺柏，常绿乔木，木材桃红色，有香气，可作建筑材料。梗（pián）：亦称黄楩木，古书上说的一种树，木似豫章。楠：常绿大乔木，木材坚固，是贵重的建筑材料。此句中列举的六种树木，皆属名贵树种。⑤经纬：经线和纬线。此指把花草、树木、石头等纵横安置得错落有致。⑥荟蔚：草木繁盛的样子。⑦步武：脚步。错迕（wǔ）：交错，错杂。

[译文]

如今我所说的东丘，就是属于幽静深邃的景致。这里起初是佛龛外面废置的土地，我获得这块地之后把它合拢在一起，以便跟正房的北边相连。所有那些坳洼、坻岸之类，全部保持原来的状貌。（只是）把茂密的竹林当做屏障，用竹篱笆把两处连成一片。种植上桂、桧、松、杉、槠、楠等各种名贵树木，大概有三百棵；又在树木之间摆放上美丽的花草和石头，显得错落有致。俯身进入其中，好像踏到绿油油的地毯上，清幽荫凉，草木繁盛。置身其间，脚步错杂，不知该往哪里走。一阵清风徐徐吹过，花草的清香扑面而来。无论是水中的小亭子，还是狭小的陋室，僻静幽深，甚有情趣。然而到过这里的人，却往往认为此处的缺点就在于其过于深远。

噫！龙兴，永之佳寺也。登高殿可以望南极①，辟大门可以瞰湘流，若是其旷也。而于是小丘，又将披而攘之②。则吾所谓游有二者，无乃阙焉而丧其地之宜乎③？丘之幽幽，可以处休。丘之窅窅④，可以观妙。溽暑遁去⑤，兹丘之下。大和不迁⑥，兹丘之巅。奥乎兹丘，孰从我游？余无召公之德⑦，惧翦伐之及也⑧，故书以祈后之君子。

[注释]

①南极：南方极远之处。②披而攘之：即披攘，意谓披靡，草木随风倒伏。③无乃：表示委婉的反问，不是，岂不是。④窅（yǎo）窅：深邃貌。⑤溽暑：潮湿闷热。⑥大和：即太和，古代指阴阳会合、冲和的元气，此处指山间的云气。⑦召公：姓姬名奭，周的支族，周武王之臣，因封地在召，故称召公或召伯。成王时，与周公分陕而治。⑧翦伐：讨伐。

[译文]

唉！龙兴寺是永州比较好的寺院。登上高高的佛殿可以极目南眺，打开佛寺的大门就可以俯视滚滚奔腾的湘江，这里的地势是如此开阔啊！而对于这座小丘，更是不值一提了。那么我所说的适宜观赏的两种自然景观，岂不是要付诸阙如并且失去适宜的地方了？小丘幽深，可以在这里休息；小丘深邃，可以观赏美妙的景致。炎炎夏日，酷暑难耐，在这小丘之下是何等凉爽惬意；站在小丘的顶峰环顾四周，云气似乎萦绕驻足。这座小丘虽如此幽深美妙，但又有谁愿意跟随我一起欣赏呢？我没有召公那样高尚的品德，惧怕别人的讨伐会殃及自己，因此把自己的想法记录下来，请求后来的正人君子（能原谅我自私的想法）。

永州法华寺新作西亭记[①]

法华寺居永州，地最高。有僧曰觉照，照居寺西庑下[②]。庑之外有大竹数万，又其外山形下绝。然而薪蒸筱荡[③]，蒙杂拥蔽。吾意伐而除之，必将有见焉。照谓余曰："是其下有陂池芙藁[④]，申以湘水之流，众山之会，果去是，其见远矣。"遂命仆人持刀斧，群而剸焉。丛莽下颓，万类皆出，旷焉茫焉，天为之益高，地为之加辟，丘陵山谷之峻，江湖池泽之大，咸若有而增广之者。夫其地之奇，必以遗乎后，不可旷也[⑤]。余时谪为州司马[⑥]，官外乎常员[⑦]，而心得无事。乃取官之禄秩，以为其亭，其高且广，盖方丈者二焉。或异照之居于斯[⑧]，而不蚤为是也。

[题解]

本篇当作于元和四年（809年）九月之前，主要阐发作者对佛家所说的觉悟和观照含义的深刻理解。

[注释]

①法华寺：在今永州芝山城区东山。清宗稷辰《永州府志》载："府城地形高下起伏，冈阜缪绕，郁然耸城之中者，高山为最，联亘于城东隅，故又名东山。高山有唐时寺，后府学建而寺始坏。"宋代改名万寿寺，后又改名报恩寺。明洪武初改名高山寺。法华寺的命名，来源于《法华经》、《法华玄义》等佛教典籍。②庑：堂下周围的走廊、廊屋。③薪蒸：薪柴，粗曰薪，细曰蒸。筱荡（xiǎo dàng）：竹子。筱，小竹。荡，大竹。④芙藁：亦作芙渠、芙

蓉,荷花的别名。⑤旷:荒废,耽误。⑥时谪为州司马:永贞元年(805年)十一月,柳宗元被贬为永州司马员外置同正员。谪,贬谪,贬官。⑦官外乎常员:有别于正式编制内的官员。外,有别于,区别。常员,固定的名额。⑧异:奇怪。

[译文]

在永州的寺院之中,法华寺所处地势最高。有个和尚法号叫觉照,居住在法华寺西边的走廊下面。走廊外面生长着几万棵茂密的大竹子,竹林外是陡峭险峻的山崖。但这里灌木丛生,杂草遍地,杂乱闭塞。按照我的意见,如果能清除掉这些灌木杂草,视野就更加开阔旷远了。觉照对我说:"这个地方下面的池塘内长有荷花,如果能把湘江之水导引过来,就能看见那连绵起伏的远山了。如果把这些灌木杂草清除干净,视野就非常开阔了。"我于是就让仆人拿着刀斧之类的工具,众人合力清除了那些灌木和杂草。那些丛生的灌木杂草清除之后,万般美景都呈现在眼前,空旷辽阔,仿佛天更高远地更开阔了,丘陵、山谷、江河、湖泽之大,都好像变得更加险峻和宽阔了。这块土地是如此的神奇,一定要把它留给后人,不能让它荒废掉。我这时被贬为永州司马员外置同正员,官职有别于一般的官吏,并且没有那么多烦心事。于是拿出做官的俸禄,在这里建起一座亭子,亭子的面积大概有两丈见方。又对觉照一直住在这里,却不早点做这件事,感觉到很奇怪。

余谓昔之上人者①,不起宴坐,足以观于空色之实②,而游乎物之终始。其照也逾寂③,其觉也逾有④。然则向之碍之者为果碍耶?今之辟之者为果辟耶?彼所谓觉而照者,吾讵知其不由是道也⑤?岂若吾族之挈挈于通塞有无之方以自狭耶⑥?或曰:然则宜书之。乃书于石。

[注释]

①上人:旧时尊称僧人,佛教称德行高尚的人。②空:佛教指超乎色相

现实的境界。色：佛教用语，凡诸事物如五根（眼、耳、鼻、舌、身）五境（色、声、香、味、触）等足以引起变碍者，皆称色。佛教有云："色即是空。"谓有形之万物为色，而万物为因缘所生，本非实有。③照：观察外界事物。④觉：觉悟。佛以觉悟为宗，此处指领悟佛教的真谛。⑤讵：岂能，怎能。⑥挈挈：孤独的样子。通塞：通畅与阻塞，常用以比喻境遇之顺逆。

[译文]

我听说过去那些品德高尚的僧人，整日在禅房静坐不动，却足以领悟佛教空与色的真谛，洞悉万事万物之间消长的过程。他们观察外界事物时，心中更能坚守孤独与寂寞；他们领悟佛教的真谛时，心中更加充实与坦然。既然这样，那么前面提到的阻碍我们视线的东西是真的障碍吗？现在开辟出来的情景又是真的景象吗？那些所谓的因觉悟而观察外界事物的人，我又怎能知道他们不是通过这种方法才领悟（佛教的真谛）呢？怎能像我们这种人一样，经常为道路的通畅或阻塞，以及执著于有或是无之类的事情而孤独寂寞，成为自己心中的障碍呢？有人说：既然这样，应该把这种想法记录下来。于是我就把它写到石头上。

游黄溪记①

北之晋②，西适豳③，东极吴④，南至楚越之交，其间名山水而州者以百数，永最善。环永之治百里，北至于浯溪⑤，西至于湘之源⑥，南至于泷泉⑦，东至于黄溪东屯，其间乐山水而村者以百数，黄溪最善。

[题解]

元和初年变法失败，柳宗元被贬到永州。永州地处荒僻，人烟稀少，作者将一腔怨愤寄情于山水，在极度苦闷中转而追求精神的寄托。宋人韩醇在

《柳宗元集》中注说:"自《游黄溪》至《小石城山》,为记凡九,皆记永州山水之胜。年月或记或不记,皆次第而作耳。"元和八年(813年),永州刺史韦宙准备举行向黄神祈雨的大典,柳宗元奉召从行至黄溪,有机会游观黄溪胜境,写下这千古不朽的名篇,阐发了"山水不以偏僻而不善,人不以逆境而无道"的深刻哲理。

[注释]

①黄溪:水名,在湖南零陵地区,源出宁远县北阳明山,西经零陵,北合白江水,入湘江。其溪唐代属永州。本文所说黄神祠(黄溪庙)所在地,即今永州零陵区邮亭圩镇庙门口村。②晋:古代诸侯国名,在今山西西南部,位于永州北。③豳(bīn):古国名,唐属邠州,今陕西、甘肃地区,位于永州西北。④吴:古国名,在今江苏境内,位于永州东部。⑤浯(wú)溪:水名,源出湖南祁阳西南松山,向东北流入湘江。浯溪在永州境内,诗人元结曾居住溪畔,并给它取名叫浯溪。⑥湘之源:湘江源出广西兴安,此指唐代永州属县湘源,在今广西全州。⑦泷(shuāng)泉:永州南部一个山水秀美的村庄。"泉"字当为"泊"字之误,因此处位于舟船出入泷必经之地,故名"泷泊",后人称为"双牌",即今永州双牌治所在地。

[译文]

北面至晋地,西面到邠州,东抵达吴地,南濒临楚越交界之地,在永州周边广大的地域范围内,山清水秀之州可以百来计算,其中永州风景最美。在永州治所的百里之内,北至浯溪,西至湘江的源头,南至泷泉,东至于黄溪东屯,山川秀美的村庄又有上百个,其中黄溪的风景最优美。

黄溪距州治七十里,由东屯南行六百步,至黄神祠①。祠之上两山墙立,如丹碧之华叶骈植②,与山升降。其缺者为崖峭岩窟。水之中皆小石,平布黄神之上。揭水八十步③,至初潭,最奇丽,殆不可状。其略若剖大瓮④,侧立千尺,溪水积焉。黛蓄膏渟⑤,来若白虹,沉沉无声,有鱼数百尾,方来会石下。南去又行百步,至第二潭。石皆巍然,临峻流⑥,若颏颔龂腭⑦。其下大石杂列,可坐饮食。有鸟赤首乌翼,大如鹄,方东向立。自是又南数里,地皆一状,树益壮,石益瘦,水鸣皆锵然⑧。又南一里,至大冥之川⑨,山舒水缓,有土田。始黄神为人时,居其地。

[注释]

①黄神祠:又名黄溪庙,位于黄溪河流东岸,有黄神雕塑数尊,遗址已废毁。②丹碧:红花和绿叶。华:同"花"。骈植:并排生长。③揭水:撩起衣服,涉水而行。④其略:指初潭的涯岸。瓮:陶罐。⑤黛:青黑色。蓄:凝聚。膏:膏油。渟(tíng):水停止不流。⑥峻流:从高而下的急流,指黄溪。⑦颏(kē):下巴尖。颔(hàn):下巴。龂:牙根,齿根肉。腭(è):牙床。此四字形容怪石林立之状。⑧锵然:形容流水声音清脆。⑨大冥之川:广阔幽深的平地。

[译文]

黄溪距离永州城约七十里,由东屯向南行走六百步,就到达黄神祠。黄神祠后面的高山陡峭险峻,犹如两面站立的高墙,山上并排生长着红花绿草,这些花花草草顺着山势蜿蜒起伏,或升或降,或沉或浮。那些没有花草的地方,则是悬崖峭壁和各种岩洞。黄溪水底铺满了小石头。过了黄神祠,提起裤脚涉水八十步,来到初潭,(这里的景致)最新奇美丽,美得几乎让人无法形容。初潭的大概轮廓像一个剖开的大瓮,侧壁高达千尺。溪水汇聚在这里,仿佛黛玉蕴藏、香脂凝结;水流疾速,像一道白虹,沉静得没有一点声音;有数百尾鱼儿游来游去,相聚在石头底下。又往南走百步,来到第二潭。周边的岩石高峻耸立,靠近激流,(山石的形状)好像猛兽龇牙咧嘴,参差不齐。潭下散落着许多平整的大石块,可以当桌凳坐下来畅饮。(石上)有一种红头黑翅膀的鸟,大得像天鹅,朝东面站立。从这里再往南数里,地貌变化不大,树木茂盛,山石清瘦，流水锵然有声。再往南行一里，来到一片广阔幽深的平野，这里依山傍水，山路平坦，水流舒缓，有土地田园。黄神活着的时候，就居住在这个地方。

传者曰："黄神王姓，莽之世也①。"莽既死，神更号黄氏②，逃来，择其深峭者潜焉。始莽尝曰："余黄虞之后也③。"故号其女曰"黄皇室主"④。黄与王声相迩而又有本⑤，其所以传言者益验。神既居是，民咸安焉。以为有道，死乃俎豆之，为立祠。后稍徙近乎民，今祠在山阴溪水上。元和八年五月十六日，既归为记，以启后之好游者⑥。

[注释]

①莽之世：王莽的同宗。②更号黄氏：改姓黄。据《汉书·王莽传》记载，王莽自谓黄、虞之后，姚、妫、陈、田、王氏凡五姓者，皆黄、虞苗裔，其令天下尚此五姓，名籍于秩宗，以为宗室。黄神原为王姓，王莽死后，遂改姓黄，故称黄神。③黄：指黄帝，中华民族的共同祖先。虞：即虞舜，号重华，中华始祖之一。④黄皇室主：王莽的女儿本是汉平帝的皇后。平帝死后，王莽摄政，尊其女为皇太后。王莽立新朝，改其女为安定公太后，想让她改嫁，号"黄皇室主"，意谓新莽的公主，表示与汉断绝关系。事见《汉书》卷九七下《外戚传》。⑤声相迩：语音相近。有本：有根据，即上述王莽自谓黄帝后裔及改女号之事，可作为黄神由王姓改黄姓的根据。⑥启：引导。

[译文]

有资料记载："黄神姓王，是汉末王莽的同宗。"王莽死后，王神改姓黄，逃到这里，选择这个险峻的山沟隐居下来。起初王莽曾经说过："我本是黄帝与虞舜的后裔啊！"所以把曾是汉平帝皇后的自己的女儿封作黄皇室主。黄与王语音相近，而且又有（王莽自谓黄帝后裔的事实作为）根据，所以传言的人越发相信其真实性。黄神定居这里以后，百姓认为他能给黄溪居民以太平，都安心地居住下来。黄神死后,百姓不仅祭祀他,还为他修建祠堂。后来祠堂逐渐迁移到百姓聚居的地方,现在祠堂在山北的溪水边上。元和八年五月十六日,我出游归来为他写下这篇文章,供以后喜欢游历的人参考。

始得西山宴游记^①

自余为僇人^②,居是州,恒惴栗^③。其隟也^④,则施施而行,漫漫而游。日与其徒上高山,入深林,穷回谿,幽泉怪石,无远不到。到则披草而坐^⑤,倾壶而醉。醉则更相枕以卧,卧而梦。意有所极^⑥,梦亦同趣。觉而起,起而归。以为凡是州之山水有异态者^⑦,皆我有也,而未始知西山之怪特^⑧。

[题解]

本篇及以下七篇山水游记均作于永州,记载永州的八处名胜,后人合称为"永州八记",本篇领起其余诸篇。柳宗元当时被贬至荒远之地,又任闲职,只好寄身世之感于状物写景之中,放情山水,"蕴骚人之郁悼","览之者为之凄恻"(《旧唐书·柳宗元传》)。

[注释]

①始得:刚发现。西山:又称粮子岭,在永州城西,即今湖南零陵县城西南。宴游:游览并宴饮。②僇(lù)人:受辱之人,指罪人。③惴(zhuì)栗:恐惧战栗,战战兢兢的样子。④隟:同"隙",空闲、闲暇时。⑤披:分开。⑥意有所极:所能想到之处。⑦异态:奇特的景色。⑧怪特:奇怪、特别。

[译文]

自从我获罪遭贬,居住在永州城内,心中一直战战兢兢。闲暇的时候,就缓步而行,放情游览,无拘无束。每日与门生故旧登临高山,探秘深林,走到迂回曲折的溪水尽头,无论是幽幽的泉水还是奇异的石头,再远也要去游赏一番。到了目的地就分开草丛席地而坐,开怀畅饮,直至大醉。酒醉之后,众人互相枕靠着睡觉,躺在草地上就能做梦。心中有一直向往的地方,梦中就能到达那里。睡醒了就起来,起来就回去。我以为永州所有景色奇特的山水名胜,我都游览过了,却尚不知道西山是这样奇异特别。

今年九月二十八日,因坐法华西亭①,望西山,始指异之②。遂命仆人过湘江,缘染溪③,斫榛莽,焚茅茷,穷山之高而止。攀援而登,箕踞而游,则凡数州之土壤,皆在衽席之下④。其高下之势,岈然洼然⑤,若垤若穴,尺寸千里,攒蹙累积,莫得遁隐。萦青缭白,外与天际,四望如一。然后知是山之特立,不与培塿为类⑥,悠悠乎与颢气俱⑦,而莫得其涯;洋洋乎与造物者遊,而不知其所穷。引觞满酌,颓然就醉⑧,不知日之入。苍然暮色,自远而至,至无所见,而犹不欲归。心凝形释⑨,与万化冥合⑩。然后知吾向之未始游,游于是首始,故为之文以志。是岁,元和四年也。

[注释]

①西亭:位于法华寺内,柳宗元所建,地势较高。②始指异之:开始指点(西山)的奇异之处。③染溪:亦名冉溪,在零陵县西南,元和五年(810年),柳宗元筑室于此,改名愚溪。参见《愚溪诗序》。④衽(rèn)席:坐席,卧席。⑤岈(yá)然:山深邃貌。洼然:深陷貌。⑥培塿(lǒu):小土丘。⑦悠悠:渺远。颢(hào)气:大气,浩然之气。⑧颓然:下坠貌,指醉而不能自持。⑨心凝:精神与自然的凝合。形释:躯体消散,不复存在。⑩万化:宇宙自然的变化,此处代指万物。冥合:暗合,融合为一。

[译文]

元和四年九月二十八日,因为坐在法华寺内的西亭之上,眺望西山,开始指点西山的奇异之处。于是就命令仆人渡过湘江,沿着冉溪（向前走），砍掉丛生的杂草，焚烧茂密的茅草，登上山的最高峰才停下脚步。我们攀援着登上山去，伸开两腿，席地而坐，观赏风景，只见永州及其邻州的土地，都在自己的坐席下面，看得清清楚楚。西山高低险峻的态势凸现眼前：山谷幽深，低洼不平，从远处眺望，山似蚁封，山谷如洞，眼前看到的景物仅有咫尺大小，实则有千里之远，各种景物密集汇聚在一起，山川城邑尽收眼底。绿树白水错杂缠绕，远处的景物延伸开去，似乎与天相连，四面眺望都是同一景色。这才知道这座山的高峻突兀，与一般的小土丘截然不同，渺远得像天地间的大气一样，没有边界；飘飘然与天地同游，无穷无尽，令人心驰神往。拿起酒杯斟满酒，开怀畅饮，以至酒醉，不知道太阳什么时候落山。昏暗的夜色从远处渐渐袭来，等夜色完全降临就什么也看不见了，但是还不想回去。此时身心恬适，心神凝聚于山水景色之中，躯体似乎消散了，与自然万物融为一体。这才知道我以前所游之处算不上览胜，真正的游览从这里开始，所以为此写下这篇文章作为记述。这一年，是（唐宪宗）元和四年。

钴𬭸潭记[①]

钴𬭸潭在西山西，其始盖冉水自南奔注[②]，抵山石，屈折东流。其颠委势峻[③]，荡击益暴，啮其涯[④]，故旁广而中深，毕至石乃止[⑤]，流沫成轮，然后徐行[⑥]。其清而平者且十亩馀，有树环焉，有泉悬焉。

[题解]

本篇是"永州八记"的第二篇，作于元和四年（809年）。据《钴𬭸潭西小丘记》云："得西山后八日，寻山口西北道二百步，又得钴𬭸潭"，则知本篇与《钴𬭁潭西小丘记》均作于始得西山之年,即元和四年。

[注释]

①钴𬭁(gǔ mǔ):熨斗,潭的形状像熨斗,故名钴𬭁潭,在今湖南零陵县城郊柳侯(即柳宗元)祠附近的愚溪中。②奔注:奔流而下。③颠委:水头和水末。势峻:水势险峻。④啮其涯:冲击堤岸。⑤至石:碰到四周的石头,谓岸边的泥土被冲刷殆尽,只剩下石岸。⑥徐行:缓慢流淌。

[译文]

钴𬭁潭在西山的西边,它的形成大概是冉水从南边奔流而下,冲击山石,受到阻隔后转而向东流淌。其水流上下游地势落差极大,水势峻急,激荡冲击得更加猛烈,侵蚀岸崖,所以潭的堤岸四周宽阔,而中间很深,水流四面冲刷,堤岸只剩下石头才停下来。水流激起旋转流动的泡沫,犹如圆形的车轮在翻滚,然后再缓慢流走。钴𬭁潭的水面清澈而平静,大约有十多亩大,四周绿树环绕,高处有泉水流泻。

其上有居者,以予之亟游也①,一旦款门来告曰②:"不胜官租私券之委积③,既芟山而更居④,愿以潭上田贸财以缓祸⑤。"予乐而如其言。则崇其台,延其槛,行其泉于高者而坠之潭⑥,有声潨然⑦。尤与中秋观月为宜,于以见天之高,气之迥⑧。孰使予乐居夷而忘故土者⑨,非兹潭也欤?

[注释]

①亟:屡次。②款门:叩门、敲门。③不胜:禁不住,忍受不了。私券:借私人的款项。委积:堆积。④芟山:在山上开荒。更居:变更住处,搬家。⑤贸:交易。缓:解除。祸:指官租私债。⑥行其泉:引泉水。⑦潨(cóng)然:山泉汇入潭中的水声。潨,同"淙"。⑧气:天空。迥:辽阔,辽远。⑨夷:古代对异族的贬称。春秋以后,多用于对中原以外各族的蔑称。此处指永州,因其地远离中原。

[译文]

潭的土坡上有一家住户,因为我多次来这里游玩,一天早晨他来敲门并告诉我说:"我因为不堪忍受官府租税和私人债券的盘剥重压,已经在山上开荒种地,要搬家了,愿意卖掉潭上的耕地还债,从而解除官租私债带来的灾祸。"我很乐意买潭,并按照他的话照价付款。我在那里建了高台,修了长栏杆,把泉水引到高处,然后使其倾落潭中,发出悦耳的淙淙水声。特别是到了中秋时节,这里更适合赏月,感觉天空更加深邃,视野更加辽阔。是什么让我更喜欢住在这边远地区而忘记土生土长的故乡呢,难道不是这个钴鉧潭吗?

钴鉧潭西小丘记①

得西山后八日②,寻山口西北道二百步③,又得钴鉧潭。潭西二十五步,当湍而浚者为鱼梁④。梁之上有丘焉,生竹树。其石之突怒偃蹇⑤,负土而出,争为奇状者,殆不可数。其欹然相累而下者⑥,若牛马之饮于溪;其冲然角列而上者⑦,若熊罴之登于山。

[题解]

本篇为"永州八记"的第三篇,与前面两篇同时作。小丘价廉景美,却因地处偏僻而连年不售。作者借为小丘的遭弃鸣不平,感慨自己空有抱负却不为人主所用的遭遇。

[注释]

①小丘:小山。②后八日:元和四年(809年)九月二十八日得西山,后八日即为十月初七日。③寻:顺、沿着。道:步行。④湍:急流的水。浚(jùn):深。鱼梁:阻挡水流的石堰,也可做捕鱼设施,用土石横截水流,留

缺口,以筍(竹制的捕鱼器具)承之,鱼随水流入筍中,不能逃出。⑤突怒:高起挺出的样子。偃蹇:高耸的样子。⑥嵚(qīn)然:山石高峻倾颓貌。累:重叠。⑦冲然:突起向上的样子。角列:像兽角那样斜列。

[译文]

发现西山之后的第八天,我们沿着山口向西北行走大约二百步,又发现了钴鉧潭。钴鉧潭向西大约二十五步,在水流急深的地方是一道鱼梁。石堰上有个小土丘,上面生长着竹子和树木。那些从土里冒出来的石头,或高起挺出,或兀然高耸,破土而出,呈现出奇形怪状,几乎数不清楚。那些倾斜的山石重叠相连而下,犹如成群的牛马在溪边饮水;那些像兽角一样突出斜列的山石,犹如熊罴向山上攀登。

丘之小不能一亩,可以笼而有之。问其主,曰:"唐氏之弃地,货而不售①。"问其价,曰:"止四百②。"余怜而售之。李深源、元克己时同游,皆大喜,出自意外。即更取器用③,铲刈秽草,伐去恶木,烈火而焚之。嘉木立,美竹露,奇石显。由其中以望,则山之高,云之浮,溪之流,鸟兽之遨游,举熙熙然回巧献技④,以效兹丘之下⑤。枕席而卧,则清泠之状与目谋⑥,瀯瀯之声与耳谋⑦,悠然而虚者与神谋⑧,渊然而静者与心谋⑨。不匝旬而得异地者二⑩,虽古好事之士,或未能至焉。

[注释]

①货:出卖。不售:卖不出去。②止:仅仅。四百:四百文钱。③更:轮换,轮流。器用:指锄草工具。④举:全部。熙熙然:和乐的样子。回:运,引申为表现。⑤效:呈献,效劳。⑥清泠(líng):水清澈明净。谋:相合。⑦瀯(yíng)瀯:泉水声。⑧悠然:天空辽阔无边的样子。虚:空。⑨渊然:幽深静谧。⑩匝(zā):周,满。异地:风景奇异之地,指钴鉧潭和小丘两处地方。

[译文]

这个小丘不足一亩,似乎能够全部牢笼在内。我向小丘的主人打听情况,他回答说:"这是姓唐的人家废弃的土地,想卖却卖不掉。"我又问地价多少,回答说:"仅仅四百文钱。"我喜欢这小丘,就买下了它。当时,李深源、元克己与我同游,都非常高兴,认为是意想不到的收获。我们当即轮换着取来锄草器具,铲平小丘上的杂草,砍掉不成材的灌木荆棘,用猛火烧毁砍伐掉的枯枝败叶。(顿时,)美好的树木、秀美的竹林、奇异的山石,全部都显现出来。站在小丘中间环视四周,只见远山高耸,云气缭绕,溪水淙淙,鸟兽自由自在地翱翔游走,所有这些都愉悦快乐地在小丘下面轮番呈献各自的巧妙之处。我们以山为枕、以地为席,躺在小丘上,山水的明澈清凉与目光相和谐,潺潺的流水声传入耳际,悠远空阔的天空与精神相通,深幽静谧的天空与心灵相合。十天之内竟然得到了两处胜景,即使是古代好游览风景的人,也未必能办得到(指如此幸运)啊!

噫!以兹丘之胜①,致之沣、镐、鄠、杜②,则贵游之士争买者③,日增千金而愈不可得。今弃是州也,农夫渔父过而陋之,贾四百④,连岁不能售。而我与深源、克己独喜得之,是其果有遭乎⑤!书于石,所以贺兹丘之遭也。

[注释]

①胜:景物优美。②致之:把它放置在。沣、镐(hào)、鄠(hù)、杜:泛指唐代都城长安的城郊,当时富豪之家多在此建别墅。沣,邑名,曾是周文王的都城,今陕西户县东。镐,周武王都城,今陕西长安西南。鄠,汉代县名,唐京兆府鄠县,今陕西户县。杜,指杜陵,古县名,在长安东南。③贵游之士:王公贵族子弟。④贾:同"价",价格。⑤遭:机遇。指得到别人的赏识。

[译文]

唉！凭着小丘周围如此优美的景物，如果把它放到都城长安附近的沣、镐、鄠、杜诸县邑之地，那么爱好游乐的贵族人士定会竞相争购，即使小丘的售价每日增加千金，也越发买不到。如今被弃置在永州，农夫渔民经过而看不起它，标价仅仅四百文钱，却是几年也卖不出去。可是我与深源、克己偏偏喜爱并获得了它，这难道是小丘和钴鉧潭果真有其机遇吗？我把这篇文章写在石上，用来祝贺小丘能得到别人的赏识。

至小丘西小石潭记[1]

从小丘西行百二十步，隔篁竹[2]，闻水声，如鸣珮环[3]，心乐之。伐竹取道，下见小潭，水尤清洌[4]。全石以为底，近岸卷石底以出，为坻为屿[5]，为嵁为岩。青树翠蔓，蒙络摇缀[6]，参差披拂。潭中鱼可百许头[7]，皆若空游无所依。日光下澈，影布石上，怡然不动[8]；俶尔远逝[9]，往来翕忽，似与游者相乐。

[题解]

本篇是"永州八记"的第四篇，描绘的是小石潭的美景。

[注释]

[1]小丘：即钴鉧潭西小丘。小石潭：以潭底是石而得名。[2]篁（huáng）竹：竹林。篁，竹田，一说竹石。[3]珮环：古人腰间佩戴的玉饰，走路时相碰作响。珮，玉佩。环，玉环。[4]清洌（liè）：水清冷的样子。[5]为：形成。屿：岛。[6]蒙：覆盖，遮掩。络：缠绕。摇缀：摇曳连缀。[7]可：大约。许：表示约略估计的词。[8]怡然：安适自在的样子。[9]俶（chù）尔：流动貌。逝：往，指远去。

[译文]

从（钴鉧潭西）小丘再向西走一百二十步，隔着茂密的竹林，听到流水的声音,就像玉佩和玉环相互撞击而叮当作响,心中特别喜欢这清脆悦耳的水声。于是砍伐竹子,开辟出一条小路,下面出现一个小潭,潭水特别清冷。潭底是一整块大石,靠近岸边,向上卷起,露出水面,高低不平,形态各异:有的形成小石礁、小岛屿,有的形成小石垒、小石岩。葱郁的大树上爬满了翠绿的藤蔓,树与藤互相遮掩缠绕,摇曳连缀,摇摆下垂,参差不齐,随风飘动。潭中的鱼儿大约有一百多条,因为潭水极清,鱼儿都好像在没有任何依托的状态下游动。阳光一直照到潭底,鱼儿的影子映在石底上,安适自在,一动不动;突然间,(鱼儿)又向远处急速游开,来来往往轻快敏捷,仿佛在与游人开玩笑。

潭西南而望,斗折蛇行,明灭可见①。其岸势犬牙差互②,不可知其源。坐潭上,四面竹树环合,寂寥无人,凄神寒骨,悄怆幽邃③。以其境过清,不可久居,乃记之而去。

同游者,吴武陵、龚古、余弟宗玄。隶而从者④,崔氏二小生⑤,曰恕己,曰奉壹。

[注释]

①明:指水光可见。灭:指水光为岸遮蔽而不可见。②犬牙:狗牙。此处指溪岸上的石头像狗牙一样交错。差(cī)互:参差交错的样子。③悄怆:凄惨。幽邃:幽深。④隶而从者:作为侍奉而跟随同来的人。⑤二小生:两个小青年,即下文所说的恕己和奉壹。二人乃崔简之子。崔简,字子敬,博陵安平(今河北定县)人,柳宗元的姐夫。贞元五年(789年)进士及第,累官至刑部员外郎。

[译文]

由小石潭向西南方向望去,只见溪水像北斗七星那样曲折,又像游蛇一样蜿蜒,水光也随之或隐或现。溪岸曲折如狗牙般交错不齐,无法看到溪水的尽头。坐在石潭上,四周都是竹子、树木,静悄悄的没有人声，此情此景使人倍感精神凄凉，寒气透骨，心里忧伤。这环境实在过于冷清，不能久留，于是我把这里的景色记下后就离开了。

（跟随我）一同去游玩的，还有吴武陵、龚古和我的弟弟宗玄，作为侍奉而跟随同来的人，是两个姓崔的年轻人，一个叫恕己，一个叫奉壹。

袁家渴记[1]

由冉溪西南水行十里，山水之可取者五，莫若钴鉧潭。由溪口而西陆行，可取者八九，莫若西山。由朝阳岩东南水行[2]，至芜江[3]，可取者三，莫若袁家渴。皆永中幽丽奇处也。

[题解]

本篇是"永州八记"的第五篇，与后面三篇合称"后四记"，同时作于元和七年（812年），以此篇领起。

[注释]

①袁家渴（hé）：渴属于袁某的产业，故柳宗元以其姓命名其渴为袁家渴。渴，水之支流。②朝阳岩：在永州城西南，大历元年（766年），元结游览此地，因岩石东向，故名朝阳岩。③芜江：情况不详，疑"芜"为"潇"字之误。

[译文]

从冉溪向西南，走水路十里远，山水风景较好可供游览的有五处，没有哪处能比得上钴鉧潭；从冉溪入湘江处向西走陆路，可供游览的风景有八九处，没有哪处能比得上西山；从朝阳岩向东南走水路，到芜江之间，可供游览的风景有三处，最好的就数袁家渴。这些都是永州境内幽静而美丽的胜景。

楚、越之间方言,谓水之支流者为"渴"。渴上与南馆高嶂合①,下与百家濑合②。其中重洲小溪③,澄潭浅渚,间厕曲折④,平者深墨,峻者沸白。舟行若穷,忽又无际。

[注释]

①上:上游。南馆:地名,具体位置不详。嶂:屏障似的山峰。②下:下游。百家濑:永州地名,在零陵县南。③重(chóng)洲:诸多沙洲。④间(jiàn):杂列。厕(cì):杂置。

[译文]

永州一带的方言,把水的支流叫做"渴"。渴的上游联结着南馆的高山,下游与百家濑汇流。上游与下游之间有诸多沙洲和潺潺的小溪,清澈的潭水与水中浅浅的小洲,错落杂列于曲折的渴中。水势平稳的地方,呈现深黑色;遇到洲渚而涌起白色的浪花。船往前方行,好像已经无路可通,忽然眼前又出现没有边际的壮阔景象。

有小山出水中,山皆美石,上生青丛①,冬夏常蔚然。其旁多岩洞,其下多白砾②,其树多枫、楠、石楠、楩、槠、樟、柚③,草则兰芷。又有异卉,类合欢而蔓生④,轇轕水石。每风自四山而下,振动大木,掩苒众草⑤,纷红骇绿,蓊葧香气⑥,冲涛旋濑,退贮谿谷,摇飏葳蕤⑦,与时推移。其大都如此,余无以穷其状。

永之人未尝游焉,余得之不敢专也,出而传于世。其地主袁氏,故以名焉。

[注释]

①青丛:青色的草树丛。②白砾:白色的小石子。③楠:一种生于南方的珍贵树种。石楠:常绿灌木,初夏开黄绿色花。槠(zhū):木名,似栎,冬天叶不落。樟:即豫章。柚:橘类。④合欢:草名,又名马樱花、榕花,花

淡红色。古人常以合欢赠人,取可以和好消怨之意。蔓(wàn)生:不能直立,靠缠绕攀附他物而生长。⑤掩苒(rǎn):风吹草靡的样子。⑥菶葧(bó):草木茂盛的样子。此处指香气浓郁。⑦摇飏(yáng):摇荡。葳蕤(wēi ruí):草木华盛的样子。

[译文]

有座小山从水中露出来,山上都是好看的石头,石头上生长着青色的草树丛,一年四季都浓密茂盛。山的旁边有许多岩洞,山下有许多白色的碎石子;山上的树木多是枫树、楠树、石楠、梗树、槠树、樟树、柚树之类;小草则多是兰草、芷草;又有许多奇异的花卉,类似合欢却附着他物生长,纵横错杂地分布在水石之上。每当有风从四周山上吹下,高大的树木随风摇摆,地面的小草随风披靡,红花绿叶都纷乱摇动,清新的花草香气扑鼻而来,大风掀起波涛,急流回旋,水波后退流入溪谷中,茂盛的草木随风摇荡。所有这些景物都随着四时的不同而变化。袁家渴的景色大概就是如此,我无法把它的全部景象描述出来。

永州人还没有来这里游玩过,我欣赏过这里的美景,不敢独自享受,就写出这篇文章以告诉世人。"渴"这个地方世代属于袁氏,所以我叫它"袁家渴"。

石渠记①

自渴西南行②,不能百步,得石渠,民桥其上③。有泉幽幽然,其鸣乍大乍细。渠之广,或咫尺④,或倍尺,其长可十许步。其流抵大石,伏出其下。逾石而往,有石泓⑤,昌蒲被之⑥,青鲜环周。又折西行,旁陷岩石下,北堕小潭。潭幅员减百尺,清深多鯈鱼⑦。又北曲行纡徐⑧,睨若无穷,然卒入于渴。其侧皆诡石怪木，奇卉美箭⑨，可列坐而庥焉⑩。风摇其巅，韵动崖谷。视之既静，其听始远。

[题解]

本篇为"永州八记"的第六篇。全篇用移步换景之法，极写清远静幽之致。

[注释]

①石渠：因渠底、渠侧多石头，故名石渠。②渴：指袁家渴。③桥：名词用作动词，架桥。④咫尺：周代的长度单位，八寸为咫。下文"倍尺"，即二尺。⑤石泓：石底的深潭。⑥被：覆盖。⑦儵（shū）鱼：白条鱼。⑧曲行：曲折流动。纡（yū）馀：曲折延伸的样子。⑨箭：小竹。⑩庥（xiū）：庇荫。

[译文]

从袁家渴往西南行走，不到百步之远，发现一个石渠，老百姓在渠上架了一座便桥。有一眼泉水幽静地流淌，流水声时大时小。石渠的宽度，有的地方不足一尺，有的地方则有二尺，渠长约有十步左右。渠水遇到大石头，就从石底流出。渠水越过石头再往前流淌，有一个很深的潭，菖蒲覆盖在水潭上面，葱绿的苔藓环绕在水潭周围。渠水又转弯往西流淌，在岩石边流入石隙里，出石隙后向北流淌，落入一个小潭中。小潭的面积还不足一百尺，潭水清澈幽深，里面生长着许多白条鱼。渠水又曲曲折折地往北流动，看上去似乎没有尽头，但最终流入袁家渴。渠的两岸到处都是怪异的石头、树木、花草和美丽的小竹，人们可以并排坐在那里休息。风吹动竹树作响，在崖谷中振荡共鸣。眼见竹树已经停止摆动，可是声音刚传到远方，还在虚谷中回荡。

予从州牧得之①，揽去翳朽②，决疏土石，既崇而焚，既酾而盈③。惜其未始有传焉者，故累记其所属，遗之其人，书之其阳,俾后好事者求之得以易④。元和七年正月八日,蠲渠至大石⑤。十月十九日,逾石得石泓小潭。渠之美于是始穷也。

[注释]

①州牧:州刺史,此处指永州刺史。②揽去:取去,清除。翳(yì)朽:倒伏在地上的枯朽树木。③酾(shī):疏导,分流。盈:满。④俾(bǐ):使。好事者:喜欢游山玩水的人。⑤蠲(juān):疏通,清除。

[译文]

我跟随永州刺史来此,发现了石渠,清除渠中的腐枝枯叶,挖掘渠中的土石使渠水畅通,把朽木乱草堆积起来之后烧掉,石渠疏通之后渠水满盈。可惜这还没有记叙石渠的美景使它流传的文章,所以我把这一带与石渠相连的美景一一记述下来,留给喜爱山水的后来人,并把这篇文章写在渠的北岸,使以后喜欢游山玩水的人更容易找到这里。元和七年正月初八,从清除渠中的杂物、疏通石渠到大石为止。十月十九日,越过石头发现石泓、小潭,石渠的美景到此才算完整地呈现出来。

石涧记①

石渠之事既穷,上由桥西北,下土山之阴,民又桥焉。其水之大,倍石渠三之一②。亘石为底③,达于两涯。若床若堂,若陈筵席,若限阃奥④。水平布其上,流若织文,响若操琴。揭跣而往,折竹扫陈叶,排腐木,可罗胡床十八九居之⑤。交络之流,触激之音,皆在床下。翠羽之木⑥,龙鳞之石⑦,均荫其上。古之人其有乐乎此耶?后之来者,有能追予之践履耶⑧?得意之日,与石渠同。

[题解]

本篇是"永州八记"的第七篇。

[注释]

①石涧：涧底为石，故名。涧，夹在两山间的流水。②倍：多，增加。三之一：三分之一。③亘（gèn）：空间和时间上延续不断，此处引申为延伸。④限：限制，分隔。阃（kǔn）奥：室内隐奥之处，此处指有的地方形状好像房间。阃，门槛。⑤罗：摆放。胡床：又称交椅、交床、绳床，一种可折叠的轻便坐具，因由北方胡地传入，故名。⑥翠羽：本指翡翠色的羽毛，此处比喻翠绿色的树叶。⑦龙鳞之石：像龙鳞般排列的石头。⑧追予：跟随我。践履：脚步，踪迹。

[译文]

石渠的景色欣赏完毕，从石渠的桥上向西北方向走，下了土山的北坡，（便是石涧。）百姓又在石涧上架了一座桥。桥下的流水，比石渠的水量增加了三分之一。涧底全是石板，石板延伸到两岸。这些石头有的像床，有的像房子，有的像摆宴席，有的又如用门槛隔开的房间的形状。涧水在石板上平静地流淌，水流犹如织有花纹的绫罗绸缎，泉水叮咚作响好像有人在弹琴。我们提起裤脚，赤脚趟过涧水，折竹当扫帚，扫去堆积已久的树叶，清除掉那些腐朽的树枝，清理出一块能摆放十八九张胡床的空地。涧中的流水相互激荡，胡床之下传来水流激撞而发出的声响；翠绿的树叶，龙鳞状的石头，都遮盖在胡床之上。古时候的人有谁曾发现石涧，并享受到这般快乐吗？后来的人，有谁能够追随我的足迹来到这里呢？发现石涧时的得意之情，与发现石渠时是一样的。

由渴而来者，先石渠，后石涧；由百家濑上而来者①，先石涧，后石渠。涧之可穷者，皆出石城村东南，其间可乐者数焉②。其上深山幽林，逾峭险，道狭不可穷也。

[注释]

①上：溯流而上。②可乐者：值得欣赏的美景。

[译文]

如果从袁家渴来,先到石渠,后到石涧;如果从百家濑逆流而上的话,则是先到石涧,后到石渠。涧水的源头,出自石城村东南,那里值得欣赏的美景有好几处。源头之上,山深林密,更加陡峭险峻,道路非常狭窄,不能穷其尽头。

小石城山记①

自西山道口径北,逾黄茅岭而下②,有二道:其一西出,寻之无所得;其一少北而东③,不过四十丈,土断而川分,有积石横当其垠④。其上为睥睨梁欐之形⑤,其旁出堡坞⑥,有若门焉。窥之正黑,投以小石,洞然有水声,其响之激越,良久乃已。环之可上,望甚远,无土壤而生嘉树美箭,益奇而坚,其疏数偃仰⑦,类智者所施设也⑧。

[题解]

本篇是"永州八记"的第八篇。作者借赞叹山石树木疏密仰伏之巧妙,转入对"造物者之有无"这一重大哲学命题的探讨,以抒发自己屈遭贬谪的悲愤之情。

[注释]

①石城山:在零陵县西,因山全石无土,又与城相似,故名。②黄茅岭:永州山名,位于西山北端。据《大清一统志》卷二八二《永州府》载:"西山在零陵县西……自朝阳岩起,至黄茅岭北,长亘数里,皆西山也。"③少北而东:稍微偏北向东。④垠:边界,边际。⑤睥睨(pì nì):通作"埤堄",即雉堞,城上的矮墙,中有小孔可望城下。梁欐(lì):房屋的栋梁。⑥堡坞:土堡,小城。⑦疏数(shuò):疏散和密集。偃:卧倒。仰:抬头。⑧施设:布置,摆设。

[译文]

从西山路口一直向北走,越过黄茅岭往下去,出现两条路:一条向西去,走过去寻找风景却一无所得;另一条稍微偏北向东,走不到四十丈远,道路就被一条河流截断了,有一座石山横立在这条路的尽头。石山顶部天然形成矮墙和栋梁的形状,石城旁边有个堡垒,其中有个类似门的洞。往洞里探看,里面一片漆黑;扔进去一块小石块,石块击水的声音高亢清远,回声过了好久才停止。石山可以盘旋着登上山顶,站在山顶,可以看到很远很远的地方;山上虽然没有泥土,却长着嘉树和竹箭,更显得形状奇特,质地坚硬;石头分布疏密有致,有的像人倒卧,有的像人仰立,好像是智者精心设置好的。

噫!吾疑造物者之有无久矣①。及是,愈以为诚者②。又怪其不为之中州③,而列是夷狄,更千百年不得一售其伎④,是固劳而无用。神者倘不宜如是⑤,则其果无乎?或曰:"以慰夫贤而辱于此者⑥。"或曰:"其气之灵不为伟人⑦,而独为是物,故楚之南少人而多石。"是二者,余未信之。

[注释]

①造物者:创造万物的神灵。有无:是否存在。②诚者:真实存在。③中州:指中原地区。④更(gēng):历经,经过。售:出售,此处指显露。伎:技巧,此处指美景。⑤神者:即上文所说的造物者。倘:或者。宜:应该。⑥慰夫贤:安慰贤者。⑦气之灵:指天地之灵气。为:造作,生成。

[译文]

唉!我怀疑创造万物的神灵是否存在已经很久了。到了这里,越发认为造物者是真实存在的。但我又感到奇怪,造物者不把这小石城山安放到人口密集的中原地区,却把它摆在这荒僻遥远的蛮夷之地,历经千百年也得不到人们的欣赏,这真是劳而无功啊!造物者或许不应该这样做,那么造物者果真是没有的吧?有人认为:"造物者是以此来安慰那些被屈贬到永州的贤人的。"也有人说:"这地方的山川钟灵之气不能孕育伟人,却只能生成这样的奇山胜景,所以楚地的南部少人才而多异石。"这两种说法,我都不相信。

柳州东亭记[1]

出州南谯门[2],左行二十六步,有弃地在道南。南值江,西际垂杨传置[3],东曰东馆。其内草木猥奥[4],有崖谷,倾亚缺圮[5]。豕得以为囷[6],蛇得以为薮,人莫能居。至是始命披剌蠲疏,树以竹箭松柽桂桧柏杉。易为堂亭,峭为杠梁[7]。下上徊翔,前出两翼。凭空拒江,江化为湖。众山横环,嶛阔潆湾[8]。当邑居之剧[9],而忘乎人间,斯亦奇矣。

[题解]

元和十年(815年)三月,柳宗元出任柳州刺史。元和十二年,柳宗元修建东亭,并为之作记。文章记述了修建东亭的始末,描绘了东亭自然奇异的景色,抒发了作者沉浸于自然美景而忘乎人间的情怀。

[注释]

①柳州:今属于广西。②谯门:建有望楼的城门。③垂杨:地名。传(chuán)置:驿站。④猥奥:茂密深邃。⑤倾亚:倾斜。缺圮(pǐ):残缺倒塌。⑥豕(shǐ):猪。囷:圈养动物的园子。⑦杠(gāng)梁:桥。杠,小桥,一说为独木桥。⑧嶛(liáo):高峻。潆(yíng):水绝远貌。湾:水流弯曲的地方,引申为水流曲折。⑨剧:艰难,困苦。

[译文]

从柳州城南门楼出去,向左走二十六步,路南有一块荒废不用的土地。这块地南边紧临江水,西边是垂杨驿站,东边是东馆。地里草木茂密幽深,有一处倾斜的山崖,已经残缺倒塌。这里已经变成猪圈、蛇穴之类的场所,人不能居住。看到这种情况,我于是让人铲除掉丛生的杂草荆棘,清理出一块空地,种植上竹、箭、松、柽、桂、桧、柏、杉等各种树木。宽平之处变成堂亭,高峻之处加上桥梁。远远看去,堂亭好像鸟儿上下低徊盘旋,桥梁犹如鸟儿扇动的翅膀。站在高处俯瞰江水,宽阔的江水好像变成湖泊。周围群山环绕,高峻辽阔,江水曲折悠远。正值居住柳州条件困苦之时,我却能暂时忘记尘俗的纷纷扰扰,这也很奇怪啊!

乃取馆之北宇,右辟之以为夕室①;取传置之东宇,左辟之以为朝室②;又北辟之以为阴室③;作屋于北牖下,以为阳室④;作斯亭于中,以为中室。朝室以夕居之,夕室以朝居之,中室日中而居之,阴室以违温风焉⑤,阳室以违凄风焉。若无寒暑也⑥,则朝夕复其号。

既成,作石于中室,书以告后之人,庶勿坏。元和十二年九月某日,柳宗元记。

[注释]

①夕室:朝向西方的住房。②朝室:朝向东方的住房。③阴室:背阳之室,阴凉之室,此处指朝向北方的住房。④阳室:向阳的住房,朝南的房屋。⑤违:背,避开。温风:和暖的风。⑥寒暑:气候的冷热变化,冬天和夏天,代指一年四季。

[译文]

我于是让人选取东馆的北屋,向右开辟出一间朝向西方的住房,叫做夕室;选取驿站的东屋,向左开辟出一间朝向东方的住房,叫做朝室;同时又面向北开辟出一间背阳之室,叫做阴室;在北窗下建造一间房屋,作为向阳的房间,叫做阳室;在场地的正中间建造了这个亭子,叫做中室。朝室用来夜晚居住,夕室用来早晨居住，中室等到中午居住，阴室用来夏日居住躲避和暖的风，阳室用来冬天居住躲避寒风。如果没有气候的冷暖变化，那就可以日日夜夜在此放声高歌。

一切按照设想完工后，我在中室放置了一块石头，把这里修建的经过写在石头上，以告诉那些以后来此游玩的人，但愿他们不要破坏这里的陈设。元和十二年九月的某一天，柳宗元记录于此。

柳州山水近治可游者记[①]

古之州治，在浔水南山石间[②]。今徙在水北，直平四十里，南北东西皆水汇[③]。北有双山[④]，夹道崭然[⑤]，曰背石山。有支川，东流入于浔水。浔水因是北而东，尽大壁下。其壁曰龙壁[⑥]，其下多秀石，可砚。

[题解]

元和十年（815年）正月，柳宗元被召入京师，同年三月，出为柳州刺史。本篇即作于柳州。本文抓住柳州诸山的奇姿异态，采用工笔白描手法，准确再现了柳州奇景迭出的群山风貌，烘托出大自然造化的微妙神奇。明代茅坤称赞它"全是记事，不着一句议论感慨，却淡宕风雅"（《山晓阁唐大家柳柳州全集》卷三引），后人誉之为柳州山水的最佳导游词。

[注释]

①近治：靠近州治所在地。②浔水：亦称柳水或柳江，流经柳州城西、城南、城东。③水汇：水汇集聚合之处。④双山：两山对峙。⑤崭然：山高峻的样子。⑥龙壁：《明一统志》卷八三《柳州府》载："龙壁山，在府城东北一十五里，中有石壁峭立，下临滩濑。"

[译文]

古时候的柳州治所，设在柳江南岸的石山之间。如今已经迁移到柳江北岸，方圆达四十里，东西南北四面几乎都被江水所环绕。

州城的北面两山对峙,耸立在道路两侧,名叫背石山。有一条小河,向东流入柳江。柳江因此由向北流动转而向东流去,到一堵巨大的石壁前才停止东流。这堵石壁名叫龙壁,它的下面有很多美石,可以用来做砚台。

南绝水,有山无麓①,广百寻,高五丈,下上若一,曰甑山②。山之南,皆大山,多奇。又南且西,曰驾鹤山③,壮耸环立,古州治负焉。有泉在坎下,恒盈而不流。南有山,正方而崇,类屏者,曰屏山,其西曰四姥山④,皆独立不倚。北沉浔水濑下。又西曰仙弈之山⑤。山之西可上。其上有穴,穴有屏,有室,有宇。其宇下有流石成形,如肺肝,如茄房⑥,或积于下,如人,如禽,如器物,甚众。东西九十尺,南北少半。东登入小穴,常有四尺,则廓然甚大。无窍,正黑,烛之⑦,高仅见其宇,皆流石怪状。由屏南室中入小穴,倍常而上,始黑,已而大明,为上室。由上室而上,有穴,北出之,乃临大野,飞鸟皆视其背。其始登者,得石枰于上,黑肌而赤脉⑧,十有八道,可弈,故以云。其山多柽,多楮,多篑筹之竹,多橐吾⑨。其鸟多秭归⑩。

[注释]

①无麓:没有山脚,形容山势陡峭无缓坡。②甑山:柳州名山,即今东台山,在柳州市东。③驾鹤山:位于柳州文惠桥南端东侧,"驾鹤晴岚"为柳州古八景之一。④四姥(mǔ)山:在柳州府城西五里,其山四面对峙,故名。⑤仙弈之山:《大清一统志》卷三五七载:"仙弈山在马平县西南,亦名仙人山。"马平县,即今广西柳江。⑥茄(jiā)房:莲蓬。茄,荷茎。⑦烛之:用蜡烛照亮。⑧黑肌而赤脉:黑色的盘面与红色的线条。⑨橐吾:草名,亦名款冬,常绿多年生,草本。⑩秭归:亦作子规,杜鹃的别名。

[译文]

从州城附近乘船向南渡过柳江,可以看见江边有一座非常陡峭的山，山脚没有缓坡。这座山约有八百尺宽，五丈高，山的上下陡直无变化，名叫甑山。山的南面都是大山，且都很奇特。从甑山往南再往西走，是驾鹤山，此山雄伟高耸，四周都是峭壁环绕，柳州原来的州治就是倚山而建。驾鹤山南侧有泉水流出，形成一个池塘，池水经常满满的，却不流向别的地方。驾鹤山的南面有座山，方正且高，好像一扇屏风，所以名叫屏山。它的西面是四姥山，这些山都是独立存在、互不相连的。另有一座山，其北面直接插入柳江的急流中。再往西走就是仙弈山。山的西面有路可以攀登上去。山上有个大石穴，石穴上外凸部分有的像屏风，有的像房间，有的像屋檐。屋檐下面有熔岩形成的各种形状的钟乳石，有的像肝肺，有的像莲蓬。熔岩滴到下面累积起来，有的像人，有的像家禽，有的像各种器具，千姿百态，非常多。这个洞穴东西宽约九十尺，南北深度则不及宽度的一半。从洞穴向东行，又可进入一个小洞，走了大约二十尺之后，小洞又显得空阔宽大。这个洞穴没有光线，开始时觉得漆黑一团，点上蜡烛照亮之后，发现洞穴的高度仅有前面那个大洞的屋檐那般高，里面是各种奇形怪状的钟乳石。从大洞穴屏风南边的房间，又可进入一个小洞穴，向上爬行，有三十二尺高。开始很黑，后来便很明亮了。这就是上部的房间。由上部的这个房间再往上爬，又有一个小洞穴，从北面出洞穴，俯视大平原，鸟儿都在下面飞翔，由于山太高，只能看到鸟儿的脊背。最初登上这座山的人，曾在上面见到一方石头棋盘，黑色的盘面和红色的线条，可以用来下棋，所以就把这座山取名为仙弈山。山上长有很多河柳、楮树、节长竿高的筼筜，还有很多款冬草。山上看见的鸟类，以杜鹃为最多。

石鱼之山，全石，无大草木。山小而高，其形如立鱼，在多秭归。西有穴，类仙弈。入其穴，东出，其西北灵泉在东趾下，有麓环之。泉大类毂雷鸣①。西奔二十尺,有洄②,在石涧,因伏无所见。多绿青之鱼,多石鲫③,多儵。

[注释]

①毂(gǔ):车轮中间的车轴贯入处的圆木,安装在车轮两侧轴上。②洄:回流。③石鲫:鲫鱼的一种。头小,体侧扁,背脊隆起,生活在淡水中,是重要的食用鱼类。

[译文]

石鱼山上全是石头,没有高大的树木,山体虽然很小,看上去却很高,形状就像一尾站立起来的大鱼,山里有很多杜鹃。山的西面有个洞穴,很像仙弈山的。从西边走进洞穴内,从东边走出来,可以看见西北方有一个灵泉,正巧在东边山脚下,泉的四周有缓坡和林木环绕着。泉水流动的声响特别大,像车轮滚动的声音,又像沉闷的雷声。泉水由东向西奔流二十尺左右,就有回流形成旋涡,再流到石涧,水流潜伏于石下,就看不见踪影了。灵泉里有很多绿青色的鱼,还有很多石鲫鱼和白条鱼。

雷山两崖皆东西①,雷水出焉。蓄崖中曰雷塘,能出云气,作雷雨,变见有光。祷用俎鱼、豆羲、脩形、糈糉、阴酒②,虔则应。在立鱼南,其间多美山,无名而深。峨山在野中③,无麓,峨水出焉,东流入于浔水。

[注释]

①雷山:在马平县南十里。东西:章士钊注云:"姚姬传云:'疑西字当作面。'吴挚父云:'姚说是。'"②豆羲(zhì):豆中盛有猪肉。豆,古代祭祀时盛祭品的礼器,木制,形状像高脚盘。羲,猪。脩:干肉。形:"铏"的假借字,盛羹之器。糈(xǔ):古代用以祭神的粳米。糉:当作"稌(tú)"字,稻。③峨山:当作"鹅山"。《舆地纪胜》载:"鹅山在马平县西十里,山巅有石,状如鹅,故名。"下文所说峨水,源出鹅山,故当作"鹅水"。

[译文]

　　雷山的两座悬崖都朝向东方,雷水从悬崖下流出。雷水积蓄在两崖之间,名叫雷塘。雷塘里的水能升腾成云气,化做雷雨,而且能呈现出变幻莫测的亮光。人们向雷神祷告时,摆上用各种器皿盛着的鱼肉、猪肉、干肉、粳米和水酒等祭品,只要内心虔诚,心愿就能应验。在立鱼山的南边,还有很多美丽的山峰,虽然没有名字,但是秀美幽深。鹅山平地拔起,矗立在西郊的原野之中,山脚也没有缓坡和林木。鹅水发源于这里,向东流入柳江。

书

与李翰林建书①

杓直足下②:州传遽至③,得足下书,又于梦得处得足下前次一书④,意皆勤厚。庄周言⑤,逃蓬藋者⑥,闻人足音,则跫然喜⑦。仆在蛮夷中,比得足下二书,及致药饵,喜复何言。仆自去年八月来,痞疾稍已⑧。往时间一二日作,今一月乃二三作。用南人槟榔余甘⑨,破决壅隔大过⑩,阴邪虽败⑪,已伤正气,行则膝颤,坐则髀痹⑫。所欲者补气丰血⑬,强筋骨,辅心力。有与此宜者,更致数物。忽得良方偕至,益善。

[题解]

本文当作于元和四年(809年)柳宗元被贬永州之时。永贞革新失败,柳宗元被贬,身心交瘁,在这封书信中向友人倾诉心曲,含蓄地表达了不甘屈服的用世之志。

[注释]

①李翰林建:即李建,字杓(biāo)直,贞元中补校书郎,贞元末任左拾遗、翰林学士,官终刑部侍郎。②足下:对同辈、朋友的敬称,古时也用于

对上。③传：即传舍，古代设于驿站的房舍，亦指驿站上所备的马车。遽：急，仓猝。④梦得：即刘禹锡，字梦得，中唐著名文学家，柳宗元的挚友，其时被贬为朗州司马。⑤庄周言：即下文三句，语出《庄子·徐无鬼》："夫逃虚空者，藜藋柱乎鼪鼬之径，踉位其空，闻人足音，跫然而喜矣。"⑥蓬藋（diào）：即蓬草和藋草，泛指草芥。藋，草名，即菵藋，又称灰藋，状似藜。古书藜藋或误作"藜藿"，草芥荒秽者为"藜藋"，采以供食者为"藜藿"。⑦跫（qióng）然：人行貌，此处形容欢喜的样子。⑧痞疾：腹内郁结成块的病症。⑨槟榔：生长在热带地区的常绿乔木，果实苦涩，可以食用，亦可作消积、行气、化肿、驱除绦虫之药用。余甘：果名，一说即橄榄，又名菴摩罗，可治风虚热气咳嗽等。⑩决壅：除去道路的壅塞，此指除去腹内的痞块。大过：大的祸害和损伤。⑪阴邪：阴湿邪毒，指寒湿等使人气血不畅。张仲景《伤寒论·太阳病上》："寒，阴邪也。"⑫髀痹（bì bì）：大腿疼痛或麻木。⑬补气：也称益气，中医治疗气虚症的方法，也常用于血虚，因气旺可以生血。

[译文]

构直足下：州里驿站的马车飞速而来，收到您的书信，又从刘梦得那里拿到您前段时间写的一封信，殷殷关切的情谊非常厚重。庄子说过，隐身于草野之人，听见人的脚步声，就非常高兴。我身处蛮夷之地，近来能收到您的两封书信，以及您送给我的药物，心中的喜欢自不待言。我从去年八月以来，郁结不舒的症状已经稍有好转。以往经常间隔一两天发作一次，现在一个月发作两三次。我服用过南方出产的槟榔和余甘，祛除了体内的壅塞，挡住了大的损伤，体内的寒湿邪毒虽然已经清除，但已经伤了真气，走起路来就会膝盖颤抖，坐得太久又会腿脚麻木。现在我要做的就是益气补血，强健筋骨，辅助心力。对上述这些方面有好处的东西，我又得到一些。忽然收到您让人捎来的书信和好药方，这就更好了。

永州于楚为最南，状与越相类①。仆闷即出游，游复多恐。涉野有蝮虺、大蜂②，仰空视地，寸步劳倦。近水即畏射工、沙虺③,含怒窃发,中人形影,动成疮痏④。时到幽树好石,暂得一笑,已复不乐。何者?譬如囚拘圜土⑤,一遇和景⑥,负墙搔摩⑦,伸展支体。当此之时,亦以为适。然顾地窥天,不过寻丈,终不得出,岂复能久为舒畅哉?明时百姓,皆获欢乐;仆士人,颇识古今理道,独怆怆如此⑧。诚不足为理世下执事,至比愚夫愚妇⑨,又不可得,窃自悼也。

[注释]

①越:通"粤",此处泛指西南地区。②蝮虺(huǐ):有毒的蝮蛇。细颈大头焦尾,色如绶文,文间有毛,似猪鬣,鼻上有针,大者长七八尺,一名反鼻。③射工:传说中的毒虫名,亦名蜮、水弩,据说长一二寸,口中有弩形,以气射人影,随所著处发疮,不治而死。沙虱:即毒蛇鳞中的虱子,一种细小而极毒的虱子,能黏附人身,深刺皮里。④疮痏(wěi):疮疡,创伤。⑤圜土:牢狱。⑥和景:春天宜人的景色。⑦负墙:背靠着墙。搔摩:扒搔抚摩。⑧怆怆:忧伤悲痛的样子。⑨愚夫愚妇:蒙昧无知之人,旧指小民百姓。

[译文]

永州地处楚地的最南端,自然环境与越地非常类似。我平日心情苦闷时就想出去游览,却又恐怕出游太多有危险。永州城外的原野盛产有毒的蝮蛇和硕大的毒蜂,无论仰望天空还是俯视地上,稍有举动就要小心谨慎。临近水边又害怕射工和沙虱这类毒虫,听说它们心怀怒气,总是暗中向人们喷射毒气,不管射中人的身体还是影子,都会生成疮疡,导致毒发身亡。有时看到清幽的树木和好看的石头,难得一笑,转瞬之间就高兴不起来了。原因是什么呢?犹如被关押在监狱之内的囚犯,一旦遇到风和日丽之景,就会背靠着墙扒搔抚摩,舒展一下身体。在这种情况下,自然觉得舒服。然而看看眼前的状况,窥视头顶的天空,能够活动的空间也就是一丈之内,最终不能走出去(享受自由的空气),又怎能长时间保持心情舒畅呢?身处政治清明的时代,普通老百姓都能获得欢乐;我是个读书人，非常了解古往今来治理国家的大道理，却只能孤零零地在这蛮夷之地悲痛忧伤。我虽然不配做太平盛世的小官吏，可是跟那些平民百姓比起来，又不能像他们那样自得其乐，只能暗自悲叹命运多舛。

仆曩时所犯①，足下适在禁中②，备观本末，不复一一言之。今仆癃残顽鄙③，不死幸甚。苟为尧人，不必立事程功④，唯欲为量移官⑤，差轻罪累⑥；即便耕田艺麻，取老农女为妻，生男育孙，以供力役；时时作文，以咏太平。摧伤之余，气力可想。假令病尽已，身复壮，悠悠人世，越不过为三十年客耳。前过三十七年⑦，与瞬息无异。复所得者，其不足把玩，亦已审矣。杓直以为诚然乎？

[注释]

①所犯：指柳宗元参加王叔文改革集团进行永贞革新，后失败遭贬之事。②禁中：指帝王所居宫内，当时李建为翰林学士。③癃残：衰老病弱，肢体残废。顽鄙：愚钝鄙陋。④立事程功：指建功立业。⑤量移：唐朝官吏因罪远谪，遇赦酌情调迁近处任职，谓之量移。⑥差轻罪累：稍微减轻罪过。⑦"前过"一句：意为柳宗元写作此文时，年龄为三十七岁。

[译文]

我从前参加王叔文的改革集团，因事遭贬，您刚好在皇帝身边任翰林学士，详细情况都很清楚，我就不再一一多说了。现在我衰老病弱，肢体残废，愚钝鄙陋，没有因水土不服身染沉疴而死已经是非常幸运的了。如果生为尧的子民，就不必考虑建功立业的事，只想遇赦酌情调迁近处任职，能够稍微减轻自己的罪过；即便在家耕田种植桑麻，娶老农的女儿做妻子，生儿育女，教育子孙，向官家服劳役（也是乐在其中）；也可以经常写写文章，来歌咏太平盛世。长期的贬谪生活，使我的身体和精神都受到极大的摧残，个人状况可想而知。假如我的病能够痊愈,身体能恢复以往的健康强壮,在漫长曲折的生命长河中,最多不过是还能当三十年的过客罢了。以前生活的三十七年,转瞬间就过去了。以后剩下的日子,也会很快流逝而去,这些我都已经反复考虑得很清楚了。您觉得我说的话对吗?

仆近求得经史诸子数百卷,常候战悸稍定①,时即伏读②,颇见圣人用心、贤士君子立志之分③。著书亦数十篇,心病言少次第,不足远寄,但用自释。贫者士之常④,今仆虽羸馁,亦甘如饴矣。足下言已白常州煦仆⑤,仆岂敢众人待常州耶。若众人,即不复煦仆矣。然常州未尝有书遗仆,仆安敢先焉?裴应叔、萧思谦⑥,仆各有书,足下求取观之,相戒勿示人。敦诗在近地⑦,简人事,今不能致书,足下默以此书见之。勉尽志虑,辅成一王之法⑧,以宥罪戾。不悉⑨。宗元白。

[注释]

①战悸:胆战心惊的样子。②伏读:恭敬地阅读。伏,表敬之词。③圣人用心:语出《庄子·应帝王》:"圣人之用心若镜,不将不迎,应而不藏,故能胜物而不伤。"意谓修养极高的人,他的内心对外界的感知就像一面镜子一样,总是能反映客观事物的本来面貌而无所隐藏,所以他能承受万物的映照而不被外物损伤。④贫者士之常:清贫是读书人正常的生活状况。语出《列子·天瑞》:"荣启期曰:'贫者士之常也,死者人之终也,处常得终,当何忧哉?'"⑤常州:指李建之兄李逊,元和四年(809年)任常州刺史,次年改越州刺史浙东观察使。煦:温暖,此处指关照。⑥裴应叔:即裴埙,字应叔,柳宗元姐夫裴墐的弟弟。萧思谦:即萧俛,字思谦。⑦敦诗:即崔群,字敦诗,时为翰林学士。近地:近畿之地,此处指在皇帝身边。⑧一王之法:一代王朝的法度。⑨不悉:旧时书信结尾处的套语,犹言不尽。

[译文]

我近来借来经书、史书和诸子百家之书数百卷,经常等到心态稍微恢复平静之后，有空就恭敬地阅读这些书籍，深刻地理解修养极高的圣人用心感知外物，与品德高尚的才学之士树立志向的区别。撰写了十几篇文章，内心担忧文章语无伦次，不值得寄给远方的亲友，只是用来自我安慰。清贫是读书人正常的生活状况，我现在虽然瘦弱饥饿（生活窘迫），也感到像糖一样甘甜，甘愿承受艰难的读书生活。您说已经让令兄李常州关照我，我怎敢像对待一般人那样来对待李常州呢？（话说回来，）如果是一般人，他也不会再关照我了。然而令兄尚未让人送信给我，我又怎能先给他写信呢？裴应叔和萧思谦那里，我也分别写了信，您可以向他们索取书信看看，请一定不要告诉别人（这件事）。崔敦诗处于宫禁之地，人事交往多有不便，我现在不能写信给他，请您私下里将这封信给他看看。我愿意对国家的法度建设略尽绵薄之力，以求朝廷能宽恕我的罪过。不一一多说。柳宗元敬上。

贺进士王参元失火书[①]

得杨八书[②]，知足下遇火灾，家无余储。仆始闻而骇，中而疑，终乃大喜，盖将吊而更以贺也[③]。道远言略，犹未能究知其状[④]，若果荡焉泯焉[⑤]，而悉无有，乃吾所以尤贺者也。

[题解]

本篇作于元和四年（809年），柳宗元当时已被贬永州，文章借贺王参元家失火之事，对当时政坛嫉贤妒能、谤议横生、压制人才的现象进行了鞭辟入里的抨击。

[注释]

①王参元：濮阳（今属河南）人，郴坊节度使王栖曜之少子，河阳节度使王茂元之弟，与杨敬之同为元和二年（807年）进士，与李贺、柳宗元等交

往甚多。②杨八:即杨敬之,字茂孝,元和二年进士,曾任国子祭酒兼太常少卿,官终工部尚书。柳宗元的岳父杨凭是敬之的伯父。唐人诗文喜以行第相称,杨八即为敬之在同辈兄弟中的排行。③吊:慰问遭遇不幸的人。更以贺:改为祝贺。④究知其状:了解失火的全部情况。⑤荡焉泯焉:消失殆尽的样子。

[译文]

我收到杨敬之的书信,知道您家遭遇火灾,把家中的东西烧了个精光,一点儿也没有剩下。我刚听说这件事时感到很惊讶,接着心生疑惑,最后则非常高兴,本打算写信安慰您遭遇的不幸,现在改变成祝贺了。因为路途遥远,敬之的来信又很简略,对失火的全部情况还没有完全了解。如果您家真被烧得荡然无存,什么都没有了,那我就要特别祝贺了。

足下勤奉养①,宁朝夕,唯恬安无事是望也②。乃今有焚炀赫烈之虞③,以震骇左右,而脂膏滫瀡之具④,或以不给⑤,吾是以始而骇也。

[注释]

①奉养:侍候、赡养。②恬安:平安,安静。③焚炀赫烈:形容火势十分猛烈。虞:忧虑。④脂膏滫瀡(xiǔ suǐ):指烹调时用的油脂和淀粉之类的柔滑剂。语出《礼记·内则》:"滫瀡以滑之,脂膏以膏之。"滫瀡,古时秦人称溲为滫,齐人称滑为瀡。⑤不给(jǐ):供应不上。

[译文]

您平时非常注意奉养身体,早晚心平气和,只盼望能平安无事。现在家里虽有遭遇猛烈大火的忧虑,周围的人都很震惊,竟然连做饭用的锅碗瓢盆都供应不上,我先前是因为这些才感到惊惧。

凡人之言,皆曰盈虚倚伏①,去来之不可常。或将大有为也,乃始厄困震悸②,于是有水火之孽③,有群小之愠④。劳苦变动,而后能光明,古之人皆然。斯道辽阔诞谩⑤,虽圣人不能以是必信,是故中而疑也。

[注释]

①盈虚:盈满或虚空,谓发展变化。倚伏:依存隐伏。语出《老子》:"祸兮福之所倚,福兮祸之所伏。"意谓福祸可以互相转化。②厄困:困厄,艰难窘迫。震悸:震惊恐惧。③孽:衣服草木之怪谓之妖,禽兽虫蝗之怪谓之孽。此处指灾祸。④群小之愠:众小人之发怒。愠,恼怒,怨恨。⑤诞谩:欺诈。

[译文]

平常人们都说,月亮有时盈满有时虚亏,祸福也可以互相转化,盈满祸福的来去不会一成不变。也许是(上天看你)将大有作为,于是先让你经受生活的困厄,感受震惊和恐惧,这才有了这场水火之灾,才会有许多小人怨恨你。经过劳动和苦难的磨炼,然后前途就能变得光明,自古以来人们的命运都是这样。这条路(指做官)虽然宽阔却充满欺诈,即使是圣人也不能因此完全相信,所以我心中才会产生疑惑。

以足下读古人书,为文章,善小学①,其为多能若是,而进不能出群士之上,以取显贵者,无他故焉。京城人多言足下家有积货②,士之好廉名者③,皆畏忌,不敢道足下之善,独自得之,心蓄之,衔忍而不出诸口,以公道之难明④,而世之多嫌也。一出口,则嗤嗤者以为得重赂⑤。

[注释]

①善:擅长,精通。小学:汉代以小学作为文字训诂之学的专称,隋唐以后,小学类的书籍又分为训诂学、文字学、音韵学三类。②积货:聚敛的货财。③好廉名者:爱惜自己廉洁声名的人。④公道:公正的道理,大公无私的

道理。⑤嗤嗤者：嘲笑的人。重赂：指赠人或行贿所用的丰厚财物。

[译文]

凭着您读过那么多古代典籍，写得一手好文章，精通小学，像您这样多才多艺，可是您的官职并没有超出一般士人，没有因此获得显达尊贵，并没有其他的缘由。京城里的人都说您家里聚敛了大量的财物，那些爱好自己廉洁名声的士人都心存忌惮，不敢向别人说起您的善良，只能独自把对您的了解藏在心里，强忍着不说出口，因为大公无私的道理很难让所有人明白，而且世人大多数都很憎恶这一点。一旦有人敢于替您辩解，就会有人嘲笑他一定是得到您的丰厚馈赠（才会这样说）。

仆自贞元十五年见足下之文章①，蓄之者盖六七年未尝言，是仆私一身而负公道久矣②，非特负足下也。及为御史、尚书郎③，自以幸为天子近臣，得奋其舌，思以发明天下之郁塞。然时称道于行列，犹有顾视而窃笑者。仆良恨修己之不亮，素誉之不立④，而为世嫌之所加，常与孟几道言而痛之⑤。乃今幸为天火之所涤荡，凡众之疑虑，举为灰埃。黔其庐⑥，赭其垣⑦，以示其无有，而足下之才能，乃可显白而不污。其实出矣，是祝融、回禄之相吾子也⑧。则仆与几道十年之相知，不若兹火一夕之为足下誉也。宥而彰之，使夫蓄于心者，咸得开其喙，发策决科者⑨，授子而不栗，虽欲如向之蓄缩受侮，其可得乎？于兹吾有望乎尔！是以终乃大喜也。

[注释]

①贞元十五年：贞元是唐德宗李适年号（785～804年），贞元十五年即799年。②私一身而负公道：指为个人不受人猜嫌、攻击而不敢公开称道王参元的学问。③御史：柳宗元于贞元十九年任监察御史里行。据《唐六典》载，隋唐始置监察御史，掌管分察百僚，巡按郡县，纠视刑狱，肃整朝仪，在各种

御史之中虽品秩最低（正八品），但当时多以新进为之，易于显露头角，在朝列中为人所严惮，亦自视颇高。尚书郎：此处指礼部员外郎，属尚书省，故称。柳宗元于顺宗永贞元年（805年）被擢为礼部员外郎。④素誉：平素的声誉。⑤孟几道：名简，字几道，平昌（今属四川）人，曾任谏官、常州刺史、户部侍郎加御史中丞、山南东道节度使等职，柳宗元的挚友。⑥黔其庐：房屋烧成黑灰色。黔，黑色。⑦赭其垣：此处指墙壁被烧成红褐色。赭，红褐色。⑧祝融：传说中的火神。原为高辛氏火正（掌火官），死为火官之神。回禄：也是传说中的火神名。《左传·昭公十八年》："郑子产禳火于玄冥、回录。"后世亦称火灾为回禄。⑨发策决科者：指主考官。策，策问，汉代以来试士，以政事、经义等设问，写在简策上，使之条对，亦称对策。科，指科举考试的科目，如进士、明经等。

[译文]

　　我自从贞元十五年看到您的文章，保存了大约六七年而未向外界公开，这是我为了个人不受他人猜嫌攻击，而不敢称誉您王参元的文章学问，不只是有负于您一个人啊。等到我先后出任监察御史和礼部员外郎时，自认为非常幸运地成为君主所亲近的臣子，终于有机会畅所欲言，向圣上进言献策，使所有才华出众之人被埋没的才能得以昭明显现。然而我虽然常常受到同僚们的称道，仍有人对我环顾而视，面带讥讽。我的确会为自己做不好某些事而内心不安，譬如自我修养无法显露，平素的声誉无法保持，我经常与挚友孟几道在一起愤世嫉俗，痛斥这些世俗强加于人的罪名。如今您家幸亏遭遇了大火，所有别人对您的疑虑，都化为灰烬。（大火）把屋舍烧成黑灰色，把墙壁烧成暗红色，这一切明白无误地告诉别人，您什么都没有了，可是您的才能，却可以因此而显现出其纯洁无瑕。这种情况的出现，实际上是火神祝融和回禄在帮助您呀！这样看来，我和孟几道十多年来相互知心的朋友，还不如这场大火一个晚上给您带来的声誉多呢。众人宽恕并使您的学问得以彰显，使得那些（长久以来只能）保存在心中的话语都可以畅所欲言，那些主考官把您应得的荣誉授予您,而他们也不再担心被人猜嫌。您即使还想像过去那样委屈自己、甘受屈辱,难道还能办得到吗?从这一点来说,我对您的将来抱有很大的希望。因此,我最终为此事而感到非常高兴。

古者列国有灾①,同位者皆相吊;许不吊灾,君子恶之。②今吾之所陈若是,有以异乎古,故将吊而更以贺也③。颜、曾之养④,其为乐也大矣,又何阙焉。

[注释]

①列国:某一时期并存的各国。通常指春秋列国。②许不吊灾,君子恶之:据《左传·昭公十八年》载,公元前520年,宋、卫、陈、郑等国发生火灾,陈国不去救火,许国不前去慰问。一些有远见卓识的人因此推知陈、许两国就要灭亡。③更以贺:元和二年(807年),王参元中进士,所以,柳宗元把吊文改为贺文。④颜、曾之养:颜回、曾参都是孔子弟子,以德行孝悌而著称。

[译文]

古时候某个诸侯国发生了灾难,其他并存的诸侯国都要去慰问(受灾的国家);(春秋时期,)宋、卫、陈、郑等国发生火灾,许国却不去慰问,一些有德行的人非常憎恶许国,并推知许国即将灭亡。如今我向您表示祝贺,也是这个样子,但与古代许国"不吊灾"的事例却不同,故而本打算安慰您却又改成祝贺您了。如果像颜回、曾参那样孝敬奉养父母,这已经是最快乐的事情了,又怎么会觉得缺少什么呢?

足下前章要仆文章古书①,极不忘,候得数十篇乃并往耳。吴二十一武陵来②,言足下为《醉赋》及《对问》大善,可寄一本。仆近亦好作文,与在京城时颇异。思与足下辈言之,桎梏甚固③，未可得也。因人南来，致书访死生。不悉。宗元白。

[注释]

①前章：指上一封信。②吴二十一武陵：吴武陵，初名侃，祖籍濮阳（今属河南），后移居信州（今江西上饶）。元和二年（807年）进士，拜翰林学士，次年被贬永州，与时为永州司马的柳宗元"意气相投，同游永州山水"（《新唐书·吴武陵传》），长达四年之久。太和初年（828年）入为太学博士，后任韶州刺史，因遭权贵构陷，被贬为潘州司户参军。③桎梏甚固：被束缚得很紧。

[译文]

您上次来信向我索要我写的文章和古书，我一刻也没有忘记，想等凑够几十篇再一块儿寄给您。吴武陵来看我，提起您所写的《醉赋》与《对问》非常好，可以寄给我一本看看。我最近也喜欢写文章，（文风）与当初在京城任职时所写的文章很不一样。一直想着跟你们谈谈这件事，可是被各种俗务束缚得很紧，没有如愿以偿。趁着现在有人到南方的永州来，您写信拜托别人打听我的生死状况。不一一多说。柳宗元敬上。

与友人论为文书

古今号文章为难，足下知其所以难乎？非谓比兴之不足①，恢拓之不远②，钻砺之不工③，颇颣之不除也④。得之为难，知之愈难耳。

[题解]

本篇作于被贬永州时，题目又作《答友人求文章书》，旨在主张作品内容和形式的创新，反对"渔猎前作，戕贼文史"，提倡作者要加强主观修养。

[注释]

①比兴：中国古典诗歌创作传统的两种表现手法，即《诗》六义中"比"

和"兴"的并称。"比"指以彼物比此物,"兴"指先言他物以引起所咏之辞。②恢拓:拓展,开拓扩展,此处指意境的开掘。③钻砺:亦作钻厉或钻砆,钻研琢磨。④颇颣(lèi):偏颇不平,引申为瑕疵、缺点。

[译文]

古往今来,人们都说写文章太难,您知道为什么写文章很难吗?并不是因为人们运用比兴的手法不够,意境的开掘不够深远,语言的锤炼不够工整,写作中出现的缺点没有改正等这类常见的问题。学会写文章的方法固然很难,要想明白好文章阐发的真知灼见更难啊!

苟或得其高朗①,探其深赜②,虽有芜败,则为日月之蚀也,大圭之瑕也,曷足伤其明黜其宝哉?且自孔氏以来,兹道大阐。家脩人励,刓精竭虑者③,几千年矣。其间耗费简札④,役用心神者,其可数乎?登文章之箓⑤,波及后代,越不过数十人耳。其余谁不欲争裂绮绣⑥,互攀日月,高视于万物之中,雄峙于百代之下乎?率皆纵臾而不克⑦,踯躅而不进,力蹙势穷,吞志而没。故曰得之为难。

[注释]

①高朗:气质、风格等高洁爽朗。②深赜(zé):深奥、精微。③刓(wán)精竭虑:亦作弹精竭虑,谓用尽精力,费尽心思。④简札:用以书写的竹简、木札,亦指功用与简札相同的书写用品。⑤箓:簿籍。⑥绮(qǐ)绣:有纹饰的丝织衣服。⑦纵臾(yǒng):奖励,一说勉强。

[译文]

如果能够拥有高洁爽朗的气质和文风,仔细探究写文章的深奥精微之处,即使出现各种不同的细疵微瑕,就像日食和月食一样,又好比一块大玉圭上的斑点,怎么会阻碍太阳和月亮发出光亮,让人们因些微瑕疵而摈弃自己的宝贝呢?况且自从孔子的学说产生以来，写文章的大道理早就深入人心。从个人修养到别人的鼓励，人们为写文章而费心尽力，将近几千年了。几千年间为写文章而耗费的各种书写用品，劳心伤神的人到底有多少，能够数得过来吗？可是人们的名字能够记录在书簿典籍之中，对后代影响深远的，总共不过几十个人吧。谁不愿意争着身穿官袍，身居高位，高高在上傲视万物，昂然屹立在悠久的历史长河中呢？大多数人纵然不为细疵微瑕所挫败，也会因成功的几率太小而心灰意冷，徘徊不前，直至将前进的力量和勇气消磨殆尽，最终空怀抱负而死去。因此我才说学会写文章的方法很难。

嗟乎！道之显晦，幸不幸系焉；谈之辩讷，升降系焉；鉴之颇正①，好恶系焉；交之广狭，屈伸系焉。则彼卓然自得以奋其间者②，合乎否乎？是未可知也。而又荣古虐今者，比肩叠迹③。大抵生则不遇④，死而垂声者众焉。扬雄没而《法言》大兴⑤，马迁生而《史记》未振⑥。彼之二才，且犹若是，况乎未甚闻者哉！固有文不传于后祀，声遂绝于天下者矣。故曰知之愈难。

[注释]

①颇正：偏袒与公正。②卓然：卓越，突出。自得：自觉得意、开心。奋：振作，鼓劲儿。③比肩：并肩。叠迹：形容众多。④不遇：不得志，不被赏识。⑤扬雄：字子云，西汉蜀郡成都（今属四川）人。四十岁后始游京师，后被汉成帝召入宫廷，历成、哀、平三世而没有得到升迁。王莽称帝后，扬雄校书于天禄阁，后召为大夫。他曾模拟《论语》作《法言》，认为作赋乃是"童子雕虫篆刻"，"壮夫不为"；主张文学应当宗经、征圣，以儒家著作为典范。⑥马迁：即西汉史学家司马迁，字子长，伟大的史学家、思想家、文学家，夏阳（今陕西韩城）人。所著纪传体通史《史记》对后世影响深远，被鲁迅誉为"史家之绝唱，无韵之离骚"。振：兴起，此处指产生影响。

[译文]

唉！一个人的学术观念能否发扬光大，与个人的幸运与否有关联；是能言善辩还是言语迟钝，与个人官位的高低有关联；审察问题的态度是偏袒还是公正，与个人的好恶有关联；人际交往是广泛还是狭窄，与个人的进退有关联。那些成绩卓著、颇有所得而又能自得其乐的人，在文章上面取得的成就与上述所列举的条件是否相符合呢？这一切都不得而知。而且那些以古人为荣，大肆贬低当代世风文风的人，比肩接踵，到处都是。大体而言，活着的时候不得志，死后却名垂后世的人非常多。西汉辞赋家、语言学家扬雄死后，他所著的《法言》一书才非常兴盛；西汉史学家司马迁活着时，他的史学著作《史记》并未产生什么影响。这两个人才华横溢，都是千古奇才，况且有这样的遭遇，更何况那些没有什么名声的人呢？本来就有很多人的文章没有流传后世，而他们的名声因此不为后人所知了。所以我说明白好文章阐发的真知灼见更难啊！

而为文之士，亦多渔猎前作①，戕贼文史②，抉其意，抽其华，置齿牙间，遇事蜂起，金声玉耀③，诳聋瞽之人④，徼一时之声。虽终沦弃，而其夺朱乱雅⑤，为害已甚。是其所以难也。

[注释]

①渔猎：比喻泛览涉猎，此处指掠夺窃取。②戕贼：伤害、残害。文史：指文学和史学著作。③金声玉耀：比喻美好的声誉和外表。④聋瞽（gǔ）：耳聋和目盲。⑤夺朱乱雅：语出《论语·阳货》："恶紫之夺朱也，恶郑声之乱雅乐也，恶利口之覆邦家者。"原指厌恶以邪代正，比喻以邪胜正，以异端充当正理。夺，扰乱。朱，大红色。古人认为紫是杂色，红是正色。

[译文]

可是不少写文章的人，经常剽窃古人的著作，残害古代的文学和史学著作，从中抽取对自己有用的内容，断章取义，时刻挂在口头。遇到机会就蜂拥而上，口齿伶俐，外表光鲜，用貌似美好的声誉来欺世盗名、混淆视听，求得一时的声誉。即使他们最终会沦落被弃，可是他们以邪乱正、用错误的言辞冒充正理，已造成非常恶劣的社会影响。这就是"知之愈难"的另一重要原因。

间闻足下欲观仆文章，退发囊笥①，编其芜秽②，心悸气动，交于胸中，未知孰胜，故久滞而不往也。今往仆所著赋、颂、碑、碣、文、记、议、论、书、序之文，凡四十八篇，合为一通，想令治书苍头吟讽之也③。击辕拊缶④，必有所择。顾鉴视其何如耳，还以一字示褒贬焉⑤。

[注释]

①囊笥（sì）：袋子与箱笼，古代读书人多用此装书籍文稿。②芜秽：本指田亩久不耕耘，致使杂草蔓生，此处代指很久没有整理的书籍和文章。③治书：整理书籍。苍头：头发斑白，年老的人，此处指友人。吟讽：有节奏地诵读诗文。④击辕：谓敲打车辕中乐成声。曹植《与杨德祖书》："击辕之歌，有应《风》、《雅》，匹夫之思，未易轻弃也。"拊（fǔ）缶：敲击瓦器。⑤一字示褒贬：一字即寓褒贬之意，原是指《春秋》笔法严谨，后亦泛指论人议事用词严谨而有分寸。

[译文]

近来听说您想看我的文章，回来后打开书箱，将散乱的文稿归类整理好，内心异常激动，胸中百感交集，不知道其中哪些文章写得更好一些，因此停留了很长时间没有寄给您。现在将我以前所写的赋、颂、碑、碣、文、记、议、论、书、序等各种文体的文章，总共四十八篇，合编为一册，想让整理书籍的老先生吟咏这些诗文。古人敲击车辕和瓦器时，一定会选择适合乐器的乐曲。（让老先生吟咏诗文）是想回过头来看看自己的文章到底怎么样，还算得上用词严谨而有分寸吧。

答韦中立论师道书①

二十一日,宗元白:辱书云欲相师②,仆道不笃③,业甚浅近,环顾其中,未见可师者。虽常好言论,为文章,甚不自是也。不意吾子自京师来蛮夷间④,乃幸见取⑤。仆自卜固无取⑥,假令有取,亦不敢为人师。为众人师且不敢⑦,况敢为吾子师乎?

[题解]

元和八年(813年),韦中立自京赴永州向柳宗元求教,返京后又致函柳宗元,柳宗元于是写此信作答。本篇重在阐述"文以明道"的主张,以及自己治学和为文的经验。

[注释]

①韦中立:潭州刺史韦彪之孙,元和十四年(819年)进士。师道:教师之道。②辱书:谦词,谓有辱于您写信给我。相师:拜我做老师。③笃:厚实。④吾子:对人的敬称。⑤见取:被您取法,指韦中立要拜柳宗元为师。⑥卜:估量。固:原本,本来。⑦众人:一般人。

[译文]

二十一日,宗元启:

承蒙您来信说,想要拜我做老师。我的道德修养并不厚实,学业非常浅薄,认真自我分析,没有可供人学习之处。我虽然经常喜欢发表些议论,写写文章,但我自己认为并不都是正确的。没想到您竟从京城来到偏远的永州,我有幸被您取法为师。我自己估量原本没有可取法之处,即使有可取法之处,也不敢做别人的老师。做一般人的老师尚且不敢,更何况是做您的老师呢?

孟子称"人之患在好为人师"①。由魏、晋氏以下,人益不事师。今之世,不闻有师,有辄哗笑之,以为狂人。独韩愈奋不顾流俗,犯笑侮②,收召后学,作《师说》③,因抗颜而为师④。世果群怪聚骂,指目牵引⑤,而增与为言辞。愈以是得狂名,居长安,炊不暇熟,又挈挈而东⑥,如是者数矣。

[注释]

①人之患在好为人师:语出《孟子·离娄上》,意谓人们的毛病在于喜欢做老师教导别人。患,毛病,缺点。②犯:干犯,冒犯。笑侮:讥笑,轻慢。③《师说》:韩愈著名的说理文,作于贞元十八年(802年),专论从师之道。④抗颜:态度严正不屈。⑤指目牵引:手指眼看,拉扯示意。⑥挈挈:孤独的样子。

[译文]

孟子说过:"人们的毛病在于喜欢当别人的老师。"魏晋以来,(人们重视门阀,)越发轻视师道。在当今,没听说还有老师,即使有老师,人们也会哗然讥笑他,把他看做疯狂的人。只有韩愈奋然不顾一般世俗之见,冒着人们的嘲笑轻慢,招收后进的求学者,并专门写了论从师之道的文章《师说》,于是态度严正地做起了老师。世俗之人果然一群一群地相聚在一起,责怪痛斥韩愈,指指点点,怒目而视,相互拉扯乱示意,大肆诋毁攻击。韩愈因此得到了轻狂的名声,他住在京城长安,连饭菜还没有来得及煮熟,就因遭贬而孤独地离京东行。(韩愈因抗颜为师而遭贬谪,)像这种情况已经好多次了。

屈子赋曰:"邑犬群吠,吠所怪也。"①仆往闻庸蜀之南②,恒雨少日,日出则犬吠,余以为过言③。前六七年,仆来南④,二年冬⑤,幸大雪,逾岭被南越中数州⑥,数州之犬,皆苍黄吠噬狂走者累日⑦,至无雪乃已,然后始信前所闻者。今韩愈既自以为蜀之日,而吾子又欲使吾为越之雪,不以病乎⑧?非独见病,亦以病吾子。然雪与日岂有过哉?顾吠者犬耳。度今天下不吠者几人⑨?而谁敢衒怪于群目⑩,以召闹取怒乎?仆自谪过以来,益少志虑。居南中九年,增脚气病,渐不喜闹,岂可使呶呶者早暮咈吾耳、骚吾心⑪?则固僵仆烦愦⑫,愈不可过矣。平居望外,遭齿舌不少,独欠为人师耳。

[注释]

①屈子:即屈原。此句语出屈原《怀沙赋》:"邑犬之群吠兮,吠所怪也。"意思是群狗看到了它们感到奇怪的东西才乱叫。②庸蜀:泛指湖北、四川一带。庸,古国名,在今湖北竹山县东南。③过言:言过其实,谓传闻不实。④仆来南:指柳宗元因参加永贞革新失败,于永贞元年(805年)被贬永州。⑤二年冬:指宪宗元和二年(807年)。⑥岭:指五岭。南越:也作南粤,即今广东、广西一带。⑦苍黄:匆促慌张。噬:咬。⑧病:诟病,困辱。⑨度(duó):揣测,估量。⑩衒怪:夸耀那些怪异的事情。群目:众人眼前。⑪呶呶:喧哗。早暮:即朝暮、整天。咈:违逆,乖戾。骚:扰乱。⑫固:必然导致。僵仆:僵倒。烦愦(kuì):烦恼、昏乱。

[译文]

屈原《怀沙赋》里有句话说:"邑犬群吠,吠所怪也。"我从前听说湖北、四川的南边一带,经常下雨,很少出太阳,太阳一出来就会引得狗叫,我以为这话言过其实。六七年前,我(被贬永州,)来到南方。元和二年的冬天,有幸天降大雪,大雪越过五岭,岭南好几个州都被大雪覆盖。这几个州的狗都惊慌失措地狂奔乱叫了好几天,直到雪全部融化才停止下来,这以后我才相信过去听到的传闻。如今韩愈因抗颜为师,人以为怪,已经当了蜀地之日,而今您又想叫我成为越地的雪,我岂不要因此受到困辱吗?不只是我将为人诟病,也会使您受到困辱。然而雪和太阳难道有过错吗?只不过是狗因大惊小怪而狂叫罢了。试想当今社会上能有几个人不像狗那样少见多怪？同时谁又敢在众人眼前夸耀自己与众不同，来招惹人们的叫嚷愤怒呢？我自从因罪贬官以来，更是缺少远大志向。居住在永州九年，添上了脚气病，渐渐地不再喜欢喧闹的生活，怎能让群言喧哗整天搅扰得我耳根不得安静、内心不得清静呢？如果出现那种局面，就将剧困烦恼缠身，更加无法生活了。我平日遭到的意外非议已经不少了，只差做别人的老师这一件事了。

抑又闻之[1]，古者重冠礼[2]，将以责成人之道，是圣人所尤用心者也。数百年来，人不复行。近有孙昌胤者[3]，独发愤行之。既成礼，明日造朝至外庭，荐笏言于卿士曰[4]："某子冠毕。"应之者咸怃然[5]。京兆尹郑叔则怫然曳笏却立[6]，曰："何预我耶？"廷中皆大笑。天下不以非郑尹而快孙子[7]，何哉？独为所不为也。今之命师者大类此[8]。

[注释]

①抑：句首语气词，无意义。②冠（guàn）礼：古代男子二十岁行加冠仪式，表示该男子已经为成年人。③孙昌胤：唐玄宗天宝年间进士。其为子行加冠礼事，被时人视为迂腐。④荐笏（hù）：即搢笏，插笏板于腰带上。古代官员上朝手执笏板，记事于其上以备忘。卿士：泛指朝官。⑤怃（wǔ）然：怅然失意的样子。⑥郑叔则（722~792年）：郑州荥阳（今河南荥阳）人，未冠以明经擢第，贞元初自银青光禄大夫转京兆尹，贞元五年（789年）二月被贬为永州长史，旋拜信州刺史。生平事迹详见《全唐文》卷七四《福建观察使郑公墓志铭》。怫然：愤怒的样子。却：后退。⑦天下：指舆论。非郑尹：以郑叔则为非。孙子：指孙昌胤。⑧命师者：以老师自命的人。

[译文]

我还听说，古人重视行加冠礼，以此作为要求成年人的一种方式，这是圣人所特别重视的事情。几百年以来，人们不再举行加冠礼。近来有个叫孙昌胤的人，独自鼓足勇气为其子行加冠礼。举行仪式后,他第二天上朝来到外廷,把笏板插在衣带上,对众朝官说:"我的儿子已经行过加冠礼了。"与他谈话的人都感到失意不快,京兆尹郑叔则却满脸怒气,垂手拖着笏板,退后一步站着说:"这与我有什么相干?"众朝官都大笑起来。天下的舆论不责难京兆尹郑叔则,反而嘲笑孙昌胤,这是什么原因呢?只因孙昌胤做了人们不做的事。现在被称做老师的人,与这种情况非常相似。

吾子行厚而辞深①,凡所作,皆恢恢然有古人形貌②,虽仆敢为师,亦何所增加也?假而以仆年先吾子,闻道著书之日不后,诚欲往来言所闻,则仆固愿悉陈中所得者。吾子苟自择之,取某事去某事,则可矣。若定是非以教吾子,仆材不足,而又畏前所陈者③,其为不敢也决矣。吾子前所欲见吾文,既悉以陈之,非以耀明于子④,聊欲以观子气色诚好恶何如也⑤。今书来,言者皆大过⑥。吾子诚非佞誉诬谀之徒⑦,直见爱甚故然耳。

[注释]

①行厚:品行厚道。辞深:指文章造诣深。②恢恢然:宏大的样子。③前所陈者:上文所列举的世俗言行。④耀明:炫耀。⑤诚:真实情况。⑥言者:评论。大过:过分。⑦佞誉:谄媚赞誉。诬谀:假言奉承。

[译文]

您的品行敦厚,文章造诣高深,您作的文章都气魄宏大,有古人的风貌。即使我敢做您的老师,对您又有什么帮助呢?假如因为我年龄比您大,了解写文章的道理、开始写文章的时间比您早,您确实愿同我交往,交谈彼此所听到或体会到的作文之法,那我当然愿意向您毫无保留地陈述自己的心得。您自己只需随便加以选择,确定吸取哪些、扬弃哪些就可以了。如果让我确定是非来教您,我的才能不够,而且又顾忌上文所说的那些世俗言行,我肯定不敢做您的老师。您上次来想看我的文章,我已经全部拿给您看了,这并不是以此向您炫耀我自己，只是想观察您的神情态度，以判断我的文章是好是坏的真实情况。现在您的来信对我都评价过高。您实在不是那种巧言谄媚、假意奉承的人，只不过因为特别喜欢我，所以才这样说罢了。

始吾幼且少，为文章以辞为工。及长，乃知文者以明道①。是固不苟为炳炳烺烺②，务采色、夸声音而以为能也。凡吾所陈，皆自谓近道③，而不知道之果近乎，远乎？吾子好道而可吾文④，或者其于道不远矣。故吾每为文章，未尝敢以轻心掉之⑤，惧其剽而不留也；未尝敢以怠心易之⑥，惧其弛而不严也；未尝敢以昏气出之⑦，惧其昧没而杂也；未尝敢以矜气作之⑧，惧其偃蹇而骄也。抑之欲其奥，扬之欲其明，疏之欲其通，廉之欲其节，激而发之欲其清，固而存之欲其重，此吾所以羽翼夫道也⑨。

[注释]

①道：真理，此处指圣人之道。②苟为：随便做出。炳炳烺烺：鲜明灿烂的样子，此处指文章风采华丽。③道：此处指为文之道，作文的原则。④可：认可，肯定。⑤轻心掉之：即掉以轻心。掉，调弄。轻心，轻易之心。⑥怠心：懈怠之心。⑦昏气：指头脑不清醒。⑧矜气：骄傲之气。⑨羽翼：辅助。

[译文]

当初我年轻又不懂事，写文章时以辞藻华丽为美。等到长大以后，才知道文章是用来阐明圣人之道的。这当然不能轻率地追求形式的美观、辞藻的华丽、音节的优美，不能把这些当做作文的能事。我说的这些，都自认为接近作文的原则，但不知道果真接近了还是远离了呢？您喜好作文的原理，又赏识我的文章，也许我离作文之道不远了。所以，每当我写文章时，从来不敢漫不经心，恐怕文章浮滑而不够深刻；从来不敢偷懒取巧，恐怕文章松弛而不严谨；从来不敢在头脑不清醒时写作，恐怕因心思昏昧而导致内容杂乱无章；从来不敢用骄傲的心理写作，恐怕因感情用事而显得狂妄。加以抑制是希望文章深沉含蓄，加以发挥是希望文章流丽明快，加以疏导是希望文气顺达流畅，严于创意择词是希望文辞精练恰当，剔除污浊是希望文章活泼清新，聚存文气是希望文章写得有深度而不轻浮，这就是我用来辅助作文之道的方法。

本之《书》以求其质①，本之《诗》以求其恒②，本之《礼》以求其宜③，本之《春秋》以求其断④，本之《易》以求其动⑤，此吾所以取道之原也。参之穀梁氏以厉其气⑥，参之《孟》、《荀》以畅其支⑦，参之《庄》、《老》以肆其端⑧，参之《国语》以博其趣⑨，参之《离骚》以致其幽⑩，参之太史公以著其洁，此吾所以旁推交通而以为之文也⑪。

[注释]

①《书》：即《尚书》，我国最古老的历史文献，叙述朴实，不尚华饰。②《诗》：即《诗经》。恒：常，指永恒不变的情理。③《礼》：即儒家经典"三礼"，包括《周礼》、《仪礼》、《礼记》。宜：合理。④《春秋》：相传孔子修鲁国历史成《春秋》，通过一字之褒贬来表达对历史人物和事件的是非判断。⑤《易》：又称《周易》或《易经》。动：变化发展。⑥穀梁氏：《春秋》三传之一《穀梁传》，即鲁人穀梁赤为《春秋》所作的传。⑦《孟》、《荀》：即《孟子》和《荀子》。《孟子》以博辩纵横见称。《荀子》以逻辑严密见长。支：流派，指文章义理的发挥。⑧《庄》、《老》：即《庄子》和《老子》。二书自然质朴，如行云流水，汪洋恣肆。《庄子·天下篇》自称其文是"荒唐之言，无端崖之辞"，故云"肆其端"。⑨《国语》：中国第一部国别体史书，记录周、鲁、齐、晋、郑、楚、吴、越等诸侯国的历史，以记述历史人物的言论见长。⑩幽：指《离骚》的隐微深沉。⑪交通：贯通，互相参照，指吸取各书的长处。

[译文]

根据《尚书》，学习它的质朴无华；根据《诗经》，学习它永恒不变的情理；根据"三礼"，以求文章内容合乎事理；根据《春秋》，以求文章是非明确、褒贬分明；根据《易经》，以求文章能够反映出事物的发展变化，这就是我吸取"道"之源泉的办法。学习《穀梁传》，以加强文章的气势；参考《孟子》、《荀子》，以使文章条理通达；参考《庄子》、《老子》，以使文章汪洋恣肆；参考《国语》，以使文章增强情趣；参考《离骚》，以使文章能够情思幽微；参考《史记》，以使文章显得语言简洁。这就是我用来广泛学习，使它们融会贯通，并运用来写文章的办法。

凡若此者，果是耶，非耶？有取乎，抑其无取乎？吾子幸观焉择焉①，有余以告焉②。苟亟来以广是道③，子不有得焉，则我得矣，又何以师云尔哉？取其实而去其名，无招越、蜀吠怪，而为外廷所笑，则幸矣。宗元白。

[注释]

①观焉择焉：从中观察和选择。②有余以告焉：有什么告诉我。③亟来：屡次，经常。

[译文]

所有上面谈到的内容，究竟正确还是错误，有无可取之处呢？希望您能考察分析之后再进行选择，有什么不同意见就来信告诉我。如果我们经常往来交流，以扩大发挥为文之道，您也许不会有什么收获，但我却会有所收获，又何必要用老师的名义呢？保留相互学习的内容，抛开老师的名分，不招致越地和蜀地之狗视雪和日为怪异的狂叫，不像孙昌胤为儿子举行冠礼那样遭到人们的嘲笑，那就非常值得庆幸了。宗元敬上。

表

为裴中丞贺克东平赦表①

臣某言:伏奉月日德音②,以淄青荡平③,褒功宥罪,布告遐迩者④。臣闻肃杀之后,每致阳和;雷霆既施,必闻膏泽⑤。伏惟陛下体乾刚以运行⑥,协坤元之翕㧪⑦。百灵受职,六合从风⑧。阻兵怙乱者,必就枭擒;怀忠抱义者,无不甄录。激其效顺,特加旄节之荣⑨;宠以元功,遂兼鼎铉之任⑩。戎行穷赏赉之重,死事极褒恤之优。劫胁之役尽除,聚敛之名皆去。伤痍受煦,老疾加恩,丰财已复其征徭,赐种更盈于穜稑⑪。严山川之祀,神必有依;申义烈之家,物无不感。周王推忠厚之化,汉帝惭恺悌之风⑫。太平之德,斯为至盛。然则虞巡可复,告成将庆于岱宗;⑬汉典方行,讲礼再荣于阙里⑭。

[题解]

本文是柳宗元代桂管观察使裴行立草拟的恭贺朝廷平定淄青的贺表,作于元和十二年(817年)。

[注释]

①裴中丞:指桂管观察使裴行立,祖籍绛州稷山(今属山西运城),高宗时太常博士裴守真的曾孙,曾以军劳累授沁州刺史,迁卫尉少卿。宪宗元和十二年(817年),以御史中丞徙桂州刺史、桂管观察使。黄家洞贼叛,行立讨

平之,俄代桂仲武为安南都护,卒赠右散骑常侍。表:封建时代称臣子给君主的奏章,多用于陈述衷情,后来应用渐广,有贺表、谢表等。②德音:唐宋时期,诏敕之外,别有德音一体,用于施惠宽恤之事,犹言恩诏。此处指帝王的诏书。③淄青荡平:指元和十四年二月,淄青都知兵马使刘悟斩李师道以降朝廷之事。自此,李师道之叛得以平定,淄青之地得以安定。④布告遐迩:朝廷平定淄青之后,颁诏天下,凡狱中死囚之死罪减为流放,流放罪以下的罪犯,全部释放。⑤膏泽:滋润土壤的雨水,比喻恩惠。⑥伏惟:表示伏在地上想,下对上陈述时的表敬之辞。体:亲身经验,领悟。乾刚:谓天道刚健,亦用以称帝王的刚健决断。⑦坤元:与"乾元"对称,指大地滋生万物之德。翕格:聚合,聚拢。⑧六合:天地四方曰六合。⑨旄节之荣:指刘悟被授予义成军节度使。旄节,镇守一方的长官所拥有的节。⑩兼鼎铉(xuàn)之任:指魏博节度使田弘正加检校司徒、同中书门下平章事。鼎铉,扛鼎,借指宰相。⑪穜稑(tóng lù):先种后熟曰穜,后种先熟曰稑。⑫恺悌:和乐平易。⑬"然则虞巡"句:《尚书》:"岁二月东巡守,至于岱宗。"岱宗在兖州,而兖属淄青,今兖州既复,故及之。⑭阙里:孔子故里。汉章帝元和二年(85年),东巡守,过鲁,幸阙里,以太牢祠孔子。

[译文]

微臣恭呈圣上:某年某月某日恭奉圣上恩诏,因为淄青都知兵马使刘悟斩其节度使李师道投降朝廷,(朝廷于是)褒奖有功之臣,宽恕有罪之臣,颁发诏书宣示天下,把关押在狱的死囚犯减为流刑,流刑以下的罪犯则予以释放。我听说每当秋冬季节草木凋零之后,往往都能带来温暖的气候;疾雷响过之后,人间很快就能得到滋润万物的甘霖。微臣只希望陛下能亲身体验刚健决断的道理,并将之付诸行动,能与大地滋生万物之德相融合。各位神灵各司其职,天地四方各得其所。那些拥兵作乱的人,最终定会被擒拿枭首;胸怀忠义之士,经过严格的甄别后全部录用。为了激发臣子的忠顺之心,朝廷特意授予臣子殊荣,加封刘悟为义成军节度使;大臣因建功立业而备受恩宠,魏博节度使田弘正加检校司徒、同中书门下平章事,身兼宰相重任。军队对有功将士大加赏赐,对为国捐躯将士的褒奖抚恤尤为优厚。强制性的徭役全部取消，课重税搜刮民财的名目也都免去。伤残之人能蒙受朝廷的温暖，年老有病的人也得到意外的恩典。丰厚的财物已经使朝廷再次取消徭役，朝廷赐给臣民种子更有利于各种谷类的生长。郑重祭祀山川之神，神灵一定会对山川有所依恋；一再表彰忠义节烈之家，天下万物无不为之感动。周朝的统治者推崇忠诚宽厚的教化，汉朝的天子逐渐普及和乐平易的风气。太平盛世的恩惠，到今天堪称极盛。如此说来，虞舜可以再次东巡在岱宗举行庆典，宣告成功；汉武帝曾经登封泰山，汉章帝东巡，曾幸临孔子故里，用太牢之礼祭祀孔子。（朝廷也可以再次东巡封禅以示国威。）

臣谬膺重寄①，获睹大和，抃蹈之诚②，倍万恒品③。谨已施行郡邑，宣示军戎，莫不动地欢呼④，若醉千钟之酒；腾天鼓舞，如闻九奏之音⑤。无任庆贺踊跃之至⑥。

[注释]

①谬膺：错误地接受或承当。重寄：重大的托付。②抃蹈：手舞足蹈，形容欢欣感激之状。③倍万：万倍。恒品：常类，常品。④动地欢呼：与下文的"腾天鼓舞"互文见义，意为欢天动地、欢呼鼓舞。⑤九奏：古代行礼所奏九种乐曲：王出入，奏王夏；尸出入，奏肆夏；牲出入，奏昭夏；四方宾来，奏纳夏；臣有功，奏章夏；夫人祭，奏齐夏；族人侍，奏族夏；客醉而出，奏陔夏；公出入，奏骜夏。⑥无任：很，非常，不胜。

[译文]

微臣承蒙圣上错爱，委以重任，能够亲眼目睹国家的太平景象，对朝廷欢欣鼓舞、感激涕零的心情，超过平常万倍。现已经恭恭敬敬地将国家的诏令在府县施行、在军队加以公布，人们闻之无不欢天动地，像喝了千杯美酒一样醉态万方，又像听了九奏乐曲一样，沉浸在欢快之中。人们心中的喜悦无法形容，相互庆贺、欢呼雀跃的氛围达到了极致。

为刘同州谢上表①

臣某言：伏奉某月日制，除臣同州刺史兼本州防御、营田、长春宫使②，某月日到州上任讫。臣初奉纶言③，震抃无极④，及临所部，惊惧逾深。投躯莫报于乾坤⑤，陈力无裨于造化⑥。臣某诚惶诚恐⑦，顿首顿首⑧。

[题解]

此文是柳宗元代替同州刺史刘某向朝廷所写的谢表，表达了任职同州的感激之意和惶恐心情。

[注释]

①刘同州：刘姓同州刺史，生平事迹不详。同州，州、府名，治所在武乡（隋改名冯翊，今陕西大荔），唐代辖境相当于今陕西大荔、合阳、韩城、澄城、白水等县地。②营田：即营田使。营田，即屯田，汉以后历代政府利用兵士或招募流民于驻扎地区种田，以供军饷。长春宫：宫殿名，在今陕西大荔县西北。③纶言：帝王的诏书。《礼记·缁衣》："王言如丝，其出如纶；王言如纶，其出如绰。"郑玄注："言言出弥大也。"后因以"纶言"为帝王诏令的代称。④抃：拍手，鼓掌。无极：无穷尽，无边际。⑤投躯：舍身，现身。⑥陈力：贡献、施展才力，借指所任职位。裨（bì）：增添，补助。造化：自然界。⑦诚惶诚恐：原是封建社会中臣子向皇帝上奏章时所用的套语，现常用来形容小心谨慎，惶恐不安的样子。⑧顿首：磕头，叩头下拜（常用于书信、名帖中的敬辞）。

[译文]

微臣恭呈圣上：某年某月某日谨遵圣命，任命微臣为同州刺史兼任同州防御、营田、长春宫使，臣已于某年某月某日到任就职。微臣起初接到圣上诏令，非常震惊；等到上任之后，心中更加惶恐。（微臣担心自己）即便舍身也难以回报天地，就算贡献全部才力可能也对上天没有什么裨益。微臣内心惶恐不安，叩头再叩头。

臣出自诸生①，不习为吏，有恇懦之质②，无区处之能。托迹儒门，乏仲弓南面之德③；委身郎署，阙冯唐论将之对④。尝惧叨冒清列⑤，芜秽圣朝。岂意天听忽临⑥，鸿恩荐及，八命作牧⑦，一麾出守⑧。拔自下位，寄之雄藩，非臣庸琐，所宜膺据。况冯翊密迩王都，古称三辅⑨；爰自近代，命秩逾崇。有兵食之虞⑩，有宫室之制⑪，皆公卿将相，出入由之。仰征甲令⑫，俯窥图记，跼蹐无地，以兢以惶，恩重命轻，不知所效。庶当刻精运力，夙夜祗勤，上奉雍熙，旁流恺悌，以日系月。倘或有成，庶几之心，懔懔增惕⑬。徒望云而就日⑭，喜近帝乡；将击壤以成风⑮，共歌尧代。天威咫尺，敢布丹诚。无任悃恳屏营之至⑯。

[注释]

①诸生：儒生，有知识有学问之士。②恇（kuāng）懦：懦弱、怯弱。③仲弓：春秋时期鲁国冉雍的字，也称子弓，孔子的学生，以德行著称。《论语》："雍也可使南面。"南面：古代以坐北朝南为尊位，故天子、诸侯见群臣，或卿大夫见僚属，皆面南而坐。帝位面朝南，故代称帝位。④冯唐论将：据《汉书》载，冯唐以孝著，为郎中署长。文帝与之论赵国之将，曰："吾居代时，吾尚食监高祛数为我言，赵将李齐之贤，战于钜鹿下。吾每饮食，未尝不在钜鹿也。父老知之乎？"唐曰："齐尚不如廉颇、李牧之为将也。"⑤叨冒：谦称受赏赐。清列：高贵的官位。⑥天听：帝王的听闻。⑦八命作牧：语出《周礼·春官·大宗伯》："一命受职，再命受服，三命受位，四命受器，五命赐则，六命赐官，七命赐国，八命作牧，九命作伯。"周代官爵分为九等级，称九命，其中八命为王之三公及州牧，泛指朝廷重臣。⑧一麾出守：颜延之《五君咏·阮始平》曰："屡荐不入官，一麾乃出守。"谓阮咸受荀勖排斥，出为始平太守。后多以"一麾出守"用作朝官出为外任之典。⑨三辅：汉世左冯翊、右扶风、京兆，谓之三辅。冯翊，即同州郡名。⑩兵食之虞：指兼任同州防御使和营田使。⑪宫室之制：指兼任长春宫使。⑫甲令：语出《汉书·韩信彭越等传赞》："唯吴芮之起，不失正道，故能传号五世，以无嗣绝。庆流支庶，有以矣夫，著于甲令而称忠也。"颜师古注："甲者，令篇之次

也。"意谓第一道法令，指朝廷颁发的重要法令。⑬懔懔：危惧貌，戒慎貌。惕，戒惧，小心谨慎。⑭望云而就日：仰望白云，靠近太阳，比喻对君王的崇仰或思慕。《史记·五帝本纪》："帝尧者，放勋。其仁如天，其知如神。就之如日，望之如云。"⑮击壤：古代的一种游戏。把一块鞋子状的木片侧放地上，在三四十步处用另一块木片去投掷它，击中的就算得胜。《艺文类聚》卷十一引晋皇甫谧《帝王世纪》："（帝尧之世）天下大和，百姓无事，有五十老人击壤于道。"后因以"击壤"为颂太平盛世的典故。⑯悃恳：恳切。屏（bīng）营：谦词，多用于信札中，意为惶恐。

[译文]

　　微臣出身儒生，对做官之道不太熟悉，虽有文弱书生的资质，却没有筹措安排大事的能力。我虽然寄身于儒家，却缺乏春秋时冉雍那样令人称道的德行；我虽然将自身交付给官署，却没有汉代冯唐那样长于知人的眼光。我曾经担心自己承蒙圣上厚爱，虽身居高官，却没有大的作为。想不到圣意忽然降临，让我再受皇恩，任命我为朝廷重臣，外放出京。将我从下级官吏选拔出来，授予地位重要、实力雄厚的藩镇大臣，并非微臣庸下不识大体，而是朝廷应该考虑我的实际能力。更何况冯翊靠近京城，汉代与右扶风、京兆号称三辅；到了现在，冯翊的地位更加尊崇重要。同州刺史兼同州防御、营田、长春宫使，承担着军事、民事和帝宫的多重事宜，自古以来都由位高权重的文武大臣担任。对上要验证朝廷颁发的重要法令，对下要仔细查询地方史志。我平日遇事畏畏缩缩，动则惊惧惶恐，圣上恩重如山，微臣身份下贱，不知道该如何报效朝廷。以后微臣自当竭尽全力，夙兴夜寐，勤俭奉公，力争做到在朝为官和乐升平，出京外放和乐平易，经年累月，痴心不改。假如能够取得一点成绩，谨怀戒惧之心始终保持小心谨慎。抬头仰望白云和太阳，低头思慕朝中的君王，接近皇帝故乡的人们欣喜异常；百姓闲暇无事，击壤游戏盛行于世，共同歌颂盛世太平。帝王的威严近在咫尺，臣子的赤胆忠心唯天可鉴。微臣之心恳切至极，惶恐至极。

非《国语》

三川震[1]

幽王二年[2],西周三川皆震。伯阳父曰[3]:"周将亡矣!夫天地之气,不失其序;若过其序,民乱之也。阳伏而不能出,阴迫而不能蒸[4],于是有地震。今三川实震,是阳失其所而镇阴也。阳失而在阴,源必塞。源塞,国必亡。若国亡,不过十年,数之纪也[5]。夫天之所弃,不过其纪。"是岁也,三川竭,岐山崩[6]。幽王乃灭[7],周乃东迁[8]。

[题解]

元和三年(808年)至元和四年,柳宗元被贬永州时写下一组批判《国语》的文章,共有六十七篇。本篇即选自《非〈国语〉》。《国语》记录的三川地震,是世界上最早的一次地震记载。但它把这次地震的原因归结为"天地阴阳之气失序",具有浓厚的天人感应色彩。本文以朴素的唯物主义观点,论述地震、山崩、河塞是自然界物质自身运动的一种现象,指出地震与国家兴亡没有必然联系,批驳了"天命论"的荒谬,在当时遭到一些儒家卫道者的大肆攻击。

[注释]

①三川:指泾、渭、洛三河流域一带。震:地震。②幽王:即周幽王姬宫湦,公元前781至前771年在位,幽王二年即公元前780年。③伯阳父:周

朝的大夫，周宣王、幽王时任太史。④蒸：上升。⑤纪：十年为一纪。《国语·周语上》韦昭注："数起于一，终于十，十则更，故曰纪也。"⑥岐山：山名，在今陕西岐山县东北。因岐山是三川发源处，所以说山崩、源塞、三川竭。⑦幽王乃灭：公元前771年，周幽王被西方戎族杀死于骊山。⑧周乃东迁：周幽王被杀后，周平王即位，并于公元前770年把国都从镐京东迁到洛邑（今河南洛阳），史称东周。

[译文]

周幽王二年的时候，西周的泾、渭、洛三河流域一带都发生了地震。伯阳父说："周王朝快要灭亡了。天地间的阴阳二气，自有一定的秩序；如果失去固有的秩序，那就是人为扰乱造成的。阳气潜伏在下面出不来，阴气迫近地面不能上升，于是就会发生地震。如今三河流域发生地震，是因为阳气失掉了应在的位置而填塞在阴气的位置上。阳气失去了位置，又填塞在阴气的位置上，三川的源头必定会被阻塞。河水的源头被阻塞，国家必定会灭亡。如果国家灭亡，时间不会超过十年，因为十是数的一纪。上天既然要抛弃它，是不会让它超过十年的。"这一年，三川枯竭，岐山倒塌。周幽王于是灭亡，周朝也东迁到洛邑去了。

非曰：山川者，特天地之物也。阴与阳者，气而游乎其间者也。自动自休，自峙自流①，是恶乎与我谋？自斗自竭，自崩自缺，是恶乎为我设？彼固有所逼引而认之者②，不塞则惑。夫釜鬲而爨者③，必涌溢蒸郁以糜百物；畦汲而灌者，必冲荡溃激以败土石。是特老圃者之为也④，犹足动乎物，又况天地之无倪，阴阳之无穷，以澒洞轇轕乎其中⑤，或会或离，或吸或吹，如轮如机⑥，其孰能知之？且曰："源塞，国必亡。""人乏财用，不亡何待？"则又吾所不识也。且所谓者天事乎？抑人事乎？若曰天者，则吾既陈于前矣；人也，则乏财用而取亡者，不有他术乎？而曰是川之为尤，又曰"天之所弃，不过其纪"，愈甚乎哉!吾无取乎尔也。

[注释]

①峙:耸立,屹立。②逼引:排斥和吸引,引申为运动、矛盾的意思。③釜:古代一种形状如坛罐的锅。④老圃者:老园丁,种菜的老农。⑤㶉(hòng)洞:弥漫无际的样子。⑥轮:车轮,指旋转运动。机:织具一类的器物,指左右上下运动。

[译文]

(宗元)批驳说:山岭和河流只不过是自然界的物体。阴气与阳气,则是在天地间不停运动的元气。阴阳二气自然运动、自然静止,山岭自然耸立,河水自然流淌,这些现象的存在怎么会与人商量呢?河水会干枯和阻塞,山会崩塌和陷落,自然界的变化怎么会由人类来安排呢?阴阳与山川本来就是不断运动变化着的,把它们的运动变化看做是国家兴亡的预兆,这种认识不是愚蠢就是糊涂。用锅来烧煮东西,一定要蒸气沸腾涌溢,才能把各种食物煮烂;从井里打水浇灌菜畦,水势喷洒冲击,一定会毁坏土石。这些不过是老园丁干的事情,尚且能使自然界的物质发生变化。何况天地无边无际,阴阳二气无穷无尽,它们弥漫相连,交错纠缠在一起,有时分离,有时聚合,有时互相吸引,有时互相排斥,如同车轮和纺织机一样不停地旋转运动,这种变化规律又有谁能预料到呢?他还说:"河水的源头被阻塞,国家必定灭亡。""人主缺少钱财,不灭亡还要等到什么时候呢?"这又是我无法理解的。而且所谓的源塞而国亡,究竟是天意造成的呢,还是人为造成的呢?如果说是天意如此,那么我已经在前面讲过天人相分的道理了;如果说是人为的原因,那么因为缺乏财用而导致国家灭亡,难道没有其他的原因吗?说造成国家灭亡是山川的过错,又说"天要灭掉的国家,是不会超过十年的",这就更加荒谬了。我不赞成这种说法。

问 战

长勺之役①,曹刿问所以战于严公②。公曰:"小大之狱③,必以情断之④。"刿曰:"可以一战。"

[题解]

本篇是柳宗元对《国语·鲁语》中所记载的"长勺之役"的批驳,指出"务实"和"德治"才是巩固社稷的根本。

[注释]

①长勺之役:据《国语·鲁语》载,公元前684年,齐、鲁两个诸侯国交战于长勺(今山东莱芜东北),最后以齐国的失败、鲁国的胜利而告终。②严公:《国语》作庄公,避汉明帝刘庄讳改为严公。③狱:诉讼案件。④情:实际情况。

[译文]

鲁国将和齐国的军队在长勺交战,曹刿问鲁庄公凭什么和齐国打仗。庄公说:"我处理大大小小的诉讼案件,一定要根据实际情况来裁决。"曹刿说:"可以凭借这个条件打一仗。"

非曰:刿之问洎严公之对,皆庶乎知战之本矣①。而曰夫"神求优裕于飨"②,"不优,神不福也",是大不可。方斗二国之存亡③,以决民命,不务乎实,而神道焉是问④,则事机殆矣。既问公之言狱也,则率然曰"可以一战",亦问略之尤也。苟公之德可怀诸侯,而不事乎战则已耳;既至于战矣,徒以断狱为战之具⑤,则吾未之信也。刿之辞宜曰:君之臣谋而可制敌者谁也?将而死国难者几何人?士卒之熟练者众寡?器械之坚利者何若?趋地形得上游以延敌者何所?然后可以言战。若独用公之言而恃以战,则其不误国之社稷无几矣⑥。申包胥之言战得之,语在《吴篇》中。⑦

[注释]

①庶乎：几乎，差不多。战之本：战争最根本的问题。②飨（xiǎng）：同"享"，指祭品。③方：正在，正当。④神道：指神灵。⑤具：器物，引申为条件。⑥社稷：土神和谷神，古时君主都祭祀社稷，后以之代表国家。⑦申包胥之言战得之，语在《吴篇》中：据《国语·吴语》记载，春秋末战国初，楚国曾派申包胥出使越国。越王勾践为打败吴国，诚恳地向申包胥征求意见，申包胥告之战争之所以能取胜，必须做到智、仁、勇三者具备，缺一不可。勾践深受启发，最终消灭吴国。《吴篇》，指《国语·吴语》。

[译文]

（宗元）批驳说：曹刿关于战争条件的询问及鲁庄公对此的回答，都接近于洞悉战争的根本问题了。可是曹刿认为"神求优裕于飨"、"不优，神不福也"的说法却很不恰当。当时齐、鲁两国正要为国家的生死存亡而打仗，并以此来决定两国百姓的命运。曹刿不考虑当时的实际情况，反而求救于神灵，这样做实际上是贻误了解决问题的最佳时机。曹刿已经询问过鲁庄公对刑事案件的处理态度，还要轻率地说"可以凭借这个条件打一仗"，这也称得上比较特殊的询问策略了。如果鲁庄公的恩德能够使其他诸侯国降顺，那么鲁国可以不通过打仗就能阻止战争。事态已经发展到一触即发的战争状态，还仅仅把处理诉讼案件（的态度）作为可以打仗的条件，我不相信会存在这样的情况。曹刿的话应该这样说：国君的大臣中有谁能通过计谋实现克敌制胜目的呢？那些准备为国捐躯的人有多少？士兵中有丰富战争经验的人有多少？坚固而锐利的武器又有多少？能够利用地理位置优势占据上风进而能拖延敌人的人又有多少呢？这些因素都考虑在内之后，才可以对战争发表意见。如果单纯地听信鲁庄公的话，并且凭借他的话来进行战争，那么，没有几个人能够不贻误国家社稷的。楚国的申包胥曾经分析过战争能取得胜利的因素，很有见地，《国语·吴语》中对这件事记载得非常详细。

图书在版编目(CIP)数据

唐宋名家文集.柳宗元集/卫绍生注译.—郑州:中州古籍出版社,2010.4(2013.6重印)
(国学经典)
ISBN 978-7-5348-3311-3

Ⅰ.①唐… Ⅱ.①卫… Ⅲ.①古典文学—作品集—中国—唐代②古典文学—作品集—中国—宋代③古典散文—作品集—中国—唐代 Ⅳ.①I214.01②I214.232

中国版本图书馆 CIP 数据核字(2010)第 023794 号

出版社:中州古籍出版社
　　　(地址:郑州市经五路66号　邮政编码:450002)
发行单位:新华书店
承印单位:河南大美印刷有限公司
开本:640mm×960mm　1/16　印张:16
字数:190千字　　　　　　印数:10 001-13 000 册
版次:2010年4月第1版　　印次:2013年6月第3次印刷

定价:22.00元
本书如有印装质量问题,由承印厂负责调换。